ジュラシック・パーク
JURASSIC PARK

Michael Crichton
マイクル・クライトン
酒井昭伸＝訳

上

Hayakawa Novels

ジュラシック・パーク
JURASSIC PARK

Michael Crichton
マイクル・クライトン
酒井昭伸＝訳

上

Hayakawa Novels

ジュラシック・パーク〔上〕

AMと
Tに

「爬虫類は、その冷たいからだ、生白い体色、軟骨性の骨格、不気味な感触の皮膚、見るからに恐ろしげな見かけ、計算高い目つき、不快なにおい、ぞっとする声、みすぼらしい住み家、猛毒などのゆえに忌みきらわれる。創り主が爬虫類を大繁栄させなかったのはそのせいであろう」

一七九七年　リンネ

「新たなる生命をよみがえらせることなど、できはしない」

一九七二年　アーウィン・チャーガフ

①ディロフォサウルス
②ステゴサウルス
③ティラノサウルス
④ケアラダクティルス
⑤アパトサウルス
⑥スティラコサウルス
⑦トリケラトプス
⑧ハドロサウルス
⑨マイアサウラ
⑩エウオプロケファルス
⑪ヒプシロフォドン
⑫ヴェロキラプトル
⑬オスニエリア
⑭プロコンプソグナトゥス
⑮ミクロケラトプス

①
④
②
⑥
③
⑪
⑫
⑬
⑭
⑮

登場人物

アラン・グラント……………………古生物学者
エリー・サトラー……………………古植物学者
イアン・マルカム……………………数学者
ジョン・ハモンド……………………InGen社およびハモンド財団創立者
ドナルド・ジェナーロ………………InGen社顧問弁護士
デニス・ネドリー……………………システム・エンジニア
エド・リージス………………………広報室室長
ジョン・アーノルド…………………チーフ・エンジニア
ロバート・マルドゥーン……………恐竜監視員
ヘンリー・ウー………………………遺伝学者
ハーディング…………………………獣医
（エド・リージス〜ハーディング：〈恐竜王国《ジュラシック・パーク》〉のスタッフ）
ティム・マーフィー
レックス・マーフィー
（ティム・マーフィー、レックス・マーフィー）………ハモンドの孫
ルイス・ドジスン……………………遺伝学者
マーティン・ギティエレス…………生物学者

はじめに――〝InGen事件〟

二〇世紀も残り四半世紀というあたりから、科学のゴールドラッシュともいうべき現象がはじまった。すさまじいまでの速さで性急に進められていく、遺伝子工学の事業化である。この事業の発展ぶりたるや、まさに猛烈のひとことにつきるが、外部にはめったに情報が漏れてこないこともあって、その特徴や意義は一般にほとんど理解されていない。

バイオテクノロジーは、人類史上最大の革命を約束する。二〇世紀がおわるまでには、原子力やコンピュータよりもはるかに大きな影響を日常生活にもたらしているだろう。ある事情通のことばを借りるなら、こういうことだ。

「バイオテクノロジーは人間生活のあらゆる局面を変化させようとしている。医療、食料、健康、娯楽、さらには人の肉体そのもの。革新ののち、ものごとは二度ともとにもどらない。それは文字どおり、この惑星の様相をも一変させてしまうだろう」

だが、このバイオテクノロジー革命には、これまでの科学革命と比べ、三つの大きなちがいがある。

第一に、大々的に研究がなされていること。アメリカに原子力時代をもたらしたのは、ロスアラモスの一研究機関だった。コンピュータ時代をもたらしたのも、せいぜい十社強の企業でしかない。ところがバイオテクノロジー研究となると、アメリカ一国を例にとっても、研究機関は二〇〇〇を越える。企

業だけ見ても約五〇〇社、その五〇〇社が投じている資金はじつに年間五〇億ドルにものぼる。

第二は、研究の大半が無思慮で軽薄なこと。たとえば、川を泳ぐ姿が見つけやすいようからだの色を明るくしたマス、製材しやすいように最初から四角く育つ木、いつも好きなにおいを嗅いでいられるよう鼻に注入する香り細胞――。冗談のような話ばかりだが、これは冗談ではない。じっさい、化粧品会社やレジャー産業など、伝統的に流行に敏感な業界にこの新しいテクノロジーがとりいれられれば、その気まぐれな使い方の実態がひときわ関心を引くようになるだろう。

第三に、この研究は管理不可能なこと。監督当局がない。規制する連邦法もない。アメリカはもちろん、世界じゅうのどの国を見まわしても、終始一貫した当局の方針などない。そもそもバイオテクノロジーの産物は、医薬品から穀物生産、人工降雪にいたるまで多岐にわたっているため、統一のとれた政策を貫くのがむずかしいのだ。

しかし、なによりもやっかいなのは、科学者たちのなかにお目つけ役をもって任じる人物がひとりもいないということである。驚くべきことに、遺伝子研究に携わる科学者は、ほぼ全員がバイオテクノロジーの商業利用にかかわっている。超然たるオブザーバーなどいるわけがない。だれもかれもがヒモつきなのだから。


分子生物学の実用化は、科学史においてとびぬけて深刻な倫理問題といえる。しかもその研究は、目を見張るばかりの勢いで進められてきた。ガリレオ以来四〇〇年間、科学はつねに、自然の働きに対する自由でオープンな研究だった。科学者はつねに国境を越え、政治や戦争の移り気な関心を超越した場所にみずからを位置づけてきた。研究を秘密にされることには決まって抵抗し、自分の発見で特許をとるという考えにすら眉をひそめ、科学研究は全人類の利益のためだという姿勢を貫いてきた。事実、何世代にもわたって、科学者の諸発見は、たしかに利己的な性質とは無縁のものだった。

一九五三年のこと、ジェイムズ・ワトソンとフランシス・クリックという英国の若い研究者が、DNAの構造を解明した。ふたりの研究は人間の魂の——宇宙を科学的に理解しようとする何世紀もの探求の——一大勝利として、熱烈な歓迎を受けた。そして、人類のいっそう大きな利益のために、無私の形で活用されるものと考えられた。

ところが——。三〇年たってみれば、ワトソンとクリックの研究仲間たちは、ほぼ全員が、それとはまったく異なる分野に従事していた。すなわち、分子遺伝学である。何十億ドルもの巨利を生むまでになったこの研究の源をたどれば、一九五三年ではなく、一九七六年四月にたどりつく。

この年、いまでは有名となった出会いがあった。ベンチャー企業家のロバート・スワンソンが、カリフォルニア大学の生化学者、ハーバート・ボイヤーに接近したのである。ふたりは合意に達し、ボイヤーの組み換えDNA技術を応用するために、営利企業が設立される運びとなった。その名をジェネンテク社という。この新会社はまたたく間に成長し、最大かつもっとも業績の高い遺伝子工学企業にのしあがった。

以来、だれもかれもが急に金持ちになりたがりだしたように見える。毎週のように新会社の設立が報じられ、科学者たちは遺伝子研究に群がった。一九八六年の時点では、科学アカデミーに所属する六四名をふくめ、バイテク企業の顧問会議に名を連ねていた科学者は、すくなくとも三六二名。株を所有していた者、コンサルタントを務めていた者の数となると、さらにこの数倍にもふくれあがる。

科学者たちのこのような態度の変化がどれほど重要であるのかは、ここで強調しておく必要がありそうだ。そのむかし、純粋な科学者は、ビジネスを見くだす傾向があった。金もうけなど知的な興味をかきたてるものではなく、商売人にまかせておけばよいと考えていた。産業のための研究など、たとえベル研究所やIBMのような有名どころの仕事であっても、しょせんは大学で研究を認められない者のすることだと見なしていた。したがって、学究肌の科学者というものは、企業の御用科学者の研究はもと

より、産業全般に対し、基本的に批判的であったといえる。そして、この伝統的な反感があったからこそ、技術的問題にかかわる問題が持ちあがったとき、営利にとらわれない大学の科学者は、高次の次元で問題を議論することができたのである。

だが、もはやそんな美風はない。ヒモつきでない分子生物学者、ヒモつきでない研究機関などは皆無に等しい。時代は変わった。遺伝子の研究は、以前にも増して猛烈な勢いで進められている。それも、秘密裏に、性急に、ひたすら利益のために。

インターナショナル・ジェネティック・テクノロジー社（通称ＩｎＧｅｎ社、本社パロアルト）のような野心的な企業が出現したのは、このような土壌があったればこそのことである。そして、あのような遺伝子危機が闇から闇へ葬りさられたことも、やはり驚くにはあたらない。そもそも、ＩｎＧｅｎ社の研究は秘密裏に行なわれていたうえ、事件が起こったのは中米でも僻地中の僻地のことだったのだ。事件の当事者は二十数名。生き残った者はその半数弱にすぎない。

事件の片がつき、一九八九年十月五日、サンフランシスコ上位裁判所でＩｎＧｅｎ社が連邦破産法第一編第十一章の適用を受け、会社更生手続きをとられたときも、この審理はまったくマスコミの注目を集めることがなかった。ごくあたりまえの裁判に見えたからである。アメリカの中小遺伝子工学企業のうち、同年に倒産したのはＩｎＧｅｎ社が三番め、一九八六年から通算しても七番めだった。審理の記録はいっさい公表されずじまい。債権者がジャパン・マネー、それもハマグチやタサカという、伝統的に人目につくのをきらう企業だったためである。無用の暴露を避けるにあたっては、ＩｎＧｅｎ社の弁護士でもあったカウアン、スウェイン＆ロス法律事務所のダニエル・ロスが、ジャパン・マネーの依頼を受けて暗躍したとささやかれる。さらに、コスタリカの副領事からも異例の請願がとどいたとのうわさも漏れ聞こえてくる。となれば、事件からひと月たらずでＩｎＧｅｎがらみのごたごたが終息し、八

方まるく収まったことは、意外事でもなんでもないというべきだろう。

著名な科学者顧問団をふくむ関係者たちは、秘密厳守を申し合わせる承諾書にサインし、事件については固く口を閉ざして語ろうとしない。だが、かの〝ＩｎＧｅｎ事件〟にかかわった主要な当事者の多くはそれにサインしておらず、進んで語ってくれた——一九八九年八月の最後の二日、コスタリカ西海岸の離島で起きた、あの驚くべき事件のことを——。

ジュラシック・パーク

プロローグ／ラプトルの咬傷《こうしょう》

熱帯特有の、滝のような豪雨が診療所の波板屋根をたたきつけ、音高く金属のといをつたい落ち、激流となって地面にほとばしっている。ロバータ・カーターはため息をつき、窓の外を眺めた。低くたれこめた霧で、浜辺も海もまったく見えない。ここはコスタリカ西海岸のアナスコ湾《バイア・アナスコ》にある漁村の診療所だ。二カ月の滞在予定で、派遣医としてこの村へやってきた当初は、こんな天気がつづくとは思ってもみなかった。シカゴのマイクル・リーズ救急病院に二年間住みこみ、きつい労働に明け暮れてきた彼女が楽しみにしていたのは、太陽と休息だったのだ。だが——

バイア・アナスコにきて三週間。以来、雨の降らなかった日は一日もない。

それ以外のことについては、たしかに申しぶんなかった。バイア・アナスコのひなびた雰囲気は心地よく、地元の人間も人なつこい。コスタリカは世界じゅうでも二十指にはいるほど医療体制の発達した国で、こんな沿岸の村の診療所でさえ設備がきちんと整っており、医薬品も豊富にそろっている。看護助手のマヌエル・アラゴンも気働きがあり、手慣れていた。これならシカゴの病院なみの医療を施すことだってできる。

ただし、この雨！　やむことなくいつまでも降りしきる、この雨ときたら！

診察室の向こうで、ふと、マヌエルが首をかしげた。

「この音は——？」

「聞こえてるわ、雨の音なら」とロバータ。

「ちがいます、よく聞いてください」

そこでようやく、ロバータの耳もその音をとらえた。豪雨の音にまぎれて、深い響きがしだいに大きくなってくる。規則的なバタバタという音。これは……ヘリコプターだ。こんな天気で飛べるわけがないのに——。

だが、音はますます大きくなるいっぽうだった。だしぬけに、海をおおいつくす霧のなかから、ぬっとヘリコプターが現われ、轟音を響かせて頭上を通過し、旋回してもどってきた。いったんまた海上へ出て釣り船の上を横切り、横すべりしてくたびれた木の桟橋《さんばし》上に停止してから、また浜辺へ引き返してくる。

着陸する場所をさがしているのだ。

ヘリは大型キャビンを備えたシコルスキーで、機体横にはブルーのストライプがはいり、そこに〈InGen建設〉のロゴが書きこまれていた。沖合に点在する島のひとつでは、いま、新しいリゾートが建設されている。あれはその建設会社の名前だ。このリゾート施設はとてつもなく壮大で、複雑きわまりないものになるといううわさだった。現地には相当数の地元民が建設作業に雇われているし、着工して二年もたっているというのに、いまなお完成していないくらいなのだ。たぶんそれは、例によってアメリカ式の大型リゾートだろう。プールにテニス・コートを完備し、客はこの国のほんとうの生活にふれることもなく、スポーツに興じたりダイキリを飲んだりするというあれだ。

こんな悪天候にヘリを飛ばすなんて、いったいどんな重大事が島で起こったのだろう。ヘリコプターは浜辺の濡れた砂浜に着地した。キャノピーを通して、パイロットが安堵のため息をつくのが見えた。制服を着た男たちが操縦席から飛びだし、キャビンの大きなドアを勢いよくあけた。スペイン語の切迫

した叫び声が聞こえてきた。ロバータはマヌエルにそっとつかれた。

彼らは医者をもとめていたのである。


ぐったりした男をかかえて、ふたりの黒人クルーが走ってくる。そのかたわらで、白人の男がどなりちらしていた。白人がはおっているのは黄色いレインコートだ。メッツの野球帽の下からは、赤毛がのぞいている。

「ここに医者はっ！」駆けよっていくロバータに、白人の男がどなった。

「わたし。ドクター・カーターです」

重い雨粒が頭や肩を殴りつける。赤毛の男は眉をひそめてこちらを見つめた。ロバータが着ているのはカットオフ・ジーンズにタンクトップだ。肩にかけた聴診器のチェストピースは、すでに潮風で錆びている。

「エド・リージスという。重傷者が出たんだ、先生」

「それならサンホセへ連れていったほうがいいわ」

サンホセはコスタリカの首都で、ヘリならわずか二〇分の距離だ。

「そうしたいところだが、この天気じゃ山越えはむりだ。ここで治療してほしい」

ロバータは怪我人のかたわらによりそい、男たちとともに診療所へ駆けだした。怪我人はまだ少年だった。どう見ても一八歳以上ではない。走りながら、血まみれのシャツをぬがす。肩にぱっくりと、裂傷が開いていた。同じような裂傷が、脚にももうひとつ。

「なにがあったの？」

「事故だ！」エドがどなった。「建築現場で落ちた。そこを掘削機《バックホウ》にまきこまれたんだ」

少年は蒼ざめ、がたがたふるえており、意識がない。

診療所の明るい緑のドアの前で、マヌエルが手をふっていた。男たちは診療所に駆けこみ、診察室中央の診察台に怪我人を横たえた。マヌエルが点滴の準備をはじめるかたわら、ロバータは少年に照明を向け、かがみこんで診察をはじめた。容態のよくないことはひと目でわかる。いまにも死にそうなありさまだ。

肩口の裂傷は腹部にまで達していた。裂け目周辺の皮膚はずたずただった。肩は脱臼しており、傷のまんなかあたりからは白い骨が露出している。もうひとつの傷は太腿の筋肉を深く切り裂き、脈打つ大腿動脈が覗いていた。見たところ、なにかに咬《か》まれた傷のようだ。

「もういちど、怪我したときの状況を話して」

「自分で見たわけじゃない」とエドが説明した。「現場の話では、バックホウにまきこまれたということだ」

「咬み傷のように見えるからきいてるの!」傷を診ながら、ロバータ。救急病院に務める医師のつねで、彼女は何年も前に診た患者の状態をくわしく思いだすことができる。いままでに診た咬傷は二例。ひとりはロットワイラー犬に襲われた二歳の幼児、もうひとりは酔っぱらってベンガル虎に襲われたサーカスの団員だ。どちらの傷もよく似ていた。猛獣に咬まれた傷には、独特の特徴があるものだ。

「咬み傷だって?」とエド。「そんなばかな。こいつはバックホウの傷だ、うそじゃない」

しゃべりながら、エドはしきりに唇をなめている。なにかとんでもないことをしでかした人間のように、ひどくぴりぴりしているようすだ。なぜだろう。リゾート建設に不慣れな地元民を使っているのなら、こんな事故は日常茶飯事のはずなのに。

マヌエルがきいた。「洗浄しますか?」

「ええ。そのまえに、止血して」

ロバータはさらに顔を近づけ、傷の状態を指先でさぐった。バックホウにまきこまれたのなら、傷口

深くに泥がはいりこんでいるはずだ。なのに、土くれらしいものはまったく見あたらない。そのかわりに見つかったのは、ねばねばした泡だった。妙なにおいのする泡だ。腐臭を思わせる、死と腐敗のにおい。こんなにおいは、いままで嗅いだことがない。

「事故があったのは？」

「一時間前だ」

やはりエド・リージスはひどく緊張している。一見したところ、仕事熱心で神経質なタイプのようだ。工事の現場監督には見えない。むしろ管理職だろう。オフィスの奥から出てきたことは明らかだった。裂傷に顔をもどす。機械の傷とはどうしても思えない。それらしくないのだ。傷口には泥がはいっていないし、打撲のあともない。機械の傷というのはほぼ例外なく——自動車事故だろうと工場の事故だろうと——打撲のあとがある。だが、そんなあとはどこにも見あたらない。そのかわり、肩と太腿にぱっくりと裂ける、この傷。

やはり、猛獣の咬み傷にしか見えない。ただし、それ以外の部分にはなんの傷もなかった。なにかに襲われたにしては、そこが妙だ。もういちど、全身を見なおした。頭、腕、手——

手。

少年の手を見たとたん、背筋にぞくりと冷たいものが走った。両の手の平にいくつもの切り傷があり、手首と上腕にも多数の引っかき傷があったのだ。シカゴで勤務した経験から、この傷がなにを意味するかはひと目でわかった。

「わかりました。外で待っていて」

「なぜ？」気色ばんで、エド。よほど患者のそばを離れたくないのだろう。

「この人を助けてほしいの、ほしくないの？」

ロバータはエドを診療室から押しだすと、その目の前でばたんとドアを閉めた。なにが起こっている

のかはわからないが、どうも気にいらない。マヌエルがためらいがちにきいた。

「洗浄をつづけますか？」

「おねがい」

ロバータはそういって、オリンパスの小型自動焦点カメラを手にとり、影ができないよう、照明の角度を調整しながら、傷口の写真を何枚か撮った。何度見ても、これは咬傷だ。そのとき、少年がうめいた。ロバータはカメラをわきに置き、口もとに顔を近づけた。少年の唇が動き、ぼそぼそとしゃべった。

「ラプトル……ロ・サ・ラプトル……」

とたんにマヌエルが凍りつき、蒼白になってあとずさった。

「いまのはどういう意味？」

マヌエルはかぶりをふった。

「わかりません、先生。〝ロ・サ・ラプトル〟というのは――ノ・エス・エスパニョル」

「スペイン語じゃない？」わたしにはスペイン語らしく聞こえたけれど……。「ともかく、洗浄をつづけて」

「かんべんしてください、先生」マヌエルは鼻に皺をよせて、「すごくいやなにおいなんです」というと、十字を切った。

ロバータは傷口にこびりつくねばねばした泡に目をもどした。すこし指にとり、指先でこすりあわせる。まるで唾液のようだ……。

少年がふたたび唇を動かし、かすれ声でいった。「ラプトル……」

マヌエルが怯えた声で、「咬まれたんだ」

「なにに？」

「ラプトルに」

「そのラプトルって？」

「ウピアのことです」

ロバータは眉をひそめた。コスタリカ人はさほど迷信深いほうではないが、この村にきて何度か、〝ウピア〟という名前が口にされるのは耳にしている。夜に徘徊する魔物で、小さな子供をさらう、顔のない吸血鬼だそうだ。俗信によれば、そのむかしコスタリカの山奥に住んでいたウピアは、いまでは沿岸の島々に住んでいるという。

マヌエルがぶつぶつつぶやき、十字を切りながらあとずさった。

「ふつうじゃないです、このにおいは。これはウピアのしわざです」

仕事をつづけなさいと命じかけたとき、少年がくわっと目をあけ、はじけるように診察台の上に起きあがった。マヌエルが恐怖の悲鳴をあげた。少年はうめきながら首をふり動かし、大きく見開いた目で左右を見まわしたかと思うと、がぼっと大量の血を吐いた。つづいて、痙攣《けいれん》がはじまった。ロバータはあわてて引きつる少年のからだを押さえようとしたが、少年は痙攣しながらコンクリートの床に落ちた。また喀血《かっけつ》した。あたりはもう血の海だ。

いきなりドアが開き、「なにごとだっ？」とエドが叫んだ。が、血の海を見るなり顔をそむけ、片手で口を押さえた。ロバータは棒をひっつかみ、くいしばった少年の歯のあいだに押しこもうとした。もう助かる見こみのないことはわかっていても、手をこまねいているわけにはいかない。最後に大きく痙攣してから、少年はぐったりとなった。

口をつけて人工呼吸しようとした。が、マヌエルにすさまじい剣幕で肩をつかまれ、引きもどされた。

「やめなさい！　ウピアの呪いは伝染するんです！」

「マヌエル、いったい——」

「だめです！」すごい目でにらみつけられた。「先生にはわかってないんだ、これがどんなにおおごと

か！」

ロバータは床に横たわる死体を見つめた。いまさらいい争う意味はない。少年が息を吹きかえす望みはまったくなかった。マヌエルが外の黒人たちを呼んだ。ふたりは診療室にもどってきて、死体を運びだしていった。エドが姿を現わし、手の甲で口をぬぐいながら、

「できるだけの手をつくしてくれたことはわかってる」と、ぼそりといった。

そして、あわただしく立ちさっていった。

去っていく三人を、ロバータはじっと見まもった。死体の収容がおわるなり、ヘリコプターは音高く空へ舞いあがった。

「これでいいんです」マヌエルがいった。

気になるのは、少年の手の傷だ。手をおおう、あの無数の切り傷と擦り傷。あれはなにかと格闘したときの傷にまちがいない。少年の死因が工事中の事故でないことは確実だ。少年はなにかに襲われ、身を守ろうとして両手をつきだしたにちがいない。

「彼らがきた島は、どのへん？」マヌエルにたずねた。

「ずっと沖のほうです。海岸から一五〇キロから二〇〇キロはあるでしょう」

「リゾートにしてはずいぶん遠いのね」

マヌエルは去ってゆくヘリコプターを見つめながら、

「二度とこないといいんですが」といった。

すくなくとも、写真は撮ってある——そう思って診察台をふりかえると、そこに置いてあったはずのカメラは、影も形もなくなっていた。


その晩おそく、やっとのことで雨がやんだ。診療所の奥の寝室で、ロバータはぼろぼろになったペー

パーバックのスペイン語辞書をめくっていた。あの少年は〝ラプトル〟といった。マヌエルは否定したが、このことばはやはりスペイン語のように聞こえる。あんのじょう、辞書に載っていた。〝強奪者〟、〝誘拐者〟という意味だった。

ロバータは考えこんだ。このことばの意味は驚くほど〝ウピア〟の意味に近いではないか。もちろん、あんな迷信を信じているわけではない。手にあのような傷をつけたのが魔物であるはずもない。では、少年はなにをいおうとしたのだろう？

診察室でうめき声があがりだした。入院している村の妊婦の陣痛がはじまったらしい。妊婦のそばには、エレナ・モラレスという地元の産婆がつきそっている。ロバータは診察室にもどり、ちょっと外へつきあってとエレナに手招きした。

「エレナ……」

「どうしたの、先生？」

「ラプトルということばを知っているかしら？」

髪が半白になったエレナは六〇歳、とても現実的で、迷信など鼻にもかけない、強い女性だ。星明かりのもとで、エレナは顔をしかめ、問い返した。

「ラプトル？」

「ええ。このことば、知っている？」

「知ってるよ」エレナはうなずいた。「ええとね……夜になるとやってきて、子供をさらっていくやつのことだわね」

「誘拐者？」

「そうだね」

「すると、ウピア？」

エレナの顔色が変わった。「そんなことばを口にしちゃだめだ、先生」

「どうして？」

「こんなときにいっちゃだめなんだよ、先生」陣痛にうめく妊婦のほうに顎をしゃくり、エレナは頑なにいいはった。「場合が場合だからね。いまそんなことばを口にするのは利口じゃない」

「でも、ラプトルは獲物を咬んで切り裂く魔物のことでしょう？」

「咬んで切り裂く？」エレナは怪訝《けげん》な顔になって、「ちがうよ、先生。そんなものじゃない。ラプトルはね、生まれたばかりの赤ん坊をさらっていっちまうんだ」

いらいらしてきたらしく、もうこんな話はごめんだといわんばかりに、さっさと診療室にもどりだした。「いよいよになったら呼ぶからね、先生。あと一時間、長くて二時間てとこだよ」

ロバータは星々を見あげ、おだやかな潮騒の音に耳をかたむけた。闇に目をこらす。黒々とした影は、浜辺にもやわれている釣り船だ。ごくごく平和な、あたりまえの光景。吸血鬼や赤ん坊さらいのことを話しているのがばかばかしくなってきた。

寝室にもどったとき、マヌエルが〝ラプトル〟はスペイン語ではない、といっていたことをあらためて思いだした。ふと興味を覚えて、小さな英語の辞書を引いてみた。驚いたことに、そこにもあのことばはちゃんと載っていた。

ラプトル／名［〝奪いとる者〟の意味のラテン語 raptor に由来。反復相 raptus］：猛禽《もうきん》。

第一反復《イテレイション》

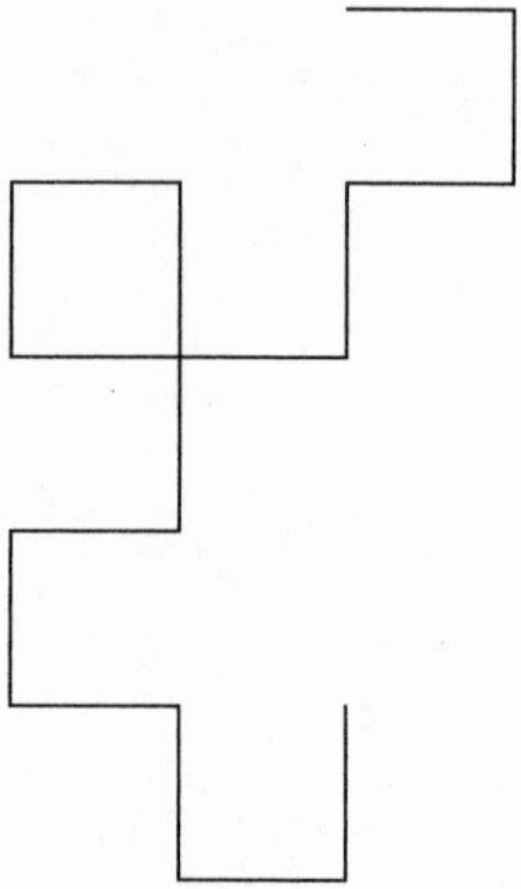

「フラクタル曲線の描きはじめには、そこに秘められた数学構造への手がかりはほとんど現われない」

イアン・マルカム

楽園の蛇

マイク・ボウマンは上機嫌で口笛を吹きながら、コスタリカ西海岸の〈白い岬《カボ・ブランコ》〉自然保護区にランドローバーを走らせていた。七月の朝はさわやかそのものだ。目の前に連なる道路の眺めも壮観の一語につきる。崖っぷちを這いつたう道路からは、ジャングルと蒼い太平洋とが一望のもとに見わたせた。ガイドブックによれば、カボ・ブランコは手つかずの自然がそっくり残った、楽園にも等しい場所だという。その眺めを見ていると、ごたごたつづきだったこの休暇も、ようやく楽しいものになりそうな気がしてきた。

ボウマンは三六歳、ダラスで不動産業に従事している。コスタリカへやってきたのは、妻と娘とともに二週間の休暇を過ごすためだ。コスタリカを選んだのは妻のエレン。コスタリカの国立公園ってほんとうにすばらしいところらしいのよ、ティナに見せたらきっと喜ぶわ――そんなことを何週間も聞かされつづければ、いやでもここに決めないわけにはいかない。ところが、ふたをあけてみると、じつはエレンの目的はサンホセの整形外科で、すでに予約までしていたことがわかった。コスタリカの整形外科は優秀で費用も安く、サンホセには設備のいきとどいた個人病院がたくさんある。マイク・ボウマンがそれを知ったのは、現地にきてからのことだった。

当然、大げんかになった。妻にだまされたような気分だったし、事実、だまされたにはちがいない。

結局、整形外科の件はキャンセルさせた。そもそも整形なんてばかげている。エレンはまだ三〇で、ライス大学四年在学中、大学祭のクイーンに選ばれてから、十年とたっていないのだ。ところがエレンは心配性で、なにかというと不安をいだく。ここ数年は、とみに容貌の衰えが気になりだしたようだ。いや、容貌だけではない、ほかのあらゆることについても心配でしかたないらしい。

ランドローバーが道路の穴ぼこにひっかかってはねあがり、泥をまきちらした。助手席にすわっているエレンがいった。

「ねえ、あなた。ほんとうにこの道でいいの？　ほかの人の姿を見なくなって何時間もたつわよ」

「一五分前に車を見かけたじゃないか。わすれたのか、ほら、あの青いやつ」

「反対方向に向かっていったわ……」

「ダーリン、人けのない浜辺にいきたいといったのはきみだぞ。だからそこへいこうとしているんじゃないか」

エレンは疑わしげにかぶりをふった。「そうだといいんだけど」

「うん。あたしも心ぱーい」うしろの席で、クリスティーナがあいづちを打った。娘はいま、八歳だ。

「すこしは信用しろよ、この道でいいんだから」

それからしばらく、だまって運転をつづけた。ややあって、いった。

「なあ、きれいじゃないか？　あの眺めを見てみろよ。まさに絶景ってやつだ」

「まあね」とティナ。

エレンがコンパクトをとりだし、目のすぐ下にあてがって、しげしげと鏡を眺めた。ため息をつき、コンパクトをしまった。

道は下り勾配にはいり、マイクは運転に神経を集中した。そのときだった——だしぬけに、黒い影がさっと道路を横切った。

「ね、見て見て！　あれ！」

ティナがそう叫んだときには、その影はもう、ジャングルのなかに消えていた。

「なあに、あれ？」エレンがいった。「サルかなにか？」

「たぶん、リスザルだろう」とマイク。

「あれも一種類に数えていーい？」ティナが鉛筆をとりだした。学校の自由研究とかで、今度の旅で見た動物のリストをつけているのだ。

「そいつはどうかなあ」マイクが否定的な声を出した。

ティナはガイドブックの写真を調べて、

「あたし、いまの、リスザルじゃなかったと思う。きっとただのホエザルよ」

ホエザルなら、この旅ですでに何頭か目にしている。

「あ、ほらほら」ティナは明るい声になって、「ここに書いてある。〝カボ・ブランコの浜辺には、ホエザル、ホワイトフェイスモンキー、ミツユビナマケモノ、ハナジロアナグマをはじめとして、各種の野生動物が多く見られる〟だって。ねえパパ、ミツユビナマケモノ、見れるかな？」

「もちろんさ」

「ほんと？」

「鏡で自分の顔を見てごらん」

「すーぐつまんないこというんだからぁ」

ジャングルをぬって、車は海岸へとくだっていった。

とうとう浜辺にたどりつき、マイク・ボウマンはヒーローになったような気持ちになった。三キロにわたってつづく三日月型の白砂の上には、人っこひとりいない。マイクはランドローバーを浜のはずれ

にならぶ椰子《やし》の木陰に停め、ランチ・ボックスをおろした。水着に着替えながら、エレンがいった。

「いやねえもう、どうしたらこの脂肪を落とせるのかしら」

「きみは充分スリムだよ、ハニー」じっさいのところ、むしろ痩せすぎなくらいだが、それは口にしないほうが身のためだ。

ティナは早くも砂浜を駆けまわっている。

「日焼けどめを塗らなくちゃだめよ！」エレンが呼びかけた。

「あとでねー」ティナが肩ごしに叫ぶ。「ミツユビナマケモノがいるかどうか、さがすんだ！」

エレン・ボウマンは浜辺や木々を見まわした。

「だいじょうぶかしら、ほっといて？」

「だいじょうぶ、数キロ以内にはだれもいやしないよ」

「ヘビの心配は？」

「おいおい。浜辺にヘビなんかいるわけないだろう」

「でもあなた、万一……」

「ハニー」マイクはきっぱりといった。「ヘビは冷血動物だ。爬虫類《はちゅうるい》なんだよ。自分じゃ体温を調節できない。この砂浜の気温は三〇度はある。のこのこヘビが出てきたらたちまち蒸し焼きさ。おれを信じなさいって。この砂浜にはヘビなんていないんだ」

白い砂浜にぽつんと落ちた黒い点となって、娘は浜辺を駆けていく。

「好きにさせといてやろうじゃないか。心ゆくまで楽しめばいい」

そういって、マイクは妻の腰に手をまわした。

ティナは疲れはてるまで走りまわってから、ごろんと砂浜に寝っころがり、笑いながら波打ちぎわに

ころがっていった。海水は温かく、寄せ波はほとんどない。しばらくすわりこんで息を整え、どのくらい遠くまできたのかたしかめようと、両親と車をふりかえった。

母が手をふって、もどってこいと手招きしている。ティナはそれに気がつかないふりをして、元気よく手をふりかえした。日焼けどめを塗るなんてごめんだわ。それに、ここでもどったらまた体重がどうのこうのとこぼされるに決まってる。そのくらいなら、こっちでナマケモノをさがしたほうがいい。

ナマケモノは、二日前、サンホセの動物園で見たばかりだった。まるっきりマペットのキャラクターみたいな、いかにも無害そうな動物。どうせすばやくは動けない。たとえ襲ってきても、らくらく逃げられる。

とうとう母親が大声を出しはじめたので、ティナは波打ちぎわを離れ、太陽を避けて椰子の木陰にひっこむことにした。砂浜のはずれあたりでは、からまりあったマングローブの根の上に椰子の木々がたれかかり、とても内陸にははいりこめないようになっている。ティナは砂に腰をおろし、乾いたマングローブの葉を蹴飛ばした。砂の上には、鳥の足跡がたくさんあった。コスタリカは野鳥の種類が多いことで有名だ。その数は、アメリカとカナダを合わせた種類の三倍にもなるとガイドブックに書いてあった。

その足跡のなかに、ちょっと見にはわからないくらいかすかな、かなり小さい三本指の足跡がまじっていた。ほかの足跡は大きくて、砂に深くうがたれている。ぼんやりとその足跡を眺めていると、鳥のさえずるような声が聞こえ、マングローブの茂みの奥から、がさがさという音が近づいてきた。

ナマケモノってあんな声を出したっけ？　出さなかったと思うけれど、自信はない。たぶん、海鳥の鳴き声だろう。ティナは動かないように注意して、静かに待った。がさがさという音が近づいてくる。ほどなく、その音の主が姿を現わした。数メートル離れたマングローブの根のあいだから、一匹のトカゲがぬっと顔を出し、こちらを向いたのだ。

ティナは目を見張った。動物リストがまた増える！　と、トカゲがひょいとうしろ脚で立ちあがり、太い尾でバランスをとりながら、じっとこちらを見つめた。そんなふうに立ちあがると、高さは三〇センチほどだ。体色はダークグリーンで、背中に茶色の縞がはいっている。小さな前脚の先にはトカゲ特有の小さな指がついており、それがなにかをつかむように動いている。こちらを見つめたまま、トカゲはちょこんと首をかしげた。

かーわいい！　大きなサンショウウオみたい。ティナは片手をつきだし、同じように指を動かしてみせた。

トカゲは怯えたようすもなく、うしろ脚で立ったまま近づいてきた。大きさはせいぜいニワトリほどで、歩きながらニワトリのようにひょこひょこと頭を動かしている。この子、すてきなペットになるわね、とティナは思った。

そこで、トカゲの足跡があの鳥の足跡とそっくり同じであることに気がついた。トカゲはますます近づいてくる。うっかり驚かして逃げられたくないので、ティナはできるだけじっとしていた。

（こんなに人間に近づくなんて信じられないけど、そういえばここは国立公園だもの。公園の動物は自分が保護されてることを知ってるはずだわ。きっと人に慣れてるのね。もしかして、食べものをねだってたりして）

残念ながら、食べものの持ちあわせはなかった。なにも持っていないことを見せようと、ティナはゆっくりと片手を広げ、さしだした。

トカゲは立ちどまり、首をかしげ、さえずった。

「ごめんね。なんにも持ってないの」

なんの前ぶれもなく、いきなりトカゲがジャンプし、広げた手の平に跳び乗った。小さな脚の爪が手の平をちくちくと刺す。予想外の重さに、手ががくんと下にさがった。

つぎの瞬間――トカゲは敏捷に腕を駆け登り、顔めがけて飛びかかってきた。

「せめて姿が見えたらいいのに」まぶしい陽光に目をすがめて、エレン・ボウマンがいった。「それだけでいいのよ。姿さえ見えるなら」

「心配ないって、ちゃんとやってるよ」ホテルで用意してくれたランチをつつきながら、マイクがいった。グリルド・チキンといい、なにかの肉を詰めたペストリーといい、どうも食欲が湧いてこない。エレンにいたっては手もつけていない。

「まさか、砂浜の外にいったりはしてないわよね?」

「そんなはずはないさ」

「こんなところ、心細くてしかたないわ」

「きみがきたいといったからきたんだぞ」

「それはそうだけど……」

「それなら、なにが気にいらないんだ?」

「ティナに目のとどくところにいてほしいのよ。それだけ」

そのとき、砂浜の向こうのほうから、風に乗って娘の声が聞こえてきた。

それは絶叫だった。

プンタレナス

「もう心配いらないでしょう」

眠るティナのまわりに張った酸素テントのフラップを降ろしながら、ドクター・クルスがいった。マイク・ボウマンは、娘に張りつくようにしてベッドのそばにすわっていた。ドクター・クルスはかなり優秀な医者のようだった。さすがにロンドンとボルティモアのメディカル・センターにいただけのことはあって、立派な英語をしゃべり、とても有能そうに見える。このクリニカ・サンタマリアはプンタレナスでも最新式の病院で、汚れひとつなく、じつに能率がいい。

それでもマイク・ボウマンは心配だった。地元から遠くはなれた地で、ひとり娘が重傷を負ったという事実に変わりはないのだ。

あわてて駆けつけたあのとき、ティナはヒステリックに泣き叫んでいた。左腕全体が血まみれで、親指のあとくらいの大きさの咬み傷がたくさんついていた。おまけに、泡まじりの唾液のような、ねばねばしたものもこびりついていた。

血相を変えて娘を抱きかかえ、マイクは車をめざし、砂浜を駆けもどった。咬まれた腕がみるみるうちに真っ赤に腫れあがっていく。文明世界をめざす死にものぐるいのドライブのことは、しばらくわすれられそうにない。スリップし、横すべりしながら、未舗装の道を駆け登っていく四輪駆動のランドロ

ーバー。うしろの席では、娘がずっと泣きわめき、腕はますます赤く腫れあがっていく。公園を出るころには、腫れは首にまで達し、ティナは呼吸困難に陥りかけていた……。

「もうだいじょうぶですか……?」ビニールの酸素テントを見つめたまま、エレンがたずねた。

「どうぞご安心ください」とドクター・クルス。「もういちどステロイドを注射しておきました。呼吸もずっと安定しています。ほら、腕の浮腫もずっと小さくなっているでしょう」

マイクがいった。「あの咬みあとはいったい……」

「なにに咬まれたのか、まだわかりません。わたしもあんな咬傷ははじめて見ました。しかし、見てのとおり、傷は消えかけています。見わけるのもむずかしいくらいですよ。さいわい、参考のために写真を撮っておきましたからね。腕を洗浄するさい、あのねばねばした唾液のサンプルもとっておきました。ここで分析するために一本、サンホセの研究所に送るのが一本。必要が生じた場合に備えて、もう一本は冷凍保存します。おじょうさんの描いた絵はお持ちですか?」

「ええ」マイクは医師にティナの描いたスケッチをさしだした。事情聴取にきた当局者の質問に答えて描いたものだった。

「これがおじょうさんを咬んだ動物ですか?」絵を眺めながら、ドクター・クルス。

「そうです。緑のトカゲだといってました。ニワトリかカラスくらいの大きさの」

「こんなトカゲは見たこともありませんね。しかも、あと脚で立っている……」

「そうなんですよ。あと脚で立って歩いていたというんです」

ドクター・クルスは眉をひそめ、しばらくその絵を見つめていた。

「わたしは専門家ではありませんから。ギティエレス博士をお呼びしておきました。ニコヤ湾をはさんだ対岸にカララ自然保護区《レセルバ・ビオロヒカ・デ・カララ》というのがあって、そこの研究主任なんです。博士ならこの動物がなんだかわかりますよ」

「カボ・ブランコの人はこないんですか？　娘が咬まれたのはあそこなんですよ？」

「そういうわけにもいきませんでね。カボ・ブランコには常勤のスタッフがいませんし、ここしばらく、だれもあそこで研究調査をした者はいません。ここ数カ月のうちであの浜までいったのは、おそらくボウマンさんたちがはじめてでしょう。心配いりませんよ、ギティエレス博士は博識な方ですから」


顔は髭面、着ているのはカーキ色の半ズボンに半袖シャツ。そんないでたちでやってきたマーティン・ギティエレス博士は、驚いたことにアメリカ人だった。

ボウマン夫妻に紹介された博士は、柔らかな南部なまりで、

「はじめまして、ボウマン夫妻」というと、自分がエール大学のフィールド生物学者であり、五年前からコスタリカで研究していると語った。博士はさっそくティナの状態を調べ、そっとその腕をとりあげて、ひとつひとつの咬傷をペンライトで丹念に観察し、小さな定規で大きさを測った。ややあって、なにかわかったような顔でうなずきながら酸素テントの外に出てくると、ポラロイド写真をじっくり眺め、唾液についていくつかの質問をした。ドクター・クルスはそれに答え、唾液はいま検査室で分析中であることを申し添えた。

それがおわると、ようやくギティエレス博士は、緊張して待っているマイク・ボウマンに向きなおった。

「おじょうさんはもう安心でしょう。ただ、いくつかはっきりさせておきたいことがあるのでおうかがいしますが――」博士は几帳面《きちょうめん》にメモを書きつけながら、「おじょうさんのお話では、咬みついたのは緑のトカゲで、体高が約三〇センチ、マングローブの湿原からあと脚で立って砂浜に出てきたそうですね」

「そうです、そのとおりです」

「そのトカゲは声を出したとか?」

「さえずるような、かんだかい声だったとかいってました」

「ネズミのような?」

「ええ」

「それなら——このトカゲの正体はわかりますよ」

そういって、博士は説明した。世界じゅうに棲息する六千種のトカゲのうち、あと脚で立って歩くものはせいぜい十種ほどしかいない。そのうち、中南米に棲んでいるのは四種のみ。体色から判断して、そのトカゲが四種のうちのどれであるかは明白だ。

「このトカゲはバシリスクス・アモラトゥスと見てまちがいないでしょう。コスタリカとホンジュラスに棲む、縞のあるトカゲです。あと脚で立ちあがると、体高が三〇センチほどに達するものも珍しくありません」

「毒はあるんですか?」エレンがたずねた。

「ありません、奥さん。皆無ですよ」おそらくティナの腕の腫れはアレルギー反応だろう、とギティエレス博士はいった。「しかし文献によれば、一四パーセントの人間はトカゲに対して強いアレルギー反応を示すそうです。おじょうさんもそのひとりのようですね」

「痛い痛いと泣き叫んでいたんですが」

「よほど痛かったんでしょう。爬虫類の唾液にはセロトニンがふくまれていて、これが猛烈な痛みをもたらすんです」そこでドクター・クルスに顔を向けて、「血圧は抗ヒスタミン剤でさがったんでしょう?」

「ええ、すぐに」とクルス。

「セロトニンだな。まちがいありません」

そこまでいわれても、エレン・ボウマンの不安は去らなかった。

「でも、トカゲが人を咬んだりします？」

「よくあることです。動物園の飼育係なんてしょっちゅう咬まれてますよ。つい先日も、ベビーベッドに寝ていた赤ちゃんが咬まれましてね。アマロヤという、おじょうさんの咬まれたカボ・ブランコから一〇〇キロほど離れた場所でのことなんですが。ですから、トカゲに咬まれるのはそう珍しいことじゃない。むしろ腑に落ちないのは、なぜこんなにたくさん咬みあとがあるのかということですね。咬まれたとき、おじょうさんはなにをしていました？」

「なにも。威《おど》かしたら逃げてしまうと思って、じっとすわっていたそうです」

「じっとすわっていた――」ギティエレスは眉をひそめ、かぶりをふった。「まあ、そういうこともあるかもしれません。野生動物というのは、行動の読めないところがありますから」

「この子の腕についていた泡の唾はどうなんです？」エレンがきいた。「ずっと気になっているのは、狂犬病の……」

「いやいや、その心配はご無用。トカゲに狂犬病はないんです、奥さん。おじょうさんはバシリスクに咬まれてアレルギー反応を起こしただけのこと。深刻な問題じゃありませんよ」

そこでマイクは、ギティエレス博士にティナの描いたスケッチを見せた。

博士はうなずいて、

「うん、この絵からすると、やはりバシリスクのようだな」といった。「もちろん、こまかいところはちがっていますがね。首が長すぎるし、あと脚の指が三本しかない。バシリスクの指は五本です。それに、尻尾も太すぎるし、高くあがりすぎている。しかしそれ以外の点では、いまお話ししたトカゲだといっても通用する絵ですよ」

「でもティナは、こんなに首が長かったと念を押していました」エレン・ボウマンは食いさがった。

「それに、足の指もたしかに三本だったと……」

「ティナは観察力が鋭いんです」マイク・ボウマンもことばを添えた。

「ええ、それはそうでしょうとも」ギティエレスはほほえんで、「しかしですね、おじょうさんを咬んではげしい爬虫類アレルギーを引き起こした犯人は、やはりよくいるバシリスクス・アモラトゥスだと思いますよ。その場合、ふつうは一二時間で完治します。あすの朝には、おじょうさんはすっかりよくなっているでしょう」


クリニカ・サンタマリアの地下にある最新式の検査室に、ギティエレス博士の見たてでは、アメリカの女の子を咬んだ動物は無害なバシリスクとのことだ、という報告がとどいた。予備分別により、問題の唾液からは、未知の生物活性を持つきわめて分子量の大きいタンパク質が何種類か発見されていたにもかかわらず、この報告を受けて、分析はただちに中止された。しかも、その晩の当直検査技士はひどく忙しかったため、唾液のサンプルを冷蔵庫の試験管棚に置いた。

翌朝やってきた朝番の職員は、退院患者の検査試料が残っていないかどうか試験管棚をチェックし、〝ボウマン、クリスティーナ・L〟はきょうの午前中に退院することになっていたため、唾液のサンプルをあっさりと廃棄した。が、棄ててしまってから、サンプルの一本に赤いシールが張ってあることに気がついた。これはサンホセの大学研究室にまわすというしるしだ。職員はゴミ箱から試験管をとりだすと、研究室に送る手配をした。


「さ。クルス先生にお礼をおっしゃい」エレン・ボウマンはそういって、ティナを前に押しやった。

「ありがとうございました、クルス先生。もう気持ち悪くないです」ティナは手をさしだして、ドクター・クルスと握手をした。「あれ——。そのシャツ、前のときとちがう」

ドクター・クルスはちょっととまどい顔になったが、すぐにほほえんだ。

「そのとおりだよ、ティナ。病院で徹夜したときには、翌朝シャツを着替えるようにしているんだ」

「でも、ネクタイはおんなじでしょ？」

「そうだよ。シャツだけだ」

エレン・ボウマンがいった。「マイクが申しましたでしょ。この子は観察力が鋭いんです」

「たしかにそうですね」ドクター・クルスはほほえみ、ティナの手をしっかりと握りしめながら、「それじゃ、ティナ、残ったコスタリカの休暇を楽しんでおくれ」

「ありがとう」

ボウマン一家が出ていこうとしかけたとき、ドクター・クルスが呼びかけた。

「ねえ、ティナ。きみを咬んだトカゲのことは覚えているかい？」

「うん」

「そいつの足も覚えてる？」

「うん」

「足の指はあったかな？」

「あった」

「何本あった？」

「三本」

「どうして気がついたの？」

「だって、見たんだもん。砂の上にあった鳥の足跡はみんな三本指だったの。こんなふう」片手をつきだし、まんなかの三本の指を広げてみせた。「そのトカゲもね、砂におなじ足跡を残したんだ」

「鳥みたいな足跡を？」

「うん。歩き方も鳥みたいだった。ひょこひょこって、首を動かしながら歩くの。こんなふう」

頭を上下させながら、ティナは何歩か歩いてみせた。

ボウマン一家が去ってしまうと、ドクター・クルスは、いまのやりとりをカララ自然保護区のギティエレスに報告することにした。

「じつは、あの子の一件には腑に落ちない点があってね」とギティエレスは答えた。「こっちでも調べていたんだ。あの子を咬んだのがバシリスクだといいきる自信はもうないよ。まったくない」

「すると、咬んだのは？」

「それなんだがね。いつまでも当て推量していたところでしかたがない。調査しようと思う。ところで、きみのとこの病院で、ほかにトカゲに咬まれた患者というのはいるかい？」

「いませんが、なぜ？」

「もしきたら、また連絡してくれ」

浜辺

マーティン・ギティエレス博士はカボ・ブランコの砂浜にすわり、大きく西にかたむいた午後の太陽を見つめていた。やがて太陽は、湾の海面をはでにぎらつかせるようになり、椰子の葉陰にも陽光がさしこんできて、マングローブの根のあいだにすわる彼にも陽があたるようになった。断定はできないが、ここは二日前、アメリカの女の子が咬まれた場所のすぐそばのはずだ。

ボウマン一家にもいったように、トカゲが人を咬むというのは珍しい話ではない。しかし、バシリスクに咬まれたという例は初耳だった。それに、トカゲに咬まれたくらいで病院にかつぎこまれたという例もはじめてだ。

あのあと、カララ自然保護区に帰ったギティエレス博士は、ささやかな資料室で文献にあたってみたが、バシリスクに咬まれたという例は見つからなかった。つづいて、アメリカのデータベース、インターナショナル・バイオサイエンシーズ・サービシーズでも類例を検索したが、バシリスクに咬まれた、あるいはトカゲに咬まれて入院したという例は記録されていなかった。

つぎに、アマロヤの保健所員に確認したところ、ベビーベッドで眠る生後九日の赤ん坊の足を咬んだのは——唯一の目撃者だというその子の祖母がいうには——やはりトカゲだったとのことだった。咬まれた足は真っ赤に腫れあがり、赤ん坊はもうすこしで死ぬところだったそうだ。そのトカゲは緑色で、

茶色の縞がはいっており、祖母が追いはらうまで、何回も赤ん坊の足を咬んだという。

「妙だな」とギティエレス博士はつぶやいた。

「いや、それがね、どの例も同じなんですよ」保健所員はそういって、耳にしたというほかの咬傷事件のことも教えてくれた。アマロヤのとなりにあるバスケスという漁村でも、やはり眠っていた子供が咬まれたらしい。プエルタ・ソトレロでも、もう一件。いずれもここ二ヵ月のうちに起こったもので、共通しているのは、咬まれたのが眠っている子供か赤ん坊だったという点だ。

このように前例のない、しかも明白な共通点があるとなると、まだ発見されていない未知のトカゲのしわざかもしれないな、とギティエレスは考えた。コスタリカなら充分にありうることだ。いちばんせまい部分では幅一二〇キロしかないこの国の面積は、メイン州よりもまだ小さい。とはいえ、そのせまい国土には驚くほど多様な生物種が詰めこまれている。西海岸は太平洋、東海岸は大西洋に面し、四つの独立した山系のなかには、三六〇〇メートル級の高峰も活火山もある。多雨林、雲霧林、温帯、湿原、乾燥した砂漠。このような多様な環境は、多様な動植物層を育む。野鳥の種類については、コスタリカ一国で北アメリカ全体の三倍の種を擁するほどだ。果樹の種類は一千種以上。昆虫の種類は五千種以上にもなる。

とくに近年は、新種の動物が発見される割合が年々増加の一途をたどっている。ただしそれは、あまり歓迎すべき理由からではない。コスタリカの森が伐採されているためだ。ジャングルに棲《す》んでいた種が棲む場所を奪われ、他の地域に移住し、その過程で習性が変化してしまうことも間々あることだった。

したがって、今度のトカゲが新種である可能性はかなり高い。だが、新種発見の興奮には、新しい病気の不安もつきものだ。トカゲはウイルスを持っていることがあり、そのなかには人間に伝染《うつ》るものもある。とりわけ深刻なのは、中部蜥蜴《とかげ》脳炎、略称CSEというやつで、これは人間や馬に睡眠病に似た症状をもたらすものだ。そこでギティエレスは、病気の有無をたしかめるだけのためにもこの新種のト

カゲを見ておく必要があると考え、ここへやってきたのだった。

砂浜にすわりこみ、ますますかたむいていく太陽を見つめながら、ギティエレス博士はため息をついた。ティナ・ボウマンが見たのは新種だったかもしれないし、そうではなかったかもしれない。だが、とうとう彼には見つけられなかった。けさ早く、エアピストルにリガミンの麻酔弾をセットし、浜辺へ歩きだしたときは、希望に燃えていたものだ。だが、結局まる一日を棒にふってしまったらしい。じきに砂浜をあとにし、丘の上へ車を走らせなくてはならない。宵闇のなかで山道を走るのはごめんだった。

ギティエレス博士は立ちあがり、砂浜を引き返しはじめた。しばらく歩いたとき、マングローブ湿原のはずれに、ゆっくりと歩いているホエザルの黒い影が目にとまった。ギティエレスはそれを避けようと、波打ちぎわへ迂回した。一頭がいるのなら、木々の上には仲間たちがいるはずだ。ホエザルというやつは、侵入者に小便をかけるくせがある。
が、そのホエザルは一頭だけらしく、ゆっくりと歩きながらしじゅううずくまっていた。なにかを口にくわえているようだ。近づいてみると、トカゲを食べていることがわかった。その口から、尻尾と後《こう》肢《し》がだらんとたれている。この距離からでも、トカゲの緑の地膚には茶色の縞がはいっているのが見えた。

ギティエレスは砂に膝をつき、エアピストルをかまえた。保護区の暮らしに慣れているホエザルは、興味津々のようすでこちらを見ている。最初の矢が音をたててそばをかすめても、まるで逃げようとしない。第二矢が太腿につき刺さってはじめて、ホエザルは怒りと驚きの叫びをあげ、くわえていたものを落としてジャングルの奥へと逃げさった。

ギティエレスは立ちあがり、いままでホエザルのいた場所へ歩きだした。麻酔薬はごく微量だから、ホエザルは二、三分ふらつくだけですむだろう。早くも彼は、この発見をどう処理するかを考えはじめていた。予備報告は自分で書くとしても、尻尾と脚は当然ながら合衆国に送り、最終的な同定を依頼し

なくてはならない。しかし、だれに送ったものか。専門家として定評があるのは、ニューヨークはコロンビア大学にいる動物学の泰斗《たいと》、エドワード・H・シンプスン名誉教授だ。教授は白髪をオールバックにした上品な老紳士で、トカゲの分類では世界でも指折りの権威に数えられる。たぶん、シンプスン教授のところへ送るのがいいだろう。

ニューヨーク

コロンビア大学メディカル・センター熱帯病研究室。こんなごたいそうな名前のせいで、じっさいより立派な施設だと思われてかなわんよ——と、室長のリチャード・ストーン博士はしじゅうこぼしてばかりいる。二〇世紀のはじめ、この研究室が生物医学研究棟の四階全体を占領していたころは、黄熱病、マラリア、コレラなどの猛威を根絶するため、おおぜいの技術員を擁していた。だが、医学の勝利により——ナイロビやサンパウロの研究施設の台頭もあって——もはや熱帯病研究室は、むかしほど重要な場所ではなくなっている。いまでは規模もうんと縮小され、常勤の技術員はわずかふたりを数えるのみだ。そのふたりの主要な関心は、世界じゅうを旅行してまわるニューヨーカーの病気の診断にある。だから、予期しない分析依頼が舞いこんできたその朝、研究室の安穏《あんのん》なルーティーンは、少々乱されることになったのだった。

「あら珍しい」

熱帯病研究室の女性技術員が、ラベルを読んでそういった。

「コスタリカからよ。一部咀嚼《そしゃく》された未知のトカゲの一部ですって」渋面を作って、「この分析、先生がやってくださいよ、ストーン博士」

リチャード・ストーン博士は研究室を横切ってやってくると、配達されてきたばかりの包みを調べた。

「これか、エド・シンプスンの研究室から送ってきたっていうのは？」

「そうです。でも、トカゲはあっちの専門でしょ。どうしてうちになんか送ってきたのかしら」

「やっこさんの秘書にたのまれてね。今年の夏は、シンプスンがボルネオへ研究旅行にいっているんだ。それに、このトカゲが伝染病を持っている疑いもあるとかで、うちに面倒をみてくれといってきたのさ。さっそく中身を見てみよう」


なかにはいっていた白いプラスティックの円筒は、牛乳の半ガロン瓶ほどの大きさだった。ふたは金具で固定され、ねじ式になっている。表には〈国際生物標本容器〉のラベルがあり、四カ国語の警告シールが貼ってあった。この警告は、あやまって税関職員が開封したりしないよう、注意をうながすためのものである。

警告は効果があったらしく、大きな照明をまわしてよく見ると、シールはちゃんと封印されていた。リチャード・ストーンはいそいそと空気処理装置のスイッチをいれ、ビニール手袋とマスクをつけはじめた。なにしろ、最近この研究室で鑑定したものといえば、ベネズエラ馬脳脊髄炎、日本脳炎、キャサヌール森林熱ウイルス、ランガト・ウイルス、マヤロ・ウイルスくらいのものなのだ。準備がおわると、博士は容器のふたをねじあけた。


シュッと気体の漏れる音がして、なかの気体が白く気化した。円筒の表面がたちまち結露する。なかにはジップ式のビニール製サンドイッチ・バッグがはいっており、緑色をしたものが収められていた。ストーンは検査台の上に滅菌シートを広げ、ビニール袋をさかさにふって中身をあけた。ごとんと鈍い音をたてて、凍った肉片が検査台に落ちた。

「ふうん」と女性技術員。

「なにかに食べられたみたいですね」

「らしいな。こいつをどうしろというんだろう？」

技術員が、添付されていた文書に目を通した。

「現地の子供たちがトカゲに咬まれる事件が頻発しているんですって。で、このトカゲの鑑定と、咬まれて病気が伝染《うつ》らないかどうかを確認してほしいと書いてあります」

技術員は子供が描いたトカゲの絵をさしだした。上のほうに、〝ティナ〟というサインがあった。

「咬まれた子供が描いた、問題のトカゲの絵だそうですよ」

ストーンはちらりとその絵を見ただけで、「種類はうちでは鑑定のしようがないな」といった。「しかし、病気の有無ならなんなくわかる。この肉片から血液をとりだせればな。送り主はこの動物をなんと呼んでいるね？」

「バシリスクス・アモラトゥスの三本指の突然変異体ですって」

「なるほど」とストーン。「それじゃ、はじめようか。解凍待ちのうちに、X線写真とポラロイドを撮っておいてもらおうかな。血液を採取したら、反応が出るまで抗体をチェックしていく。問題が起こったら教えてくれ」

昼前には分析結果が出た。このトカゲの血液には、ウイルス性もしくは細菌性の抗原に対するこれといった反応がない。毒性についても調べてみたところ、陽性の反応を示す毒物が一件だけ見つかった。インドのキングコブラの毒に対して、かすかな反応を示したのだ。しかし、このような交差反応は爬虫類ではあたりまえのことなので、マーティン・ギティエレス博士に送る報告書でも、わざわざその旨を言及する必要はないとストーン博士は判断した。この報告書は、その日の夕方、技術員がファックスで送ることになる。

トカゲの鑑定については、これはもうどうしようもない。シンプスン博士の帰りを待つしかなかった。シンプスン博士がもどってくるのは数週間先だという。向こうの秘書の希望では、それまでのあいだ、

熱帯病研究室でトカゲの肉片を預っておいてもらえないかということだった。ストーン博士は承諾し、肉片をジップ式のビニール袋にもどすと、冷凍庫にしまいこんだ。

マーティン・ギティエレス博士は、コロンビア大学メディカル・センター／熱帯病研究室からのファックスを読んだ。文面は簡潔だった。

分析対象：遺伝子異常のバシリスクス・アモラトゥス（シンプスン博士の研究室より回送）
分析部位：部分的に咀嚼された動物の臀部《でんぶ》？
分析手段：X線、顕微鏡、免疫学的RTXによる、ウイルス、寄生虫、バクテリアによる病気の有無
結　果：このバシリスクス・アモラトゥスのサンプルには、人間に伝染する病気の組織学的もしくは免疫学的形跡は見られない。

（署名）
室長　リチャード・A・ストーン医学博士

この報告に基づいて、ギティエレスはふたつの仮定をたてた。第一に、このトカゲをバシリスクであるとする鑑定は、コロンビア大学の科学者たちが確認したこと。第二に、伝染病を持たないからには、近ごろ散発的に発生している最近のトカゲ咬傷事件も、コスタリカに深刻な疫病を流行させるようなものではないということ。やはり当初の予想は正しかったようだ。ある種のトカゲが森を追われて新しい棲息地に移り棲み、村人と接触するようになったのだろう。もう二、三週間もすればトカゲは定着し、

咬傷事件も途絶えるにちがいない。そう、ギティエレスは結論した。

滝のような熱帯雨が、バイア・アナスコ診療所の波板屋根を殴りつけている。時刻は真夜中近く。嵐のため停電となり、産婆のエレナ・モラレスは懐中電燈をたよりに仕事をしていた。かんだかいさえずるような声が聞こえてきたのは、そのときだった。ネズミかと思い、エレナは手早く妊婦の額に濡れタオルを載せ、赤ん坊のようすを見に隣室へいった。ドアノブに手がふれたとき、ふたたびさえずりの声が聞こえ、エレナはほっと安堵した。この声は、やっぱり鳥だ。雨を逃れて窓に飛んできたのだろう。コスタリカのいいつたえでは、鳥が赤ん坊のところへやってくると、幸運をもたらすという。

エレナはドアをあけた。赤ん坊はヤナギ細工のかごのベッドに寝ていた。からだは軽い毛布にくるまれていて、表に出ているのは顔だけだ。そのかごベッドの縁に——三匹のダークグリーンのトカゲが、魔物のようにうずくまっていた。エレナがドアをあけたとたん、三匹はさっとふり向き、興味深そうな目でこちらを見つめたが、いっこうに逃げようとしない。懐中電燈の明かりが、三匹の鼻づらから血がしたたっているのをとらえた。おだやかにさえずりながら、一匹のトカゲが身をかがめ、すばやく頭をひとふりして、赤ん坊の顔から肉片をちぎりとった。

金切り声をあげて、エレナはベッドへ駆けよった。トカゲたちはあっという間に闇のなかへ消えた。だが、かごベッドにたどりつかないうちから、赤ん坊の顔の惨状ははっきりと見えた。赤ん坊はもう息をしていないにちがいない。トカゲたちはさえずりながら、どしゃぶりの夜のなかに逃げちっていった——あとに血だらけの、鳥のような足跡を残して。

形をなすデータ

すこしおちついてから、エレナ・モラレスはトカゲの件を口外しないことに決めた。身の毛もよだつような光景ではあったが、赤ん坊をひとりきりにしておいたことをなじられるのではないかと、心配になってきたのだ。だから母親には、赤ん坊は窒息したと話し、サンホセに送る死亡報告書にはＳＩＤＳ――乳児急死症候群だったと記載した。これは乳児が原因不明で突然死する症状のことである。そう珍しい症例でもないので、報告書は疑問がもたれぬまま受理された。

いっぽう、ティナ・ボウマンの腕からとった唾液サンプルを分析していたサンホセの大学研究室では、いくつかの驚くべき発見がなされていた。セロトニンが大量にふくまれていたのは予想どおりだった。だが、その唾液中のタンパク質のなかには、とんでもない怪物がふくまれていたのである。分子量一九八〇、〇〇〇。これまでに知られているかぎりでは最大級のタンパク質だ。生物活性についてはまだ分析中だが、どうやらこれは、構造こそ原始的であるものの、コブラの毒に似た神経毒であるらしい。

さらに、γ－アミノメチオニン加水分解酵素も検出された。この酵素は遺伝子操作が行なわれたことの指標となるもので、野生動物に見つかるものではない。しかし、技術員たちは実験室のなにかが混入したのだと思い、プンタレナスの分析依頼者であるドクター・クルスに報告したさいにも、その点については ふれなかった。

トカゲの肉片のほうは、あいかわらずコロンビア大学の冷凍庫に保存され、シンプスン博士の帰りを待っていた。博士の帰りは一カ月ほど先だ。そのままであれば、進展はまったくなかっただろう。ところが、アリス・レヴィンという名の技術員が、たまたま熱帯病研究室に立ちより、ティナ・ボウマンの描いたスケッチを見てこういったことから、事態は変化を迎えた。

「あら、だれが描いたの、この恐竜？」

「いまなんといった？」リチャード・ストーンは、ゆっくりとアリスに向きなおった。

「恐竜よ。そうでしょう？　うちの子たちもしじゅう描いてるわ」

「これはトカゲだよ。コスタリカから送られてきたやつだ。女の子がスケッチしたとかで」

「ちがうわよ」アリス・レヴィンは首をふりながら、「よく見て。ほら、特徴があるでしょう。大きな頭、長い首、あと脚で立っているところ、太い尻尾。これは恐竜よ」

「そんなばかな。こいつは三〇センチほどしかないんだぞ」

「べつにへんじゃないわ。こんな小さな恐竜だっていたんだもの。ほんとうだってば、うそじゃないわよ。うちには男の子がふたりいますからね。これでもけっこうくわしいんだから。いちばん小さな恐竜はせいぜい三〇センチほどだったの。ティーニィサウルスとかなんとか、そんな名前だったかしらね。おかしな名前ばっかりで、とても覚えきれないわ。一〇歳をすぎたら、あんな名前、覚えられっこないわよ」

「どうもわかっていないようだな」とリチャード・ストーン。「これは現存する動物のスケッチなんだ。その動物の肉片もいっしょに送られてきた。いまも冷凍庫にいれてある」

ストーンは冷凍庫からサンプルを出してくると、ビニール袋の中身をあけた。

アリスは凍った脚と尻尾をしげしげと見つめ、肩をすくめた。手はふれなかった。

「よくわからないけど……やっぱり恐竜のように見えるわ」

ストーンはかぶりをふった。「ありえないよ」

「どうして？　恐竜の生き残りかもしれないじゃないの」

ストーンはだまって首をふるばかりだった。アリスは廊下をすこしいった微生物学研究室の一技術員にすぎず、そんなに博識なわけではない。それに、すこしばかり想像力過多のほうだ。外科のとある雑役夫に追いかけまわされていると思いこんでいたときの騒ぎは、いまでもよく覚えている……。

「ねえ、リチャード」アリス・レヴィンがいった。「もしこれが恐竜だったとしたら、たいへんな発見よ」

「恐竜なんかじゃないって」

「だれかが調べたの？」

「いや」

「それなら、自然史博物館かどこかに送ったほうがいいわよ。絶対そのほうがいいわ」

「笑われるのがおちだ」

「わたしがかわりに送ってあげましょうか？」

「いい、いい。そんなことをしなくてもいいよ」

「なにもしないつもり？」

「そう。なにもしない」ストーンは肉片をビニール袋にもどし、冷凍庫にしまうと、音高くドアを閉めた。「こいつは恐竜なんかじゃない、トカゲだ。なんにせよ、シンプスン博士がボルネオからもどってきて鑑定するまで待っても遅くはないさ。そういうことだよ、アリス。このトカゲはどこへも送らない」

第二反復

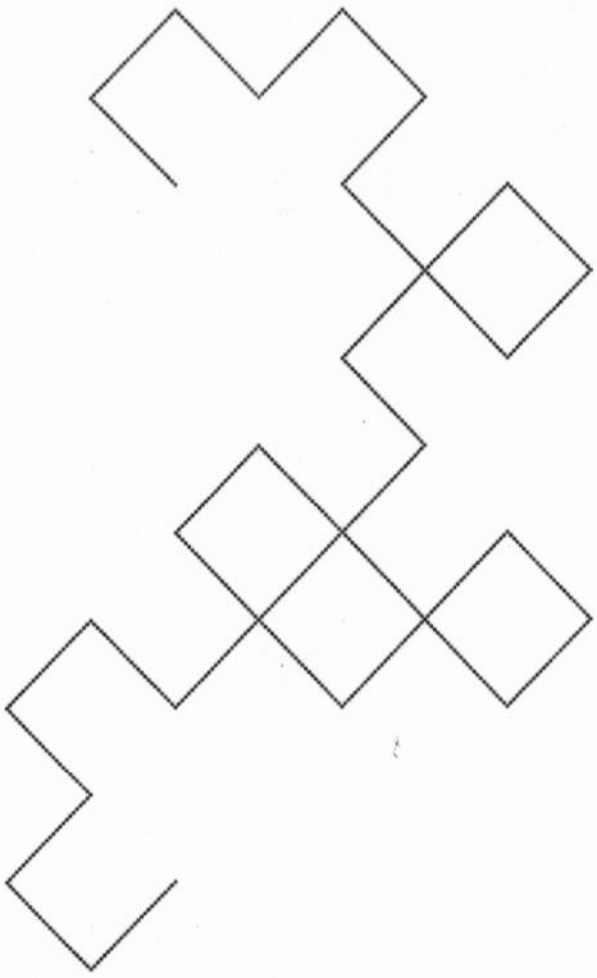

「フラクタル曲線から分岐線が派生すると同時に、唐突に
変化が現われるかもしれない」

イアン・マルカム

内陸海路の海岸平野

アラン・グラントは、地面に顔をくっつけるようにしてしゃがみこんでいた。気温は人間の体温を越えている。ぼろきれをあてているのに、膝が痛い。アルカリ性の塵《ちり》で肺が焼けつくようだ。額から地面に、ぽたぽたと汗がしたたっている。だが、そんなつらさなど、まるで意識のうちになかった。彼の全神経は、目の前一五センチ四方ほどの小さな区画に向けられているのだ。

歯科医で使う探針とリスの尾毛の画筆《えふで》を使って、辛抱強く、小さなL字型の下顎骨《かがくこつ》を掘りだしていく。長さはわずか三センチたらず、小指よりも細いくらいだ。歯は小さな突起の列で、内側を向いた独特の生え方をしている。掘り進むうちに、骨のかけらがはがれた。グラントはしばし作業を中断し、骨に強化剤《グラプトール》を塗ってから、掘りだし作業を再開した。これが肉食恐竜の幼体《ようたい》の下顎骨であることはまちがいない。この顎の主は、七九〇〇万年前、生後二カ月で死亡したのだ。運がよければ、骨格の残りの部分も見つけられるだろう。もし見つかれば、肉食恐竜の赤ん坊としては最初の完全骨格ということになる――

「ねーえ、アラーン！」

アラン・グラントは顔をあげ、まばゆい陽光に目をしばたたいた。サングラスをかけ、手の甲で額の汗をぬぐう。

彼がうずくまっているのは、モンタナ州スネークウォーターの荒れ地《バッドランド》にある、侵食激しい丘の斜面だった。広大な蒼穹《そうきゅう》のもと、なだらかな丘やくずれゆく石灰岩の露頭が、四方へ何キロにもわたってつづいている。樹木の一本、茂みのひとつも見あたらない。あるのは荒涼とした岩場と強烈な太陽、そして吹きすさぶ強風だけだ。

このバッドランドを訪れる者は、あまりにも荒涼とした眺めに顔をしかめるのがつねだが、グラントはここに、まったく異なる地形を重ね見ていた。八〇〇〇万年前に滅びさった、あるきわめて異質な世界。このバッドランドは、その名残を満載した場所なのだ。グラントの心の目には、広大な内陸海路の海岸を形成する、温かく湿潤《しつじゅん》な入江が映っていた。内陸海路の幅は約一五〇〇キロ、当時隆起したばかりのロッキー山脈から険峻《けんしゅん》なアパラチア山脈にかけて広がっている。すなわち、アメリカの西部全域がまだ海中に没していたころの話である。

そのころ、近くの火山の噴火で空にはうっすらと雲がかかり、あたりは薄暗かっただろう。大気はいまよりも濃密で、二酸化炭素が豊富だった。そのため沿岸には、植物が急速に成長した。マイアサウラが集団で営巣していたのは、この海岸平野のずっと高地側である。

マイアサウラの営巣地のそばには、アルカリ性の湖があった。その湖には魚はいなかったが、二枚貝や巻貝はたくさんいたようだ。翼竜が空から滑空してきては、湖面から藍藻《ランソウ》をすくいとっていく。ぬかるんだ湖岸を徘徊し、ソテツの木々のあいだを歩きまわる数頭の肉食恐竜。そして湖のなかほどには、面積二エーカーほどの小さな島がある。周囲を密生した植物にかこまれたこの島は、小型の恐竜がひそかに巣造りをするのに格好の聖域だったかもしれない。

それから数百万年のうちに、淡い緑色をしたアルカリ性の湖はしだいに干あがっていき、ついには消滅した。露出した海底は強烈な陽光で焼かれてゆがみ、ひび割れた。沖合の島も、恐竜の卵を擁したまま、モンタナ州北部のなだらかな丘となった。それが、アラン・グラントがいま発掘にとりくんでいる

この場所だった。

「ねーえ、アラーン！」

グラントは立ちあがった。年齢は四〇歳、胸板のがっしりした、髭面の人物。となりの丘からは小型発電機のうなりと、削岩機が固い岩を砕くガガガガという音が遠く聞こえてくる。削岩機のまわりには学生たちが群がり、化石かどうかをチェックしながら、大きな岩塊をとりのぞいていた。丘のふもとにあるのは、彼のキャンプだ。インディアン式のテント、ティーピーが六張りに、フィールド研究室がわりのトレーラーが一台。そのフィールド研究室の陰から、エリーが手をふっている。

「お客よー！」エリーはそう叫び、東のほうを指さした。

青いフォードのセダンが土ぼこりをたてて、でこぼこ道をはずみながら近づいてくる。腕時計を見た。ちょうど時間どおりだ。もうひとつの丘でも、学生たちが興味津々の顔で車のほうを見やった。スネークウォーターを訪ねる者はめったにいないし、環境保護局《EPA》の法務担当官がアラン・グラントになんの用で会いにくるのか、憶測が乱れ飛んでいたからである。

だが、グラントは知っていた。古生物学は近年、現代世界と思いがけない関連を持ちつつある。現代世界は急速に変化しており、気候の変化、森林の乱伐、地球の温暖化、オゾン層の減少などの研究にとって、過去の情報がある程度役にたつのだ。その情報を提供できるのは古生物学者をおいてない。グラント自身、ここ二、三年のあいだに、専門家として意見をもとめられたことが二回ほどあった。

グラントは車を出迎えようと、丘の斜面をくだっていった。

車のドアを勢いよく閉めたとたん、白い塵が舞いあがり、訪問者はひとしきりむせた。それから、片手をさしだして、自己紹介した。

「環境保護局のボブ・モリスです。所属はサンフランシスコ支局」

グラントも自己紹介をしてから、トレーラーにさそった。

「ずいぶん暑そうですね。ビールでもどうです？」

「やあ、そいつはありがたい」

モリスは見たところ二八、九歳、ネクタイをきちんと締め、ビジネススーツのズボンをはいていた。片手にはブリーフケースをさげている。グラントとともにトレーラーに向かう彼の足もとで、ビジネスシューズがジャリジャリと堆積岩を踏み砕いた。

「この丘を見たときには、インディアンの居留地かと思ってしまいましたよ」ティーピーを指さして、モリスがいった。

「ここで暮らすには、これがいちばんなんです」グラントはそういって、このテントを使うようになったいきさつを説明した。一九七八年に発掘を開始したときは、当時最新式のノーススロープ社製八面テントを持ってきたのだが、強風にあおられてしょっちゅうひっくりかえってしまう。ほかのテントでも結果は同じ。最後にティーピーをためしたところ、中が広く、居心地もよく、風にも強いため、以後はこれが使われるようになったのだ――。

「これはブラックフット族のティーピーで、四本の支柱を使うタイプです。スー族のティーピーだと、支柱が三本になるんですね。そのむかし、ここはブラックフット族の領地でしたから、彼らに敬意を表して……」

「なるほど。郷にいっては、というわけですね」モリスは目をすがめて荒涼とした地形を見わたし、かぶりをふった。「ここにきて、どのくらいになります？」

「六〇ケースですよ」とグラントは答え、怪訝な顔のモリスを見て、その意味を説明した。「ここではビールで時間を測るんです。六月に発掘をはじめたときには一〇〇ケースありました。そのうちの六〇ケースを消費したわけです」

「正確には六三ケースよ」トレーラーにたどりつくと、エリー・サトラーがいった。エリーを見てモリスがあんぐり口をあけるところを、グラントはにやにや笑いながら見まもった。二四歳のエリーは真っ黒に日焼けしている。カットオフ・ジーンズの上にはおった作業用シャツは腹のところで結び、ブロンドの髪はうしろにひっつめてある。

「エリーは万事をとりしきってくれていましてね」グラントはエリーを紹介した。「じつによくやってくれます」

「こちらでは、なにを?」モリスがたずねた。

「古植物学の調査です」エリーが答えた。「基本的なクリーニング作業もやってるんですよ」

エリーがトレーラーのドアをあけ、三人はなかにはいった。

トレーラーのエアコンも、室温を三〇度弱にさげる程度の役にしかたっていないが、外の猛暑のあとでは、ひどくひんやりと感じられた。車内には長い木のテーブルがいくつもあり、その上に小さな骨の標本がきちんとならべられ、きれいにタッグをつけられていて、シールも貼ってあった。テーブルの奥には陶器の皿や壺がならんでいた。つんとただようこのにおいは、酸のにおいだ。

モリスは骨を眺めて、

「恐竜とは大きなものだとばかり思っていましたよ」といった。

「そのとおりですよ」とエリー。「ここにあるのは赤ん坊の骨ばかりなんです。スネークウォーターが重要な発掘地のひとつに数えられるのは、ここに恐竜の巣がたくさんあるからなんですよ。ここの発掘をはじめるまで、恐竜の赤ちゃんなんてほとんど見つかっていませんでした。それまで発見されていた巣はたったひとつ、ゴビ砂漠のものだけ。それがここでは、一〇種類以上ものハドロサウルス類の巣が見つかっているんですからね。それも、卵や赤ん坊の骨が完全にそろっている巣ばかりです」

グラントが冷蔵庫からビールをとりだすあいだ、エリーはモリスに、デリケートな骨から石灰岩を溶

かす酢酸処理の説明をした。

「まるで鶏の骨だな」陶器の皿をのぞきこんで、モリスがいった。

「そう、恐竜はとてもよく鳥に似てるんです」

「それじゃ、あれは？」モリスはトレーラーの窓ごしに、ビニールシートでくるんで外に積んである、大きな骨の山を指さした。

「断片化石ですよ。岩石中から掘りだした段階でこまかく砕けすぎていた骨です。むかしはこのまま廃棄していたんですが、いまでは遺伝子分析のために送りだしているんです」

「遺伝子分析？」モリスが問い返した。

「さあどうぞ」グラントが缶ビールをモリスの手に押しこみ、もう一本をエリーにわたした。エリーは長い首をのけぞらせて、ぐびぐびとビールをあおった。モリスはそのようすを、目をまるくして見つめた。

「ここではちゃんとした話がしにくいな」とグラント。「どうです、ぼくのオフィスに移りませんか？」

「そうですね」

グラントはトレーラーのいちばん奥までモリスを案内していった。そこにはぼろぼろのカウチとへこんだ椅子、それにくたびれた側卓が一脚ずつあった。グラントがどすんとカウチにすわった。カウチはきしみ、白っぽい粉の煙が立ち昇った。グラントはそのまま背もたれにふんぞりかえり、側卓に足を投げあげ、モリスには椅子を勧めた。

「まあ、どうぞお楽に」

グラントはデンヴァー大学の古生物学教授で、この分野では最先端をいく研究者のひとりだが、社交的なつきあいというのがあまり得意ではない。もともと自分はアウトドア向きの人間だと思っているし、

古生物学でなによりもだいじなのは、野外に出て自分の手で仕事をすることだと思っている。象牙の塔や博物館の管理者タイプにはがまんがならなかった。彼にいわせれば、あの連中はお上品な恐竜ハンターだ。大学の講義のときまでジーンズにスニーカーで押し通すのも、服装やふるまいなどで、そういうお上品な恐竜ハンターたちとの距離を開いておきたいからだった。

モリスはすわる前に、椅子の座面をはたいた。それから腰をおろすと、やおらブリーフケースをあけ、書類をさがしてから、ちらりとエリーを見やった。エリーはトレーラーの向こう端におり、ピンセットで酢酸槽から骨をとりだそうとしている。こちらにはまったく注意をはらっていない。

「なぜここまでおうかがいしたか、怪訝に思っておられることでしょうね」

グラントはうなずいた。「長い道のりですからね、モリスさん」

「では、単刀直入にお話ししましょう。環境保護局はハモンド財団の活動に関心をよせています。博士もあそこから資金を受けておられますね？」

「年間三万ドルです」うなずきながら、グラント。「五年前からね」

「あの財団について、どの程度のことをごぞんじです？」

グラントは肩をすくめた。

「ハモンド財団は学術助成金の提供者として定評ある機関ですからね。世界じゅうの研究者に資金援助しているでしょう。恐竜研究者も何人かいますよ。アルバータ州にあるティレル博物館のボブ・ケリーもそう、アラスカのジョン・ウェラーもそう。たぶん、もっといるでしょう」

「なぜハモンド財団が恐竜研究を援助しているか、それについては？」

「もちろん、知っています。ジョン・ハモンド老が恐竜マニアだとか」

「ハモンドに会ったことは？」

グラントはもういちど肩をすくめた。

「一、二度ね。短期間ですが、ここへ見学にきたんです。ごぞんじでしょうが、かなりの高齢者でしてね。金持ちによく見られることですが、ちょっとエキセントリックなところがあります。しかし、とても熱心でした。なぜそんなことを？」

「じつは――ハモンド財団というのは、非常に得体の知れない組織でしてね」

モリスはそういって、世界地図のコピーをとりだし、グラントにさしだした。地図にはところどころに、赤いマークが記されていた。

「これはハモンド財団が昨年援助した発掘地です。妙だと思いませんか？　モンタナ、アラスカ、カナダ、スウェーデン……どれも北に集中している。北緯四五度の線から南にはひとつもなしです」

モリスはつぎの地図をとりだした。

「こちらも同様。毎年毎年、この状態がつづいているんですよ。南の恐竜研究については――ユタやコロラドやメキシコについては、いっさい援助していません。ハモンド財団は寒冷な気候の発掘地だけに資金援助しているんです。その理由がなぜだか知りたいと思いましてね」

グラントは手早く地図をめくっていった。寒冷地の発掘地だけに資金援助しているというのがほんとうなら、たしかに奇妙な行動といわざるをえない。恐竜研究でもひときわ優秀な研究者のなかには、暑い気候で発掘にあたっている者がいるからだ。それに――

「それに、ほかにも不可解な点があります」とモリス。「たとえば、恐竜と琥珀《こはく》の関係はなんです？」

「琥珀？」

「そうです。樹脂が乾燥してできる、固くて黄色いかたまりのことで――」

「琥珀がどういうものかは知っていますよ」とグラント。「わからないのは、どうしてそんなことをきくのかということです」

「それはですね。ハモンドがこの五年間、アメリカ、ヨーロッパ、アジア各地から膨大な量の琥珀を買

いあさっているからですよ。なかには博物館級の、宝石として使われているものもふくまれるとか。財団が琥珀に投じた金額は一七〇〇万ドルにものぼります。彼らの所蔵する琥珀のストックは、私的機関としては世界でも最高ですよ」

「よくわかりませんね」とグラント。

「だれにもわかりませんよ」モリスはつづけた。「ともかく、われわれにいえるのは、財団の行動がまったく意味不明ということです。琥珀は簡単に合成できる。商業的価値も軍需関連の価値もない。あんなものを貯《た》めこむ理由はなにもないんです。ところがハモンドは、何年もかけてそんなことをやっている」

「琥珀、ねえ」かぶりをふりふり、グラント。

「では、コスタリカの島についてはどうです？　一〇年前、ハモンド財団はコスタリカ政府から島をひとつ買いとった。目的は、自然保護区を設けることだとか」

「それについてはなにも知りません」眉をひそめて、グラント。

「たいしたことはわかっていないんですが——その島は西海岸から一五〇キロも離れているんです。しかもその島が位置する海域は、気流と海流の関係で、一年じゅう霧に閉ざされている。イスラ・ヌブラル——〈雲の島〉と現地では呼ばれているくらいです。そんな島をほしがる者がいると知って、コスタリカ人は驚いているようでした」モリスはまたもやブリーフケースのなかをあさった。「なぜこんなことをお話しするかといいますとね。記録によれば、この島に関して、博士も顧問手当ての支払いを受けているからなんです」

「ぼくが？」

モリスは一枚の紙をさしだした。一九八四年三月に、カリフォルニア州パロアルト、ファラロン・ロードのＩｎＧｅｎ社が発行した小切手のコピーだった。支払い先はアラン・グラントで、金額は一万二

〇〇〇ドル。下の隅には、〝但し顧問料／コスタリカ／『幼体超空間』に対して〟とある。

「ああ、そういえば」とグラント。「思いだしましたよ。あまりあと味のいい話じゃありませんでしたが、あの件のことはよく覚えています。島とはなんの関係もない話でした」

アラン・グラントがモンタナではじめて恐竜の卵を発見したのは、一九七九年にさかのぼる。それからの二年間に、さらにたくさんの卵を見つけたが、それを公表したのは一九八三年になってからのことだ。その論文により、グラントは一夜にして脚光を浴びた。発見された卵をもとに、かつての広大な内陸海路の海岸平野には一〇〇〇〇頭のカモノハシ竜の群れが棲んでおり、泥地に共通の巣を営み、群れで子供を育てていたという説を発表したためである。巨大な恐竜にも母性本能があったという考えに――卵から鼻づらをつきだす愛くるしい赤ん坊恐竜たちの絵の魅力もあって――世界じゅうは湧いた。その結果、グラントのもとにはインタビュー、講演、著作の依頼が殺到したが、いかにも彼らしいことに、発掘をつづけたい一心で、そういう仕事はすべて断わった。ＩｎＧｅｎ社から顧問になってくれないかという要請が舞いこんできたのは、一九八〇年代なかばの、そんな大騒ぎの最中のことだった。

「以前にＩｎＧｅｎ社のうわさを聞いたことは？」モリスがきいた。

「ありません」

「どういうふうにコンタクトしてきました？」

「電話です。ジェナーロとかジェニーノとか、そんな名前の男でした」

モリスはうなずき、

「ドナルド・ジェナーロです」といった。「ＩｎＧｅｎ社の顧問弁護士ですよ」

「そのジェナーロが、恐竜の食性を知りたいといってきましてね。それなりの謝礼はするから、報告書を書けというんです」グラントはビールを飲み、缶を床に置いた。「とくに、若い恐竜に関心を持って

いたようでした。赤ん坊や亜成体《あせいたい》です。なにを食べるかときかれましたよ。ぼくが食性を知っていると思いこんでいたようでしたね」

「ごぞんじだったんでしょう？」

「いやいや、とんでもない。彼にもそういいました。骨格はたくさん見つけましたが、食物に関するデータはごくわずかしかないんです。ところがジェナーロは、われわれがすべてを公表していないことは知っている、それをぜひ教えろというんです。その見返りに、莫大な謝礼を申し出ました。なんと、五万ドルですよ」

モリスはテープレコーダーをとりだし、側卓に置いた。「かまいませんか？」

「どうぞどうぞ」

「で、ジェナーロは一九八四年に電話してきた。それからどうしました？」

「それですがね」とグラント。「ここでの発掘は見てのとおりです。五万ドルあればふた夏ぶんの発掘費用がまかなえる。ですから、できるだけのことはしましょうと答えました」

「すると、ジェナーロに報告書を出すことに同意したんですね」

「そうです」

「恐竜の子供の食性について？」

「そうです」

「ジェナーロには会いましたか？」

「いえ。電話だけでした」

「なぜそのような情報がほしいのかはいいましたか？」

「ええ。子供向けの博物館を計画していて、恐竜の赤ん坊をフィーチャーしたかったんだそうです。何人もの学者に顧問になってもらっているとかで、いろいろと名前をあげていました。ぼくのような古生

物学者が何人か、イアン・マルカムというテキサスの数学者、環境学者がふたり、システム・アナリストがひとり。ちょっとした数でしたよ」

モリスはうなずき、メモをとった。「それで、博士はコンサルタントを引き受けた？」

「引き受けました。うちの研究の要約を送ると約束しました。ここでつきとめたハドロサウルス類――カモノハシ竜の習性をね」

「どのような情報を送りました？」

「全部です。巣造り、テリトリー、食性、社会性。わかっているかぎりの習性をまとめました」

「送ったあと、ジェナーロはどうしました？」

「何度も何度も電話してきましたよ。ときどきは真夜中にね。恐竜はあれは食べるか、これは食べるか、こういうものもいっしょに展示していいのか、とそんなことばかりきいていました。なぜあんなにむきになるのかわかりませんでしたね。つまり、恐竜は重要ですが、そこまで重要じゃない。なにしろ、六五〇〇万年前に滅びた生き物ですからね。翌朝まで電話を待ったってよさそうなものじゃありませんか」

「なるほど。で、その五万ドルは？」

グラントはかぶりをふった。「さすがにジェナーロにはうんざりしましてね。この話はなかったことにしてくれといったんです。結局、顧問料は一万二〇〇〇ドルということでおちつきました。それが八五年なかばのことでした」

モリスはメモをとった。

「それで、ＩｎＧｅｎは？　それ以後もまた連絡してきましたか？」

「一九八五年以降はありません」

「ハモンド財団が研究資金を提供しだしたのはいつごろです？」

「そいつは調べてみないと……。ただ、だいたいそのころではあります。八〇年代なかば」

「そして博士は、ハモンドのことをただの金持ちの恐竜マニアだと思っていた」

「そうです」

モリスはふたたびメモをとった。

「しかしですよ」とグラント。「ジョン・ハモンドのしていることがそんなに気になるのなら――北の発掘場所、琥珀の買いつけ、コスタリカの孤島――こういったことに関心があるのなら、じかに彼にききにいけばいいじゃないですか」

「いまの時点ではできません」とモリス。

「なぜ?」

「違法行為の証拠がひとつも見つかっていないからです」とモリスは答えた。「しかし個人的には、ジョン・ハモンドが法を犯していることは明白だと思っています」

「きっかけは、技術移転監視局《OTT》からの問い合わせでした」とモリスは説明をはじめた。「ＯＴＴというのは、軍事に利用しうるアメリカの技術の移転を監視する部局なんですがね。ＩｎＧｅｎがふたつの地域について違法の技術移転を行なっているのではないかというんですよ。一件は、コスタリカに三台のクレイＸＭＰを持ちこんでいること。現地の支社で使うだけで、転売はしないとＩｎＧｅｎはいっているそうなんですが――ＯＴＴとしては、コスタリカにそんなニーズがあるとは思えないというんです」

「三台のクレイ――」とグラント。「というと、コンピュータでしょう?」

モリスはうなずいた。「非常に高性能のスーパーコンピュータです。三台を並列につなげば、アメリカのそこらの私企業ではとても太刀打ちできないほど強力な計算能力を発揮します。しかもＩｎＧｅｎはコスタリカにマシンを持ちこんだ。となれば、不思議に思わないほうがおかしい」

「降参しますよ。なんのためです？」

「だれにもわかりません。しかも、もっとわけのわからないのがフードです。フードというのは自動DNA塩基配列決定装置《シークェンサー》――自動的に遺伝コードを解読する機械の通称でしてね。開発者の名前をとってこう呼ばれているんです。開発されたばかりのものですから、輸出禁止リストにさえ載っていませんが、どこの遺伝子研究所ものどから手が出るほどほしがっているしろものですよ――一台五〇〇万ドルの費用を用立てることさえできればね」ファイルをぱらぱらと見て、「ところがですよ。ＩｎＧｅｎはなんと二四台ものフードを、コスタリカの例の孤島に持ちこんでいるんです。

これについても、連中は社内でのみ使うのであって、輸出目的ではないと弁明しています。となれば、ＯＴＴには手の打ちようがない。公にはその利用法までは干渉できないわけですから。しかし、ＩｎＧｅｎが世界でも最先端をいく遺伝子工学施設を中米の辺鄙《へんぴ》な国に建設しつつあることは明らかです。これといった規制のない国にですよ。この種のごまかしは以前にもあったことです」

法に規制されず、好き勝手に研究できる場所をもとめて、アメリカの遺伝子工学企業はつぎつぎに他国へと進出している。モリスの話では、そのもっとも悪質な例がバイオシン社の狂犬病事件なのだそうだ。

一九八六年、クパティーノのジェネティック・バイオシン・コーポレーションは、遺伝子操作した狂犬病ワクチンを、チリのある農場でテストした。チリ政府にも農場の農夫たちにもひとことの報告もなく、だまってワクチンをばらまいたのだ。

そのワクチンは、遺伝子操作で毒性を持たないよう改造された、生きた狂犬病ウイルスから造られていた。ところが、肝心の毒性についてはノーチェックのままだった。バイオシンは、そのウイルスがなおも狂犬病を発病させる力を持っているかどうかの確認を怠ったのである。さらに悪いことに、そのウイルスは改造されていた。本来なら、動物に咬まれないかぎり、狂犬病にかかる心配はない。しかし、

バイオシンの改造狂犬病ウイルスは肺胞を通して感染する。となれば、吸いこんだだけで感染してしまいかねない。しかもバイオシンの職員は、こんな危険なしろものを手荷物にいれ、一般航路の旅客機でチリに持ちこんだのだ。飛行の途中、もしカプセルが割れていたら、いったいどんな惨事になっていたことか。機内の全員が狂犬病にかかっていた可能性もある。

なんという非道。なんという無責任。この不注意ぶりは犯罪といってもいい。ところが、バイオシンに対してはなんの処分もなされなかった。なにも知らずに命をかけることになったのは、しょせんチリ政府当局者ではない。しかもチリ政府は経済危機に苦しんでいた。そしてアメリカ当局にはバイオシンを裁く権利はない。したがって、そのテストの責任者であった遺伝子研究者、ルイス・ドジスンは、いまもバイオシンに勤務している。バイオシンの無謀さはあいかわらずだ。同様に、遺伝子研究の発達していない外国に研究施設建設を急ぐ同業者は数多い。遺伝子工学を他のハイテク産業と同じようなものだと思っている国々は、その危険に気づかぬままに、諸手をあげてそんなバイテク企業の進出を歓迎している。

「だからこそ、うちがＩｎＧｅｎの調査に乗りだしたのです」とモリスはいった。「それが三週間前のことです」

「それで、どういうことがわかったんです？」グラントはきいた。

「結局、たいしたことは――。サンフランシスコにもどったら、調査を中止しなくてはならないでしょう。ここでおうかがいするべきことも、もうないようです」ブリーフケースに書類をもどしはじめた。

「ところで、〝幼体超空間〟というのはどういう意味ですか？」

「単なる報告書の題名ですよ。〝超空間〟というのは、三次元よりも高次の空間を示す数学用語で――立体的な三目ならべみたいなものといえばいいんですかね。食性、行動、睡眠など、動物のすべての習性を表現するために、その動物を高次空間のなかに展開してしまうんです。古生物学者のなかには、動

物の習性を環境的超空間でのできごとと呼ぶ者もいますよ。ですから、〝幼体超空間〟というのは、恐竜の幼体の習性のことだと思ってください。ちょっとばかりきどった表現ですがね」

トレーラーの後部で電話が鳴った。エリーが出た。

「いま来客中なんです。折り返しお電話するように伝えましょうか？」

モリスはブリーフケースを閉め、立ちあがった。

「ご協力ありがとうございました。ビールもごちそうさまでした」

「いやいや、お役にたちませんで」

グラントはそういって、モリスを見送るため、後部にあるドアへ歩きだした。モリスがいった。

「ハモンドがここの発掘物を要求したことはありますか？　骨とか卵とか、そういったものを？」

「ありませんでした」

「エリー・サトラー博士のお話では、あなたもここで遺伝子研究をなさっておられるとか……」

「ちょっとちがいますね。壊れている化石、なんらかの理由で博物館での保存に適さない化石は、ある研究所に送ってしまうんですよ。化石をこなごなに砕いて、タンパク質を抽出してもらうためです。タンパク質はそこで分析されて、その報告がここへ送り返されてくるわけです」

「その研究所とは？」

「ソルトレイクのメディカル・バイオロジック・サーヴィシーズです」

「どうしてそこを選びました？」

「入札です」

「その研究所はＩｎＧｅｎと無関係ですか？」

「さあ、そこまでは……」

ふたりはトレーラーの後部にたどりつき、グラントがドアをあけた。たちまち、外の熱風がむうっと

押しよせてきた。

モリスは足をとめ、サングラスをかけて、

「最後にもうひとつだけ」といった。「ＩｎＧｅｎの目的がじつは博物館ではなかったとしたら？　博士が提供した情報を利用できそうな使い道はほかにあるものでしょうか？」

グラントは笑った。「ありますとも。赤ちゃん恐竜を育てるんです」

モリスも笑った。

「赤ちゃん恐竜、ね。そいつは見ものだ。それはどのくらいの大きさがあったんです？」

「このくらいですね」グラントは両手を一五センチくらいに開いて見せた。「リスぐらいですよ」

「完全に成長するまで、どのくらいかかりました？」

「三年です。多少の誤差はあるにしても」

モリスは手をさしだした。

「もういちど、お礼をいいます。いろいろありがとうございました」

「気をつけてお帰りください」

グラントはモリスが車に歩いていくのをしばらく見送ってから、トレーラーのドアを閉めた。それから、エリーに声をかけた。

「どう思う？」

エリーは肩をすくめて、「どうかしら」

「ジョン・ハモンドが大悪党だというくだりは気にいったろう？」グラントはくすくす笑った。「ジョン・ハモンドはウォルト・ディズニーなみの悪党らしい。ところで、いまの電話は？」

「ああ、アリス・レヴィンという女の人。コロンビア大学のメディカル・センターで働いているそうよ。知りあい？」

グラントは首をふった。「いや」

「なんでも、鑑定してほしいものがあるそうよ。すぐに電話してほしいんですって」

骨格

エリー・サトラーはひと房のブロンドの髪を顔からかきあげ、酢酸漕に注意をもどした。酢酸漕は全部で六つ。五パーセントから一〇パーセントまでと、各溶液の濃度はさまざまで、濃い溶液ほど目を光らせていなくてはならない。どんどん周囲の石灰岩を溶かし、骨をも侵しはじめるからだ。恐竜の赤ん坊の骨はひどくもろい。八〇〇〇万年を経てなお保存されていたこと自体、驚きといえる。

酢酸漕を見張りながら、エリーはぼんやりと、グラントの電話口のやりとりを聞いていた。

「レヴィンさん？　こちら、アラン・グラントです。いったいどういう……なんですって？　なにをです？」グラントが笑いだした。「ははあ、それはどうでしょうかね、レヴィンさん……。申しわけないんですが、こちらも時間があまり……。ええ、見てみたいのはやまやまですが、十中八九、それはバシリスクですよ。ですが……ええ、それはかまいません。わかりました、すぐに送ってください」

グラントは電話を切り、かぶりをふった。

「あの手の連中だ」

「どうしてほしいんですって？」とエリー。

「あるトカゲを鑑定してほしいんだと。X線写真を送るといってる」グラントはファックスのそばに歩みより、受信がはじまるのを待った。「ところで、偶然なんだが、きみが喜ぶものを見つけた。状態も

「モリス氏がやってくる直前に見つけたんだ。南の第四丘だよ。驚くなかれ、ヴェロキラプトルの骨格だ。それも、幼体の。顎と骨が完全な形で残っているから、問題なく同定できる。周囲の状態もよさそうだ。完全な骨格すら見つかるかもしれない」

「すごいじゃないの」顔を輝かせて、エリー。「年齢はどのくらい？」

「かなり若い。二ヵ月か、せいぜい三ヵ月というところだろう」

「まちがいなく、ヴェロキラプトル？」

「まちがいない。とうとう運が向いてきたようだ」

スネークウォーターでの二年間、彼のチームが発掘したのはカモノハシ竜だけだった。この草食恐竜の大規模な集団が、一〇〇〇〇頭から二〇〇〇〇頭の群れをなし、白亜紀の平原を大移動していたという証拠は充分にあがっている。のちの世のバッファローと同じようなぐあいだ。

そこで、しだいに頭をもたげてくる疑問はこうである——肉食恐竜はどこにいたのか？

もちろん、肉食恐竜の個体数は多くはなかったろう。アフリカやインドのサファリ・パークでの研究によれば、捕食者／被食者の比率は、おおまかにいって、草食獣四〇〇頭につき肉食獣一頭の割合だという。その割合をそのままあてはめれば、一〇〇〇〇頭のカモノハシ竜の群れに対しては、二五頭のティラノサウルスしかいなかった勘定になる。したがって、大型肉食恐竜の化石が発見されることはきわめてまれだ。

しかし、小型肉食恐竜についてはどうなのか？　スネークウォーターには何十という巣があり——ところによっては、地面が文字どおり恐竜の卵の殻の破片でおおわれていた場所もある——小型恐竜の多くはその卵を食べていた。たとえば、ドロマエオサウルス、オヴィラプトル、コエルルスなどだ。そう

いった体長九〇センチから一八〇センチほどの小型肉食恐竜の化石は、たくさん見つかって当然といえる。

なのに、まだ一頭も見つかっていない。

たぶんこのヴェロキラプトルの骨格は、そんな風向きの変わりだすきっかけかもしれない。

それにしても、よりによって、ヴェロキラプトルだなんて！ ヴェロキラプトルは体長約一・八メートル、第二足指に長大な鉤爪《かぎづめ》を持ち、その鉤爪でプロトケラトプスを襲ったまま死んだ化石が発見されたことから、一躍勇名を馳せた肉食恐竜である。最近ではデイノニクスをヴェロキラプトルにふくめる考え方もあり、グラントなどはその説をとっている。棲息していたのは白亜紀後期。そのころは北米とアジアもつながっていたので、ここで見つかっても不思議ではないが、これまではモンゴルや中国などでしか見つかっていない。

しかも、子供だ！ エリーはグラントの夢が肉食恐竜の子育てぶりを研究することだと知っている。もしかするとこの発見は、その夢への第一歩かもしれない。

「うれしくてしかたないでしょう」とエリーはいった。

だが、グラントは返事をしなかった。

「ねえってば。うれしいでしょ？」エリーはくりかえした。

「なんということだ……」グラントがつぶやいた。

その目は、とどいたばかりのファックスに釘づけになっていた。

グラントの背後からX線写真のファックスを覗きこみ、エリーは息を呑んだ。

「これ……アマシクスだと思う……？」

「ああ」とグラント。「でなければ、トリアシクスだ。骨格がかなり軽い」

「どう見ても、トカゲじゃないわね……」

「ああ。トカゲじゃない。この二億年のあいだ、三本指のトカゲが地球上を歩いたことはない」

エリーが最初に思ったのは、この写真がでっちあげだということだった。非常によくできてはいるが、作り物にちがいない――。にせものでいちばん有名なのは、一九一二年に発見され、四〇年後ににせものと判明した、ピルトダウン人の例だろう。この作製者は、いまだにだれだかわかっていない。ずっと最近では、有名な天文学者のフレッド・ホイルが、大英博物館に展示されている羽を持った恐竜、始祖鳥の化石をにせものだと糾弾したことがある（こちらはのちに本物であることが証明された）。

にせもので成功する秘訣《ひけつ》は、科学者に望みのものを見せてやることにある。そしてエリーの目には、このトカゲのX線写真はまさしく本物に見えた。三本の足指《そくし》はバランスも正しく、中指がひときわ長い。第四指と第五指の骨質《こつしつ》の名残は、中足骨《ちゅうそくこつ》の関節付近に位置している。脛骨《けいこつ》は力強く、大腿骨《だいたいこつ》よりずっと長い。腰の寛骨臼《かんこつきゅう》のぐあいも完璧だ。尻尾には四五個の尾椎《びつい》がある。これはどう見ても――プロコンプソグナトゥスだった。大きさからすれば、亜成体だろう。

「このX線写真がにせものである可能性は？」

「わからん」とグラントがいった。「だが、X線写真を偽造するのはまず不可能だ。それにプロコンプソグナトゥスは有名な恐竜じゃない。恐竜好きの人間でも、ふつうは知らないはずだ」

エリーは添え書きを読みあげた。

「七月一六日、カボ・ブランコの砂浜で回収された標本……。ホエザルに食べられたらしく、残っていたのはこの部分のみ。まあ……しかもこのトカゲ、女の子を襲ったんですって」

「それはどうかな。可能性もなくはないが。プロコンプソグナトゥスは非常に小型で軽量だったから、動物の屍肉《しにく》をあさる掃除屋《スカベンジャー》だったと考えられている……。それに、このサイズを見たまえ」グラントは手早く大きさを測った。「足から腰までで約二〇センチ。とすれば、からだ全体の高さはせいぜい三〇

センチというところだろう。ニワトリぐらいの大きさだ。相手が人間の子供でもちょっとした脅威になる。だから赤ん坊を咬むのはわかるが、子供を襲うとは……。

エリーは眉をひそめてX線写真を見つめた。

「これは正式の〝再発見〟と見なしていいのかしら？　シーラカンスのときみたいに？」

「たぶん……」とグラントはいった。シーラカンスは、六五〇〇万年前に絶滅したとばかり思われていたのだが、一九三八年、ひょっこりと生きた現物が水揚げされた、全長一・五メートルほどの魚である。同様の例はほかにもある。化石でしか存在が知られていなかったのに、メルボルンのゴミ缶から生きている個体が見つかった、オーストラリアのブーラミス。ある博物学者がニューギニアで発見された一万年前の化石を論じたところ、ほどなく郵便で生きた現物が送られてきたという、オオコウモリ。

「でも、これは本物かしら？　それに、地質年代は？」

グラントもうなずいた。「問題はそれだな」

再発見された動物のほとんどは、さほどむかしから生き残っていた生物ではない。それらの化石が発見された地層は、せいぜい一〇〇〇年から二〇〇〇年前というところだ。もちろん、なかには数百万年前という例もあり、シーラカンスにいたっては六五〇〇万年前にもなる。だが、いま目の前にある見本の場合、それよりもけたちがいに古い。恐竜が絶滅したのは白亜紀のおわり、六五〇〇万年前だ。地球の覇者として大繁栄がはじまったのは、一億九〇〇〇万年前、ジュラ紀のことである。恐竜出現は三畳紀からで、これはだいたい二億二〇〇〇万年前のことになる。

プロコンプソグナトゥスが生きていたのは、三畳紀の前期——地球がまったくちがう様相を呈していた大むかしのことだった。当時、地球の大陸はすべてがひとつにつながり、パンゲアと呼ばれる単一の超大陸を形成していた。北極から南極にまで達するこの広大な大陸には、シダなどの森林が繁茂し、いくつかの大きな砂漠が散在していた。大西洋はアフリカとフロリダのあいだのせまい湖だったようだ。

空気の密度はずっと濃く、陸地はずっと温暖で、活火山が何百とあった。それが、プロコンプソグナトゥスの棲息していた環境だった。

「たしかに——」とエリーがいった。「大むかしの動物はたくさん生き残っているわ。ワニは基本的に三畳紀のままの動物だし。サメも三畳紀のまま。だから、そういう先例があることはわかっているけれど……」

グラントはうなずいた。「そして、こいつもだ。ほかにどんな説明ができる？　にせものか——たぶんそうではないと思うが——再発見か、ふたつにひとつだ。ほかに可能性は考えつくかい？」

そのとき、電話が鳴った。

「きっとアリス・レヴィンだ。現物を送ってもらえないかきいてみよう」

が、電話に出たグラントは、驚き顔でエリーを見やった。

「いいですよ、ハモンドさんが出るまで待ちます。ええ、もちろんですよ」

グラントはかぶりをふり、一拍おいて話しだした。

「ああ、これはハモンドさん。ええ、お声を聞けてこちらもうれしく思いますよ……はい……」ふたたびエリーを見やり、「ははあ、そうなんですか。ほう。ほんとうに？」

受話器を片手でおおい、小声でエリーにいった。

「あいかわらずすっとんきょうなことをいっている。きみも聞きたまえ」

グラントがスピーカーのボタンを押した。早口でまくしたてる、しわがれた老人の声が流れ出た。

「——まったくいい迷惑だ、環境保護局の若僧がなにを血迷ったか、手前勝手な判断で国じゅうをうろつきまわって、あちこちをつつきまわしておる。まさかそこまでいったりはしなかったでしょうな？」

「じつをいいますとね、ついいましがた、お帰りになったところですよ」

ハモンドは鼻を鳴らした。「いやな予感がしたんだ。モリスという軽薄な若僧ですな？」

「ええ、モリスという人でした」

「顧問全員に会うつもりなんだ。先日も、イアン・マルカムに会いにいったそうです。ごぞんじでしょう？　テキサスの数学者ですよ。それでその男のことに気づいたのです。この件を処理するのに、多大なる時間のロスをこうむってしまった。政府のやることはとかくこうです。苦情もなく、態度の変化も見せないくせに、監督不行届きの若僧が納税者の支出を嗅ぎまわっていやがらせをする。そちらで無礼を働きませんでしたか？　お仕事のじゃまをしませんでしたか？」

「いや、なにも迷惑はこうむっていません」

「それはかえってよろしくない」とハモンド。「なにかしでかそうものなら、法的手段に訴えられるものを。現在、うちの弁護士たちを環境保護局にやって、問題の所在をさぐらせているところです。長官がいうには、調査が行なわれていることさえ知らなかったとか！　博士にもおわかりでしょう。愚劣な官僚機構の弊害ですよ！　どうやらこの若僧め、コスタリカまで赴いてあそこらじゅうをつつきまわし、わが島にも乗りこもうともくろんでおるらしい。われわれが現地に島を持っておることはごぞんじですな？」

「いえ」グラントはちらりとエリーを見やり、答えた。「知りませんでした」

「おお、そうでしたか。じつはコスタリカに島を買いましてな。ある事業に着手したのです。そう、四、五年前のことです。正確にはいつだったかわすれましたが。イスラ・ヌブラルという島で——海岸から一五〇キロほど離れた大きな島です。そこに自然保護区を造るのですよ。すばらしい場所です。熱帯のジャングル。博士もぜひごらんになりたいことでしょう」

「なかなかおもしろそうですね」とグラント。「しかし、こちらも忙しくて——」

「そろそろ工事も完成間近です。それに関連して、ある資料をお送りしておきました。もうお手もとにとどきましたかな？」

「いや、まだです。ただ、なにぶんこう遠くては――」

「たぶん、きょうにでも着くでしょう。その資料をよく見てください。島は美しいですぞ。なんでもそろっています。建設をはじめて、はや三〇ヵ月。想像してもごらんなさい。広大な自然公園だ。開園は来年の九月。だれもが見たくなることは確実です」

「すばらしいところのようですが、しかし――」

「そうですとも、ぜひごらんになっていただきましょう、グラント博士。博士のご専門とも深いかかわりのある場所だ。きっと目をまるくなさいますぞ」

「ですが、いまはちょうど発掘の最中でして――」

「そうそう、いいことをお教えしましょう」急に思いついたような口調で、ハモンドはつづけた。「今週末、これまでご相談に乗っていただいたみなさんを何人か、島にお招きする予定なんです。二、三日お泊まりになって、じっくりごらんになっていただきたい。もちろん、旅費等はすべてこちらでお持ちします。博士のご意見をたまわれば、こんな名誉なことはない」

「残念ながら、時間がありませんでね」とグラント。

「いやなに、ほんの週末だけでいいのですよ」愛想のいい声を作ってはいるが、いらだっていることはすぐにわかった。「週末だけ、ほんのちょっとお立ち寄りくだされればいいんです、グラント博士。博士のお仕事のおじゃまをするつもりは毛頭ありません。どれだけたいせつなお仕事であるかは承知しております。ほんとうですとも、お仕事の偉大さは重々わかっております。じゃまをするなんてとんでもない。しかし、今週末だけ時間を拝借できれば、月曜日にはもどれるんですよ」

「むりですね。新しい骨格を発見したばかりで――」

「おお、それはすばらしい。しかし、そこを枉《ま》げて、ぜひとも――」ハモンドはこちらのいうことをろくに聞いていないようだった。

「それに、ついさっき、非常に不可解かつ驚くべき発見の証拠を受けとったところでしてね。プロコンプソグナトゥスが現生しているらしいんです」

「なんですと?」ハモンドの饒舌が急にストップした。「よく聞きとれませんでした。まさか、プロコンプソグナトゥスが現生しているとおっしゃったか?」

「そうです。中米で発見された動物のからだの一部なんですが。見つかる直前まで生きていたものです」

「そんなばかな。生きているプロコンプソグナトゥスですと? だとすれば、たいへんな発見だ」

「そうなんですよ。われわれもそう考えています。ですから、ここを離れる余裕がないことは——」

「中米、とおっしゃったか?」

「ええ」

「中米のどこか、おわかりですかな?」

「カボ・ブランコという浜辺です。具体的にはどこかわかりません——」

「なるほど」ハモンドは咳ばらいをした。「それで、その……標本はいつお手もとに?」

「きょうですよ」

「きょう、ですか。なるほど。きょう。なるほど。わかりました」ハモンドはもういちど咳ばらいをした。

グラントはエリーを見やり、口だけ動かした。〝どうしたんだろう?〟

エリーはかぶりをふった。〝動転しているようね〟

グラントはもういちど口を動かした。〝モリスがそこらにいるかどうか見てくれ〟

エリーは窓へ外を覗きにいったが、モリスの車はなくなっていた。もどってきて、首を横にふった。

ハモンドの咳ばらいがスピーカーから響いた。

「その、グラント博士。この件をだれかにお話しになりましたかな?」

「まだです」

「よかった。それはよかった。そうですか、そうですか。じつをいいますと、グラント博士、この島のことで、少々手を焼いておることがあるのです。環境保護局の若僧も、ちょうどやっかいなときに動きだしたものだ」

「どういう問題です?」

「問題がいくつかと、遅延が少々……。ちょっとしたプレッシャーがかかっているとだけ申しあげておきましょうか。それに関しても、ぜひ島を見学いただき、ご意見をたまわりたい。そうだ、一日につき二万ドルの休日顧問手当てをお支払いしましょう。三日で六万ドルです。サトラー博士にもご同行願えるのなら、同額をお支払いします。古植物学者も必要でしてな。いかがです?」

エリーの視線を受けて、グラントは答えた。「そういうことでしたら……。そんな大金があれば、ふた夏ぶんの発掘費用を十二分にまかなえますのでね」

「そうですか、それはありがたい」ハモンドはそっけなく聞こえる声で答えた。なにかよそごとに考えをとらわれているような声だった。「てっとりばやくすませたいもので……では、ショトー東の私有飛行場に、わが社のジェットでお迎えにあがります。場所はごぞんじですな? そこから車で二時間のところです。明日《みょうにち》午後五時にきていただければ、飛行場でお待ちしています。そこからじかに島へお連れしましょう。サトラー博士ともども、その機に乗れそうですか?」

「たぶん、だいじょうぶでしょう」

「ありがたい。荷物は少なめに。パスポートはいりません。こちらで手配します。では、明日」

ハモンドはそういって、電話を切った。

カウアン、スウェイン&ロス法律事務所

さんさんとさしこむ真昼の陽光が、サンフランシスコにあるカウアン、スウェイン&ロス法律事務所に明るい雰囲気をかもしだしている。にもかかわらず、ドナルド・ジェナーロは浮かない気分だった。電話を受けながら、ボスであるダニエル・ロスをちらちらと見やる。ピンストライプのダークスーツを着たロスは、冷徹な経営者だ。

「わかったよ、ジョン」とジェナーロはいった。「グラントがきてくれるんだな？　わかった、わかった……ああ、それはうまくいきそうだ。おめでとう、ジョン」

電話を切り、ロスに向きなおった。

「もうハモンドは信用できません。トラブルが多すぎます。環境保護局が動きだしていますし、コスタリカのリゾート開発は大幅に遅れています。投資家もじれてきました。現地の悪いうわさも多すぎます。作業員の死亡率が高いんですよ。そこへもってきて、今度は生きたプロコンプなんとかが本土に上陸したとか……」

「どういうことだ、それは？」ロスがきいた。

「たぶん、なんでもないんでしょう。ところで、うちの大口投資家のハマグチなんですが。先週、コスタリカの首都のサンホセにいるハマグチの代理人から報告がありまして。その報告によると、海岸地方

で新種のトカゲが子供を咬んだそうです」

ロスは目をしばたたいた。「新種のトカゲ？」

「そうです。これはもう、揉み消しようがありません。ただちにあの島を調査しないと。ハモンドには、今後三週間、週に一度は独自の調査をする旨、申しいれておきました」

「で、ハモンドはなんといった？」

「島ではなんの異常も起こっていない。安全体制は万全だというばかりです」

「だが、それを信じてはいない」

「ええ。信じられません」

ドナルド・ジェナーロがカウアン、スウェイン＆ロス法律事務所にはいったのは、資金調達能力を買われてのことだった。同事務所に仕事を依頼するハイテク関係の顧客は、莫大な資金を必要とすることが多い。その投資者を見つけてやるのがジェナーロの役目だ。そして、ここへきて最初の仕事のひとつが、一九八二年、当時すでに七〇近かったジョン・ハモンドのため、ＩｎＧｅｎ社を創立する資金をかき集めることだった。資金は最終的に一〇億ドル近くにも達した。たいへんな大仕事だったので、あのときのことはよく覚えている。

「ハモンドは夢想家です」とジェナーロはいった。

「それも、潜在的に危険な夢想家だな」とロス。「この件にはかかわるべきでなかったかもしれん。うちの出資額は？」

「五パーセントです」

「会社全体のか、特定事業のか？」

「全体です」

ロスはかぶりをふりふり、「かかわるべきではなかったな」

「当時は賢明なことに思えたんです」とジェナーロはいった。「なにしろ、八年前です。わずかな手数料収入ですますより、多少とも配当を得たほうがいいのではないかと……。それに、覚えておいででしょう、ハモンドの計画は常軌を逸したものでした。文字どおりの大風呂敷です。まさか実現させてしまうとは思いもよりませんでした」

「だが、現に実現させてしまったではないか。いずれにせよ、調査が必要であることには同感だ。視察にあたって、専門家はどうする？」

「計画の初期、すでにハモンドが接触していた顧問を利用します」ジェナーロはロスのデスクにリストをさしだした。「第一陣は古生物学者、古植物学者、数学者、各一名。この三人が今週末に島へ赴く予定ですので、わたしも同行します」

「その三人が思ったとおりの意見を口にするだろうか？」

「すると思います。三人とも、この島とあまりかかわりはありませんし、そのひとりは——イアン・マルカムという数学者ですが——当初から計画には反対でした。うまくいくはずがない、うまくいかない仕組みになっていると主張していましたから」

「その三人のほかには？」

「技術者が一名。コンピュータ・システムのアナリストです。〈王国《パーク》〉のコンピュータを調査させ、バグをフィックスさせます。金曜の朝までには、現地入りの予定です」

「よろしい」とロス。「手配はきみがするのだな？」

「ハモンドにそうしてくれといわれましたので。トラブル解決のためではなく、単なる社交的な招待に見せかけたいようです。それに、島を見せびらかしたいんでしょう」

「わかった」とロスはいった。「だが、調査は確実に行ないたまえ。ハモンドの思惑にはまどわされないことだ。コスタリカの状況は一週間以内に解決してほしい」

それだけいうと、ロスは立ちあがり、部屋を出ていった。

ジェナーロは電話機のボタンを押した。無線電話のノイズが響き、ややあって、声が応えた。

「もしもし、グラントです」

「やあ、グラント博士。こちら、ドナルド・ジェナーロです。ＩｎＧｅｎの相談役の。覚えておられるかどうかわかりませんが、数年前にお電話したことが――」

「覚えていますよ」

「それはよかった。たったいま、ジョン・ハモンドから電話がありましてね。コスタリカの島へおいでいただけるというグッドニュースを聞いたもので……」

「ええ、あす、おうかがいする予定です」

「そのことで、ひとことお礼をいっておきたいと思いまして。ＩｎＧｅｎの全員が大歓迎ですよ。やはり当初に顧問を務めていただいたイアン・マルカム氏もきてくれるそうです。テキサス大学オースティン校の数学者なんですが、ごぞんじですか？」

「ジョン・ハモンドから聞きました」

「そうですか、それなら話が早い」とジェナーロ。「当然ながら、わたしも同行します。ところで、博士が発見されたという標本ですが……プロ……プロコンプ……なんでしたか？」

「プロコンプソグナトゥス」

「それです。お手もとにその標本はありますか？　その標本の現物が？」

「いえ。手もとにあるのはＸ線写真だけです。現物はニューヨークですよ。コロンビア大学の女性が電話をくれましてね」

「くわしい話をお聞かせ願えますか。ミスター・ハモンドはその標本のことで非常に興奮していまして、

なるべく早く、くわしい話を聞かせてやりたいんです。博士も現物をごらんになりたいでしょう。うまくすると、島に滞在中、現地にとりよせられるかもしれませんよ」

グラントはプロコンプソグナトゥスについての詳細を話してくれた。

「どうもありがとうございました、グラント博士」話をききおえて、ジェナーロは礼をいった。「サトラー博士にもよろしくお伝えください。明日、彼にもお会いできるのを楽しみにしています」

そういって、ジェナーロは電話を切った。

計画書

「たったいま、とどいたところよ」翌日、トレーラーの後部からはいってきたエリーがいった。ぶ厚い茶封筒を手にしていた。「学生のひとりが街にいってきたの。ハモンドからよ」

エリーのことばどおり、封筒には青と白で、ＩｎＧｅｎのロゴがはいっていた。グラントは封を切った。なかを覗いたところ、添え状はなく、ぶ厚い書類の束がはいっているだけだ。とりだしてみると、青写真の束だった。縮小して製本してある。表紙にはこうあった。

〈『イスラ・ヌブラル・リゾート』来園者用宿泊施設（サファリ・ロッジ全館案内図）〉

「いったい、なんだ、こりゃあ？」

本をぱらぱらとめくったとたん、一枚の紙がぱらりと落ちた。

親愛なるアランとエリーへ

ご賢察のとおり、まだまだ正規の資料をおわたしできる状態ではありません。しかしながら、イスラ・ヌブラル計画のあらましはこれでおわかりになると思います。じつにエキサイティングな計画ではありませんか！

この計画についておふたりと話しあえるときを楽しみにしています！　一刻も早くわれらの島へ

立ち寄られんことを！

草々
ジョン

「わけがわからんな」とグラントはいいながら、冊子をぱらぱらめくった。「建築計画のようだが――」最初のページをめくった。

ヴィジター・センター／ロッジ　イスラ・ヌブラル・リゾート

建築主　InGen社（カリフォルニア州パロアルト）。
設計者　ダニング、マーフィー&アソシエイツ（ニューヨーク）。設計補助：リチャード・マーフィー。設計主任：シオドア・チェン。管理主任：シェルドン・ジェイムズ。
施工者　構造担当：ハーロウ、ホイットニー&フィールズ（ボストン）。機械担当：T・ニシカワ（オオサカ）。
造園者　シェパートン・ロジャーズ（ロンドン）。A・ヒキタ、H・ムラヤマ（カナザワ）。
電気工事　N・コバヤシ（トウキョウ）。主任顧問：R・ナカザワ。
コンピュータ　C／C　インテグレイテッド・コンピュータ・システムズ社（マサチューセッツ州ケンブリッジ）。計画責任者：デニス・ネドリー。

グラントは計画書そのものに目を通しはじめた。〈企業秘密につき複製を禁じる〉と〈極秘計画——配布厳禁〉のスタンプが押してあった。各ページには通し番号が打ってあり、上のほうにはこんな文章が記されていた。〈本計画書はＩｎＧｅｎ社極秘事業の概要である。文書112／４Ａにサインせず本計画書を見た者は告発されることもある〉

「やけに偏執的だな」

「なにか理由があるのよ」とエリー。

つぎのページには地勢図があった。それによると、イスラ・ヌブラルは涙滴型をさかさまにしたような形の島で、北部が膨《ふく》れ、南にいくにつれて先細りになっていた。島の全長は縦に一三キロあり、大きくいくつかのエリアに区分されていた。

いちばん北のエリアは〈お客さま《ヴィジター》エリア〉と記され、歓迎広場《ヴィジター・アライバル》、ヴィジター・センター／管理棟、発電／海水淡水化／各種処理施設、ハモンド住居、サファリ・ロッジ、などと記された建物がならんでいる。プールやテニス・コートを表わす四角い枠もある。くねくねしたまるい模様は、樹木や植えこみだろう。

「たしかに、リゾートのようね」エリーがいった。

つぎのページからは、サファリ・ロッジの図面がつづいていた。完成予想図によれば、サファリ・ロッジはかなり立派な建物のようだった。ひとつながりの低くて細長い建物で、屋根の上にはいくつものピラミッドがある。だが、〈ヴィジター・エリア〉のその他の建物については、一枚の図面も添付されていない。

それよりさらに謎めいているのは、島の残りの部分だった。全体図を見るかぎり、ほとんどはオープン・スペースのようだ。道路やトンネル網、ヴィジター・センターから遠く離れて点在する建物、人工のものらしい細長い湖、コンクリートのダムと塀……こういった設備もあるにはある。だが、島の大半

は湾曲した大きなエリアに区分され、そちらには建物らしいものがまったく描かれていない。そして各エリアには、このような略号が付されていた。

／P／PROC／V／2A、／D／TRIC／L／5（4A＋1）、／LN／OTHN／C／4（3A＋1）、／VV／HADR／X／11（6A＋3＋3DB）。

「どこかに略号の説明はないの?」エリーがきいた。

グラントはざっと冊子をめくってみたが、それらしきものはどこにもなかった。

「ぬいてしまったのかしら」

「もういちどいおうか」とグラント。「偏執的だよ」

湾曲した大きなエリアをじっと見つめる。それぞれのエリアは道路網で区分されている。オープン・エリア数は島全体で六つしかない。各エリアはコンクリートの濠で道路から隔てられていた。それぞれの濠の外にはフェンスがあり、そのフェンスのそばには小さな稲妻のマークが付されている。はじめはなんだかわからなかったが、やがてふたりは、それが高圧電流フェンスではないかと思いいたった。

「へんね」とエリー。「リゾート地に高圧電流フェンス?」

「何キロもつづいている。フェンスも、濠もだ。それに、そのそばにはたいてい道路が走っている」

「まるで動物園みたい」

もういちど地勢図にもどり、等高線をじっくりと見た。道路の配置も妙だ。島中央の丘を貫き、南北に連なる主要道路の一部は、川に面する絶壁の端を削って造られている。すこしずつ、その構造の意図が見えてきた。道路ぞいに濠と高圧電流フェンスを設けることで、どうやら各オープン・エリアを広大な囲い地とするつもりらしい。しかも、道路は地面より高く、フェンスの向こうを見わたせる……。

「気がついた?」エリーがいった。「なかにはずいぶん規模の大きいものがあるわ。これを見て。このコンクリートの濠、幅が一〇メートルもあるわよ。軍事施設といっても通るくらい」

「建物もだ」とグラント。各オープン・スペースには建物が数棟ずつあるが、どれも道路からは目だたない片隅にある。しかもそれらは総コンクリート製で、いずれも壁がぶ厚い。側面図を見ると、小さな窓といい、コンクリートの掩蔽壕《えんぺいごう》そのものだ。むかしの戦争映画によく出てくる、ナチのトーチカそっくりだった。

そのとき、くぐもった振動音が轟き、グラントは冊子を置いた。

「仕事にもどろう」


「発射！」

軽い震動が起こったと思うと、黄色い線画がコンピュータのディスプレイに現われた。今度は解像度が完璧だ。くっきりとした骨格の輪郭が徐々に描きだされていく。うしろへカーブした長い首。ヴェロキラプトルの子供であることはまちがいない。しかも、完全な——

画面がふっと消えた。

「いまいましいコンピュータめ」目をすがめて太陽を見あげ、グラントは問いかけた。「今度はどうした？」

「インテグレーターのインプットがとまったんです」学生のひとりが答えた。「ちょっと待ってください」

学生は、バッテリー駆動のポータブル・コンピュータの背部につながるケーブルの束にかがみこんだ。ここは第四丘の上だ。コンピュータはビール・ケースに載せてあり、さほど遠くないところに起震装置《サンパー》という機械が置いてある。

グラントは丘の斜面にすわりこみ、腕時計を見て、エリーに話しかけた。

「やっぱり、古いやりかたでやるしかなさそうだな」

学生のひとりがそれを聞きつけた。「そりゃないですよ」

「しょうがないじゃないか」とグラント。「ぐずぐずしていたら飛行機に乗り遅れるんだから。ともかく、出発前には化石に石膏ジャケットをかぶせてしまいたい」

いったん化石の掘り出しにかかったら、一気に最後までやってしまわないと、破損のおそれがある。部外者は荒れ地《バッドランド》の地形が不変のように思いがちだが、じっさいにはどんどん侵食が進んでおり、文字どおり、目の前で崩れていくのだ。作業をしていると、崩れゆく斜面を小石がころがり落ちる音が一日じゅう聞こえる。それに、いつ暴風雨が襲ってこないともかぎらない。ちょっとした降雨でさえ、デリケートな化石は洗い流されてしまう。したがって、グラントの部分的に露出した骨も危険にさらされているわけであり、外出しているあいだ、保護しておく必要があったのだ。

化石の保護としては、通常、一帯に防水シートをかぶせ、その周囲に水はけ用の溝を掘るという処置をとる。問題は、ヴェロキラプトルの化石をとりかこむにはどのくらいの溝が必要かということだった。それを決めるために、グラントたちはコンピュータ援用音波断層撮影機、略称CASTを用いている。これは最新式のやりかたで、まずサンパーでやわらかい鉛のペレットを土中に打ちこんで衝撃波を起こし、その波形をコンピュータで読んで、丘のX線像を描きだそうというものだ。この夏ずっと、彼らはこの機械で走査をしてきたが、結果はいつもまちまちだった。
六、七メートル離れたところにあるサンパーは、車輪つきの大きな銀色の箱で、上には傘が広げられている。ちょっと見にはアイスクリーム屋台のような姿が、バッドランドとはいかにも不釣り合いだ。サンパーには学生がふたりついていて、つぎの鉛ペレットをセットしている。
いまのところCASTのプログラムは、化石の埋まっている範囲を特定し、効率よく発掘する程度の役にしかたたない。しかし学生たちの話では、もう二、三年のうちには詳細なイメージを創りだし、発掘などしなくてもすむようになるということだった。骨の立体的なイメージを完全にとらえることがで

きれば、発掘はいっさい不要となり、考古学に新時代が訪れるかもしれない。

だが、現在はまだまだそこまでいかない。それに、大学の研究室では問題なく動作するこの装置も、フィールドではいやになるほどあつかいがやっかいで、気まぐれだった。

「どのくらいかかる?」グラントがきいた。

「もういけます、アラン。そうひどい状態じゃないですよ」

グラントはコンピュータのディスプレイに目をもどした。完全な骨格が、明るい黄色のラインでトレースされはじめた。たしかに幼体の化石だ。ヴェロキラプトル最大の特徴である突出した第二足指の鉤爪——成体《せいたい》では長さ一五センチにも達し、獲物のからだをやすやすと切り裂く湾曲した長大な爪が、この幼体ではせいぜいバラのとげくらいしかない。ディスプレイではほとんど見えないくらいだ。ヴェロキラプトルは小型の恐竜で、繊細な骨の構造は鳥に似ており、知能も鳥なみに高かったのではないかと考えられている。

この骨格は完全に一式そろっているらしい。ただし、首は大きくうしろにのけぞっていた。このようにのけぞった首は化石によく見られるもので、一部の科学者はそれを説明するために、こんな理論を提唱したことがある。それによれば、恐竜が絶滅したのは植物にアルカロイドができるようになったからで、そりかえった首は、アルカロイドによる断末魔の苦しみを表わすものだという。その説を葬りさったのは、ほかならぬグラント自身だった。鳥や爬虫類の多くの種では、死後硬直で首後部の靭帯《じんたい》が収縮し、ある特徴的な形で首がうしろにそることを示して見せたのだ。そった首は死の苦しみとは関係ない。それは太陽に照りつけられ、屍体が乾燥してできる現象だった。

この骨格もからだが後方にねじれており、そのため右脚は背骨の上にあがっていた。

「ねじれているようですね」と学生のひとりがいった。「だけど、コンピュータのせいじゃないと思います」

「そのとおり」とグラント。「時間のなせるわざだよ。膨大な時間のね」

人々に地質学的時間が理解できないことを、グラントはよく知っている。人間の生活は、まったくスケールの異なる時間の上に成立しているからだ。リンゴは数分で茶色く変色する。銀製品は数日で黒くなる。堆肥の山が腐敗しきるまでには季節ひとつぶん。子供が大きくなるまでに一〇年だ。こんな日常的な時間尺度に慣れ親しんだ人間は、八〇〇〇万年という時間——この小さな動物が死んでからいままでの時間の意味など、想像することすらできない。

講義するときには、グラントはいつもべつの比較を用いる。人間の寿命を六〇年として、それを一日に圧縮したとしても、同じ比率で圧縮した八〇〇〇万年はじつに三六五二年。ピラミッドの歴史よりもなお長い。このヴェロキラプトルは、それほどむかしに死んだのである。

「あまり恐ろしげではないですね」学生のひとりがいった。

「それはそうさ」とグラント。「すくなくとも、成長するまではそうだ」

おそらくこの赤ん坊は、成体が倒した獲物をあらかた喰らったあと、太陽に照りつけられた残り物の屍肉をあさっていたのだろう。肉食恐竜は一度の食事で体重の二五パーセントの肉を食べ、そのあとは眠くなる。赤ん坊たちはさえずりながら、満ちたりて眠りこける成体のあいだを駆けまわり、屍体の肉をちびちびとかじりとったのかもしれない。きっと赤ん坊たちは、見るからにかわいらしい動物だっただろう。

だが、成体のヴェロキラプトルとなると話はちがう。じっさいのところ、ヴェロキラプトルはかつて出現したもっとも兇猛な恐竜だった。比較的小型ではあるが——体重約八〇キロで、大きさはヒョウほどだ——すばやい動きと高い知能を持ち、獰猛で、鋭い牙や強力な鉤爪の生えた前肢《ぜんし》だけでなく、一本だけ突出した第二足指の巨大な鉤爪でも獲物を襲うことができた。

そしてこの恐竜は、群れをなして狩りをした。その狩りのようすはさぞかし壮観だっただろう。一〇

頭以上ものヴェロキラプトルが全速力で走りまわりながら、自分たちよりもずっと巨大な恐竜の背中にとびつき、首を切り裂き、肋《あばら》や腹をえぐり……

「もう時間がないわ」エリーのことばで、グラントはわれに返った。

急いで溝の処理法を指示した。コンピュータのイメージによれば、骨格は比較的せまい範囲におさまっている。二平方メートルほどの区画のまわりに溝を切っておけば充分だろう。とりあえず、エリーが化石の上に防水カバーをかけた。グラントは彼女を手伝い、杭でカバーを岩場に打ちつけた。

「この赤ん坊、どうやって死んだんでしょう?」学生のひとりがきいた。

「そいつはだれにもわからんよ」とグラント。「野生動物の赤ん坊は死亡率が高い。アフリカの自然公園の場合、肉食獣の赤ん坊は七割が死んでいる。原因はさまざまだ。病気で死ぬこともあるだろうし、群れからはぐれて死ぬこともあるだろう。同族の成獣に襲われることだってある。ヴェロキラプトルは群れで狩りをしていたが、群れのなかの社会行動についてはなにもわかっていないんだ」

学生たちはうなずいた。彼らは全員、現生動物の習性を学んでおり、たとえばライオンの群れの場合、新たにその群れを乗っとった雄が最初にすることは、子供を皆殺しにすることであることを知っている。理由はどうやら遺伝子にかかわることらしい。雄は自分の遺伝子をできるだけ広範に広めるよう進化してきた。子供たちを殺すのは、子供を奪うことで群れのすべての雌を発情させ、自分の子を孕《はら》ませるためだ。それは雌がほかの雄の子供を育て、時間をむだにすることを防ぐ働きも併せ持つ。

おそらくヴェロキラプトルの群れも、一頭のボスに支配されていたのだろう。恐竜についてはまだまだなにもわかっていない。すでに一五〇年ものあいだ、世界じゅうで研究と発掘が行なわれてきたというのに、恐竜がどのような生き物であったのかは、いまなおほとんどわかっていない状態なのだ。

「もう出かけなきゃ」とエリーがいった。「五時までにショトーにいくつもりならね」

真新しいスーツケースをかかえて、秘書があわただしくはいってきた。スーツケースにはまだ値札もついている。

「あきれた人ですわね、ミスター・ジェナーロ」秘書の声にはけんがあった。「荷造りをわすれていたなんて、今度の出張、よほどいきたくないんですのね」

「そうかもしれん」とジェナーロ。「おかげで娘の誕生日をすっぽかすはめになった」

土曜はアマンダの誕生日だ。妻のエリザベスはかしましい四歳のガキどもを二〇人ほど招待したうえ、道化師キャピーと手品師まで呼んでいる。だから、ジェナーロが出張だと聞いて、エリザベスは露骨にがっかりした顔をした。それはアマンダも同様だった。

「ともかく、短時間でできるだけの用意はしましたわ」と秘書がいった。「ちょうどいいサイズのランニング・シューズに、カーキ色の半ズボンとシャツ、髭剃り用具一式。ジーンズ一本と、寒かったときの用心にスウェットシャツが一枚。下に車を待たせてあります。すぐに出発しないと、飛行機にまにあいませんよ」

それだけいって、秘書は出ていった。ジェナーロも部屋の外に出て、廊下を歩きながら、スーツケースの値札をちぎりとった。全面ガラスの会議室の前を通りかかったとき、ダン・ロスがこちらに気づき、

会議テーブルを離れて廊下に出てきた。

「気をつけていきたまえ」とロスはいった。「ただし、このことだけははっきりさせておいてくれよ。状況がどれだけ悪化しているかはわからない、ドナルド。しかし、島にひとつでも問題があれば、さっさと見切りをつけろ」

「そうはいいますがね、ダン……これには巨額の資金がからんでるんですよ」

「ためらうな。資金のことは考えるな。怪しければ、切れ。わかったな？」

ジェナーロはうなずいた。「わかりました。しかし、ハモンドは――」

「ハモンドなどくそくらえだ」とロスはいった。


「これはこれは、ずいぶんごぶさただったな」

おなじみの、かさついた声がいった。

「元気だったかね、うん？」

「おかげさまでね、ジョン」とジェナーロは答え、クッションのきいた革張りのシートに身を沈めた。

彼らの乗ったガルフストリームII型ジェット機は、東をめざし、ロッキー山脈に向かって飛翔を開始したところだった。

「このところ、ちっとも電話をくれないではないか」ハモンドはなじるようにいった。「おかげでさびしかったぞ、ドナルド。美人の奥さんはどうしている？」

「あいかわらずだよ。エリザベスは元気だ。あれから女の子が生まれた」

「それはそれは、おめでたいことだ。子供というのはじつに楽しい。コスタリカのわが〈王国〉を見たら、おじょうさんも大喜びすることだろう」

ハモンドがこれほど小男であることを、ジェナーロはすっかりわすれていた。シートにすわると、足

が紘緞《じゅうたん》にとどかないのだ。足をぶらぶらさせながら、ハモンドはしゃべっている。そういえばこの男には、どこか子供じみたところがあるな。じっさいの歳はというと……何歳だ？　七五か？　七六か？　そんなところだ。記憶のなかの姿よりも歳をとっていたが、考えてみると、ハモンドにはもう五年近くも会っていない。

ハモンドは派手なことの好きな、根っからのショーマンである。一九八三年、ジェナーロをともなって、ハモンドは小さなカゴにいれたゾウを持ち歩いた。このゾウは体高二〇センチ、全長三〇センチの生きたミニチュアで、細部にいたるまでふつうのゾウとそっくりだった。ちがうところはただひとつ、脚が萎《な》えていたことだけだ。ハモンドはそれを見本に、資金調達をしてまわったのである。まずジェナーロが、商談相手の部屋に籠《かご》を持ちこむ。籠にはポットカバーのような小さな覆《おお》いがかけられている。つづいてハモンドが、お得意の弁舌をふるい、〝消費者生物学〟なるもののもたらす展望を語りつつ、ころあいを見はからって、さっと覆いをはずし、ミニチュアのゾウを披露する。そして投資の交渉にはいるというわけだ。

ミニチュアのゾウは決まって大きな反響を呼んだ。せいぜいネコほどの大きさのゾウは、新ベンチャー・ビジネスにおけるハモンドのパートナーの――スタンフォード大学の遺伝学者、ノーマン・アサートンの――研究室から産みだされるであろう驚異の数々を、十二分に語りつくしていた。

だが、このゾウの秘密を説明するにあたり、ハモンドが隠していたことはずいぶんあった。たとえば、ハモンドは遺伝子工学の会社を設立しようとしていたが、このミニチュアのゾウは遺伝子操作で生みだされたものではない。アサートンは小型《ドワーフ》ゾウの胚をとりだし、ホルモン調整をしながら人工子宮で育てただけなのだ。そのこと自体はたいへんな偉業だが、ハモンドがほのめかしたような遺伝子操作はいっさい行なわれていなかった。

それに、アサートンはいっこうにミニチュアのゾウの二番手を造りだせずにいた（もちろん、ハモン

ドはせっついた。このゾウを見た者は、必ず手もとに置きたがったからだ)。しかもこのゾウは風邪を引きやすく、とくに冬期には注意が必要だった。ゾウを収めた小さなトランクのなかからくしゃみが聞こえてくるたびに、ハモンドはふるえあがったものである。ゾウが籠の格子のあいだに鼻をつっこみ、外に出たがってうるさく鳴くこともあったし、鼻が病気で腫れあがることもあった。アサートンがかわりのミニチュアを造りだす前に死んでしまいはしないかと、ハモンドはしじゅうびくびくしていた。

ハモンドが出資者たちに隠していたのはそれだけではない。このゾウの習性は、ミニチュア化の過程でかなり変わってしまっていたのだ。見たところはゾウでも、その習性は兇暴な齧歯類《げっし》のそれで、かなり気が荒かった。これをペットにして指でも咬まれたら、客はたちまち離れてしまう。

それに、ハモンドは自信たっぷりに、一九九三年までに年間入場料収入は七〇億ドルになるといっていたが、彼のプロジェクトは完全に見こみだけのものだった。ヴィジョンと熱意こそあったものの、その計画が成功する保証はどこにもなかった。なにしろ、プロジェクトの大黒柱であるノーマン・アサートンは、すでに癌の末期状態にあったのだ。ハモンドの最大の秘密がこれだった。

とはいうものの、ジェナーロの手助けもあって、ハモンドは着実に資金を集めた。一九八三年九月から一九八五年十一月までのあいだに、ジョン・アルフレッド・ハモンドと彼の〝厚皮動物ポートフォリオ〟がインターナショナル・ジェネティック・テクノロジー社の設立資金としてかき集めたベンチャー資金は、じつに八億七〇〇〇万ドルにものぼる。さらに多額の資金を集めることもできたのだが、ハモンドが秘密の絶対厳守にこだわり、五年間は投資資本の見返りなしという条件をつけたために、大半の投資家はこの点で二の足を踏んだ。結局ハモンドらは、おおむね日本の借款団にたよらざるをえなくなった。それだけの忍耐がある投資家は、日本人だけだったのである。

ジェット機の革張りのシートにすわって、ジェナーロはハモンドがいかにその場しのぎに長《た》けている

かを考えていた。そもそも、今回の島訪問を強要したのはジェナーロの法律事務所だが、この老人はそれを無視し、むしろ純粋に社交的な行楽の旅のようにふるまっている。

「家族もいっしょに連れてくればよかったのに、ドナルド」とハモンドはいった。

ジェナーロは肩をすくめた。

「娘が誕生日でね。もう二〇人の子供たちを招いてあるんだ。ケーキと道化師もね。わかるだろう」

「おお、わかるとも。お誕生会は子供たちの大好きなことだ」

「ところで、〈王国〉の来園客受けいれ態勢は？」

「公の形ではまだむりだが――」とハモンド。「ホテルは完成ずみだ。泊まるところはある……」

「それで、動物のほうは？」

「もちろんだとも、動物の用意は整っている。それぞれのエリアにきちんと収まっているとも」

「当初の計画では、全部で一一二頭……」

「いやいや、そんなものではない。すでに二三八頭もそろっている」

「に、二三八頭……？」

老人はジェナーロの反応をおもしろがり、くっくっと笑った。

「想像できまいがな。もはや堂々たる群れだ」

「二三八頭……。で、種類は？」

「一五種」

「信じられん……」とジェナーロ。「ほんとうだとしたら、ものすごいことだ。それで、ほかの設備はどうなった？　建物は？　コンピュータは？」

「安心したまえ、全部そろっている」とハモンドは答えた。「島の設備はすべて順調にいっているよ。自分の目で見るといい、ドナルド。完璧にうまくいっている。だからこそ、きみたちの……懸念……は、

まったく見当ちがいなのだ。島にはなにひとつ問題はない」

「それなら、視察を受けてもこまることはなかろう」

「そのとおりだとも。しかし、こういうことをされると開園準備に遅れが出る。公式の査察をされては、工事などをすべて中断せざるをえない……」

「どっちみち遅れが出ているんだ。開園を延期したじゃないか」

「ああ、あれか」ハモンドはスポーツコートの胸ポケットから赤いシルクのハンカチをとりだした。

「よくあることだ、よくあることだよ」

「理由は？」ジェナーロがつっこんだ。

「それはだな、ドナルド。まず、このリゾート本来のコンセプトを思いだしてもらわねばならん。つまり、電子工学やバイオテクノロジーの粋をこらした、世界最先端をゆくアミューズメント・パークだということだ。単なる施設や乗り物のたぐいではないぞ。どこにいってもそんなものはある。コニーアイランドにもな。当節、どこもかしこもアニマトロンだらけだ。ホーンテッド・マンション、カリブの海賊、ワイルド・ウエスト、大地震――どこにいっても似たようなものばかりではないか。だからわれわれは、生物学的なアトラクションを創ることにしたのだ。生きているアトラクション――とてつもない驚異に満ち、全世界のどぎもをぬくようなアトラクションをな」

ジェナーロは思わずにやりとした。それは何年も前、ハモンドが投資家たちの前でしてみせたのと、一言半句変わらない演説だったからだ。

「それに、コスタリカのプロジェクトの最終目的をわすれてはならん――金もうけだ」ハモンドはそういって、ジェット機の窓外を眺めやった。「莫大な金をもうけることだ」

「覚えているとも」とジェナーロ。

「そして、アミューズメント・パークで金もうけをするための秘訣は――人件費を切り詰めることだ。

料理人や給仕、チケット係、清掃係、修理員。最小限のスタッフでパークを運営することだ。そのためにこそ、コンピュータ・テクノロジーにこれほどの金をかけたのだよ——可能なかぎり、自動化を進めるために」

「覚えている……」

「大量の動物と徹底したコンピュータ・システム。それらの管理体制を打ちたてるためには、種々の障害が出るのは明白なことだ。これほど大規模なコンピュータ・システムをスケジュールどおりに設定できる者がそうそういるかね？　いるわけがない」

「するといまの遅れは、よくある開園時のごたごたということか？」

「ああ、そのとおりだ。よくある遅れだとも」

「建設事故があいついだと聞いたが」ジェナーロはいった。「作業員が何人も死んだそうじゃないか……」

「たしかに事故は何件かあった」とハモンドは答えた。「事故死者は全部で三名だ。うちふたりは崖っぷちの道路を建設していて死んだ。もうひとりは、この一月、バックホウにまきこまれた。しかしここ数カ月は、一件の事故もない」

ハモンドはそこで弁護士の手をとり、「ドナルド」といった。「わたしを信じたまえ。島ではなにもかもが、計画どおり順調にいっている。なにもかもが完璧にうまく運んでいるんだ」

インターカムから、パイロットの声がいった。

「シートベルトを締めてください。ショトーに着陸します」

ショトー

乾いた平原が、はるか黒い丘《ビュート》の彼方にまで伸び広がっている。午後の風が砂ぼこりをまきあげ、タンブルウィードがひび割れたコンクリートの上をころがっていく。グラントはエリーとともにジープのそばに立ち、スマートなグラマンのジェット機が旋回して着陸態勢にはいるところを見まもった。

「金の亡者どもを待つのはいやな気分だな」グラントがこぼした。

エリーは肩をすくめて、「お仕事、お仕事」

物理学や化学のように、国から研究資金が出ている科学分野もたくさんあるが、考古学はいまなお、個人的なパトロンの資金にたよるしかないのが実情だ。コスタリカの島に対する興味はさておいても、ジョン・ハモンドが助力をもとめてくれれば、それに応じざるをえない。パトロンとはそうしたものだし、むかしからずっとそうだったのだ。

小型ジェット機は着陸し、すぐさまエプロンをこちらに向かってきた。エリーがバッグをかつぐ。ジェット機は停止し、ブルーのユニフォームを着たスチュワーデスがハッチをあけた。

機内にはいって、グラントは驚いた。設備はどれも贅沢なのに、おそろしく手ぜまなのだ。奥にはいってハモンドと握手をするさいには、腰をかがめねばならなかった。

「ようこそ、グラント博士、サトラー博士」ハモンドがいった。「ご同行いただき、感謝にたえません。

ご紹介しましょう、こちらはわたしの弁護士で、ドナルド・ジェナーロ」

ジェナーロは三十代なかばの、ずんぐりとした筋肉質の男で、アルマーニのスーツを着こなし、ワイヤーフレームの眼鏡をかけていた。ひと目見ただけで、グラントはこの男がきらいになった。握手のしかたもそっけない。エリーと握手をするさい、ジェナーロは驚き声を出した。

「女性だったんですか」

「こういうこともあるんです」エリーの返事を聞いて、グラントは思った。やっぱりきらいになったな。

ハモンドはジェナーロに向きなおった。

「グラント博士とサトラー博士のお仕事はきみも知ってのとおりだ。古生物学者だよ。恐竜の化石を発掘しているんだ」そこで、すごくおもしろいことでも思いついたように、げらげら笑いだした。

「お席へおつきください」ハッチを閉めながら、スチュワーデスがいった。すぐさま、ジェット機は動きだした。

「あわただしい点はどうかご容赦を」とハモンド。「少々急いでおりましてな。このドナルドが、一刻も早く現地へいきたいそうなので」

パイロットのアナウンスがはいった。ダラスまで四時間、そこで燃料補給したのち、コスタリカへ向かう。コスタリカ着は明朝とのことだ。

「で、コスタリカにはどのくらい滞在するんです？」グラントがたずねた。

「それは現地の状況しだいですね――」とジェナーロがいった。「かたづけねばならない問題もいくつかありますし……」

「それについてはわたしが請けあいましょう」グラントに顔を向けて、ハモンドがいった。「島に四八時間以上滞在することはありえませんよ」

グラントはシートベルトを締めた。

「これから向かう目的地のことですが――例の島のことははじめて聞きました。秘密の計画ですか？」

「ある意味では、そうです」ハモンドが答えた。「だれにも気づかれないよう、わたしどもは徹底的に注意をはらってきました。島がオープンされた暁《あかつき》に訪れるお客さまが、心から驚き、楽しめるようにね」

標的

カリフォルニア州クパティーノのバイオシン・コーポレーションが緊急役員会を召集したのは、まさに前代未聞のことだった。会議室には一〇人の重役たちが席につき、いらいらと会議のはじまりを待っていた。時刻は午後八時。この一〇分ほど、一同はたがいに話をしていたのだが、ゆっくりと沈黙に陥っていった。聞こえるのは書類をめくる音だけだ。みんなしきりに腕時計に目をやっている。

「なにを待っているんだ、われわれは？」ひとりが問いかけた。

「あとひとりだ」ルイス・ドジスンが答えた。「もうひとりこないと、はじめようがない」そういって、腕時計を見た。残るひとり、ロン・マイヤーのオフィスが報告してきたところでは、ロンは六時発の飛行機でサンディエゴを発ったはずだ。それなら、空港からの交通を計算にいれても、もう着いていなくてはおかしい。

「定足数でなければだめなのか？」べつの重役がきいた。

「そうだ」とドジスン。「定足数でなくてはだめだ」

一瞬、全員がだまりこんだ。定足数を必要とするということは、よほど重要な決断を迫られているということだ。事実、そうにちがいない。本音をいうと、ドジスンは役員会を召集したくはなかった。だが、バイオシンの社長スタインガーテンは頑としてゆずらず、「この件については重役たちの了承を得

なければだめだ、ルー」といいはったのだ。

ルイス・ドジスンは、その筋では、彼の世代でもっとも過激かつ無謀な遺伝学者として知られる人物である。年齢は三四歳、頭は禿げかけており、顔つきは鋭く、情熱的だ。大学院のとき、食品医薬品局の正規の手順を無視して人間の患者に遺伝学的治療を施そうとしたため、ジョンズ・ホプキンズ大学から放校、その後バイオシン社に雇われ、チリで論議を呼んだ狂犬病ワクチンのテストを強行したという経歴を持つ。現在の彼は、バイオシン社製品開発部の部長を務めている。製品開発とはいっても、その実態は〝逆開発〟——ライバル企業の製品を盗みだし、それを分析して働きを解明したのち、自社でも似たような製品を造るというものだった。具体的には、産業スパイも働き、その標的はおおむねＩｎＧｅｎ社に限定されている。

一九八〇年代、数社のバイオテクノロジー企業は、〝ソニーのウォークマンに相当するバイオ製品はなにか？〟と問いかけた。それらの企業は、薬学にも健康にも興味はない。興味があるのは、娯楽、スポーツ、レジャー産業、化粧品、ペットなどだ。一九九〇年代にはいってからは、〝消費型バイオ製品〟に対するニーズは一段と高まった。そして、この分野に進出した企業のなかに、ＩｎＧｅｎとバイオシンの名もあった。

バイオシンはすでに、いくつかの成功をなしとげている。たとえば、アイダホ州の狩猟監視局の依頼を受け、遺伝子操作で生みだした、色の明るいマスがそうだ。このマスは水中でも見つけやすく、釣果《ちょうか》をあげる効果があるといわれている（すくなくとも、川にマスがいないとの苦情が狩猟管理局に寄せられることはなくなったという）。しかし、体色の明るいマスが日焼けで死亡しやすく、その肉が水っぽくて旨味に欠けるという側面はまったく議論されなかった。バイオシンはいまでもその改良に取り組んでいるが——

ドアがあき、ロン・マイヤーが部屋にはいってくると、椅子にすべりこんだ。これで役員会は定足数

に達した。ドジスンは即座に立ちあがった。

「諸君」と彼は切りだした。「今夜お集まりいただいたのはほかでもない。わが標的のＩｎＧｅｎについてお考えいただくためだ」

ドジスンはざっと背景情報を説明した。一九八三年、同社がジャパン・マネーの投資を得て設立されたこと。クレイＸＭＰスーパーコンピュータを三台導入したこと。コスタリカにイスラ・ヌブラルという島を購入したこと。琥珀の買い占め。ニューヨーク動物学会からインドのランサプール野生動物公園にいたるまで、世界じゅうの動物園に異例の寄付金をばらまいたこと。

「以上、これだけの手がかりがそろっているにもかかわらず」とドジスンはつづけた。「ＩｎＧｅｎがなにをもくろんでいるかはまったくわからない。動物に力を注いでいることはたしかなようだ。それに、過去に興味を持つ研究者たちもかき集めているらしい。古生物学者、ＤＮＡ系統学者などなどだ。

一九八七年、ＩｎＧｅｎは、テネシー州ナッシュヴィルのミリポア・プラスティック・プロダクツという無名の会社を買収した。これは農業関係の会社で、当時、鳥の卵殻の特徴を持った新しいプラスティックで特許をとったばかりだった。卵型に成型すれば、ニワトリの胚を育てられるというプラスティックだ。翌年から、ＩｎＧｅｎはミリポアのプラスティックをすべて自社内で消費しはじめた」

「ドジスン博士、きわめて興味深い話だが――」

「同時に」ドジスンはかまわずに先をつづけた。「イスラ・ヌブラルで建築作業がはじまった。島全体におよぶ大規模な土木作業で、島のまんなかに長さ三キロの浅い人工湖まで造ったという。極秘のうちにリゾート施設の建設も進めている。どうやらＩｎＧｅｎは、この島に巨大な私立動物園を造りあげたらしい」

重役のひとりが、前に身を乗りだして、きいた。

「ドジスン博士。いま、なんと？」

「ただしそれは、ふつうの動物園ではない」ドジスンは語をついで、「この動物園は世界にまたと類を見ないものだ。InGenはとてつもない事業をなしとげた。なんと、過去に絶滅した動物のクローンを造りだしたのだ」

「どんな動物を？」

「卵から孵《かえ》り、広大な敷地を必要とする動物さ」

「だからそれは、どんな動物だね？」

「恐竜だよ」とドジスンはいった。「連中は恐竜のクローンに成功したんだ」


それにつづく狼狽《ろうばい》は、ドジスンの目から見れば、まったく場ちがいなものだった。ビジネス屋のこまったところは、情報に追いつけない点にある。ある分野に投資はしても、なにが可能かはまるっきり理解できない。

じっさい、恐竜クローンの議論は、早くも一九八二年から技術文献に登場していた。年々、DNAの操作は簡単になるいっぽうだ。一九八〇年代には、エジプトのミイラから遺伝物質が抽出されているし、シマウマの仲間でクアッガという、すでに絶滅してしまったアフリカの動物についても、その皮から遺伝物質が抽出されている。一九八五年ごろになると、DNAを再構築し、クアッガをよみがえらすことができると考えられるようになった。もしそうならクアッガは、DNAの再構築だけで絶滅からすくわれる、最初の動物ということになる。それが可能であれば、ほかの動物もよみがえらせられるのではないか？　マストドンは？　サーベル・タイガーは？　ドードー鳥は？

そして、恐竜は？

もちろん、世界じゅうのどこからも、恐竜のDNAなどは発見されていない。しかし、大量の恐竜の骨を磨《す》りつぶせば、DNAの断片が見つかるかもしれない。以前は化石化によってDNAも分解してし

まうと考えられていたが、いまではそうでないことがわかっている。大量のＤＮＡの断片さえ回収できれば、クローン技術で生きた恐竜を再生することもできるかもしれないではないか。

一九八二年の段階では、技術的問題が山積していた。だが、もはや理論的には不可能ではなかった。単に圧倒的にむずかしく、莫大な費用がかかり、実現不可能に思えるだけであって、真剣にとりくみさえすれば、やってできないことではなかったのだ。

そしてＩｎＧｅｎは、どうやら本気でそれにとりくんだらしい。

「ＩｎＧｅｎの造りあげたものは——」とドジスンはいった。「世界史に残る最大の観光アトラクション施設にほかならない。知ってのとおり、動物園の人気は高い。昨年のアメリカの全動物園の入場者数は、プロ野球とプロ・フットボールを合わせた全試合の入場者数よりも多いのだ。加えて日本人は動物園好きだ。日本には五〇もの動物園があり、さらにつぎつぎに造られているという。ＩｎＧｅｎの造ったこの動物園ともなれば、入場料などいくらでもふっかけられる。一日二〇〇〇ドル、一日一万ドル……いくら高くても客はくる。グッズの収益もばかにならない。写真集、Ｔシャツ、テレビゲーム、帽子、ぬいぐるみ、コミックス、ペット」

「ペット？」

「当然だ。ＩｎＧｅｎがフルサイズの恐竜を造れるとすれば、ペット用にミニチュアの恐竜だって造れるに決まっている。小さな恐竜をペットにほしがらない子供などいると思うかね？　自分だけの小さな恐竜。それも、特許つきの恐竜だ。ＩｎＧｅｎはそいつを何百万頭と売りさばくだろう。そして、このペットの恐竜がＩｎＧｅｎ特製のペット・フードでしか育たないよう遺伝子操作すれば……」

「なんたることだ——」だれかがいった。

「そのとおりだ」とドジスン。「この動物園は巨大事業の中核となる」

「そんな恐竜に、特許がおりるものか？」

「おりる。遺伝子操作された動物は特許の対象となる。一九八七年、最高裁がハーヴァードに有利な判決を出している。InGenは恐竜の特許をとるだろう。そうなればだれも、合法的には類似品を造れなくなる」

「うちも恐竜を造ればいいじゃないか。できない理由でもあるのか？」だれかがきいた。

「ない。だが、InGenはうちより五年先行している。今世紀がおわるまでに連中においつける可能性は、まずない」

ドジスンはいったんことばを切った。

「ただし、その恐竜のサンプルを手にいれられれば、それを分析して独自の恐竜を造りあげることはできる。DNAに適度に変更を加えれば、連中の特許権を侵害するおそれもない」

「手にはいるのか？　その恐竜のサンプルが？」

ドジスンは一拍間をおいてから、「できると思う」と答えた。

だれかが咳ばらいをした。「しかし、非合法行為となると……」

「それはない」ドジスンは言下に否定した。「非合法な手段をとるわけではない。わたしがいっているのは、連中のDNAに関する合法的な情報源のことだ。不満のある職員、不注意に棄てられたゴミ、そのようなものと思ってほしい」

「その合法的な情報源は確保してあるのかね、ドジスン博士？」

「確保してある」とドジスンはいった。「しかし、決断は急いでもらわなくてはならない。InGenはちょっとした危機に陥っているようだ。その情報源が二四時間以内に行動しないと、成果はあがらないかもしれない」

長い沈黙が会議室にたれこめた。役員たちは、記録をとっている秘書と、その前に置いてあるテープレコーダーを見つめた。

「正式の評決をとる必要はないと思う」とドジスンはいった。「ことを実行に移すべきか、以心伝心で伝えてもらえれば……」

ひとり、またひとりと、役員たちがうなずいていった。

だれも口をきかない。評決が記録に残ることはない。役員たちはただ、だまってうなずいただけだ。

「ご足労を感謝する、諸君」とドジスン。「あとはおまかせ願いたい」

空港

ルイス・ドジスンは、サンフランシスコ空港ターミナル・ビルのコーヒー・ショップにはいり、すばやくまわりを見まわした。目的の人物はすでに着いており、カウンターで待っていた。ドジスンはそのとなりにすわり、ふたりのあいだの床にブリーフケースを置いた。

「遅かったじゃないか」男はそういうと、ドジスンがかぶっている麦わら帽子を見て笑った。「そりゃいったいなんのつもりだい、変装?」

「おまえにはわからんよ」怒りをこらえて、ドジスン。半年かけて辛抱強く懐柔してきたのはいいが、この男は会うたびにずうずうしく、傲慢になっていく。だが、それについてはどうしようもない。おたがい、かかっているものの大きさを知っているからだ。

遺伝子操作されたDNAは、世界でもっとも単価の高い商品といえる。肉眼では見えないほど小さなバクテリア一個といえども、たとえば心臓発作を防止する酵素のストレプトキナーゼ、穀物の霜害を予防する〝アイス・マイナス〟、こういったものの遺伝子を持っていれば、しかるべきバイヤーになら五〇億ドルで売れることもある。

それゆえ、バイオ産業の隆盛は新たに産業スパイの跳梁跋扈《ちょうりょうばっこ》をもたらすことにもなった。ドジスンはとくにこの方面に長けている。一九八七年には、不満を持っていたある女性遺伝学者をシータス社から

バイオシンに引きぬいたこともあった。手土産は、五株の遺伝子操作されたバクテリア。ほんのちょっとおこぼれをわけてやるだけで、その遺伝学者は喜んで移籍してきたものだった。

だが、相手がInGenとなると、仕事はむずかしくなる。ドジスンがほしいのはバクテリアのDNAではない。冷凍された胚《はい》だ。となれば、InGenはきわめて厳重な警備態勢のもとに保管しているだろう。それを手にいれるためには、胚にふれる機会があり、それを盗む意志があり、警備態勢をごまかせるほどの幹部をだきこまなくてはむりだ。そんな人物は、おいそれと見つかるものではない。

苦労の末に、ぴったりの役どころの人物を見つけたのは、今年のはじめになってからのことだった。この人物は遺伝子操作された胚に接触する立場にはなかったが、ドジスンはコンタクトを絶やさず、月にいちどはシリコン・ヴァレーのカルロス・アンド・チャーリーズで会って、なにくれとなく世話をやいてきた。そしていま、InGenは、例の島に業者や顧問を招きはじめた。いまこそ待ちに待ったチャンスだ。なぜなら、このときこそ、この人物は堂々と胚に接触できるからである。

「さっさと片づけてしまおうや」と男はいった。「出発まで一〇分しかない」

「また説明をくりかえしてほしいのか?」とドジスン。

「いいや、ドジスン博士。いちおう、現金を拝んでおきたくってね」

ドジスンはブリーフケースのラッチをはずし、数センチだけあけてみせた。男はさりげなく、なかを覗きこんだ。

「これで全額?」

「半分だけだ。七五万ドルある」

「オーケイ。わかった」男は目をそらし、コーヒーを飲んだ。「文句なしだよ、ドジスン博士」

ドジスンはすばやくブリーフケースを閉じた。

「一五種全部に対する報酬だぞ。わすれるなよ」

「わかってるって。冷凍した胚を一五種類だな。だけど、持ちだしはどうする？」

　ドジスンは大きなジレットのスプレー式シェービング・クリームの缶を手わたした。

「これにいれて？」

「そうだ」

「荷物のチェックをされるかも……」

　ドジスンは肩をすくめて、「スプレーしてみろ」といった。

　男はいわれたとおりにした。手の平に白いシェービング・クリームの泡が山を作った。

「悪くない」男は皿の縁で泡をぬぐいながら、「悪くないな」

「ふつうよりすこし重い。それだけだ」この缶は、ドジスンの技術チームが二日がかりでこしらえたものだった。ドジスンは手早くその使い方を教えた。

「冷媒《れいばい》ガスの分量は？」

「三六時間はゆうに保つだけの分量がはいっている。時間切れになる前に、胚をサンホセに持ってきてもらわねばならない」

「それはボートで待機しているやつの役目だな」と男はいった。「そいつに携帯用冷凍庫を持たせておいたほうがいい」

「そうしよう」とドジスン。

「念のため、報酬の確認を……」

「条件は同じだ。胚一体につき五万ドル。胚が生きていれば、一体につきさらに五万ドル」

「申しぶんない。じゃあ、金曜の夜、島の東の栈橋に必ずボートを待たせておいてくれ。北の栈橋じゃないぞ。あっちは大型の補給船がくるからな。東の栈橋だ。小さな業務用の栈橋。いいね？」

「わかった。サンホセにはいつもどる？」

「たぶん、日曜日」男はカウンターに手をつき、立ちあがった。

ドジスンはいらだたしげに、「たしかにわかっているんだろうな、あの——」

「わかってるって」と男はいった。「信用しなよ、ちゃんとわかってる」

「もうひとつ。例の島はカリフォルニアのＩｎＧｅｎ社本部と無線連絡をとりあっている。だから——」

「だいじょうぶだって、全部承知してる。あんたはのんびりかまえて、金の用意だけしていればいい。日曜の朝、サンホセの空港に持ってきてもらう。キャッシュでだ」

「ちゃんと用意しておく」とドジスンはいった。「心配はいらん」

マルカム

真夜中のすこしまえ、その男はダラス空港でジェット機に乗りこんできた。年齢は三五歳だが、頭はもう禿げかけており、長身で細身のからだを黒一色に包んでいる。黒のシャツ、黒のズボン、黒のソックス、黒のスニーカー。

「おお、マルカム博士」ハモンドはそういって、作り笑いを浮かべた。

マルカムもにやっと笑って、

「やあ、ジョン。きみの苦手なネメシスがやってきたぞ」

といった。それから、口早に、

「イアン・マルカムです。はじめまして。数学者です」といいながら、全員と握手をしてまわった。グラントの見たところ、マルカムはなによりも旅を楽しんでいるようだった。

彼の名前はグラントも知っている。イアン・マルカムは〝現実の世界がどのように機能しているか〟に公然と興味を示すニュータイプの数学者のなかでも、ひときわ有名な存在なのだ。この手の数学者たちは、いくつかの重要な点において、隠者的な数学者の伝統を打ち破っている。第一に、常時コンピュータを使うこと。伝統的な数学者なら、これには眉をひそめるところだ。第二に、混沌《カオス》理論と呼ばれる新しい分野に傾倒し、もっぱら非線形方程式にとりくんでいること。第三に、自分たちの数学が実世界

に実在するなにかを説明していると誇示したがること。第四に、アカデミズムから実世界への進出を強調しようとするかのように、古手の数学者には〝嘆かわしいほどの人格の露出〟と論評される服装や言動を好むこと。じっさい、彼らがロック・スターのようなふるまいをすることは珍しくない。

マルカムがクッションのきいたシートにすわった。スチュワーデスがなにかお飲みになりますかとたずねた。それに答えてマルカムは、

「ダイエット・コークをたのむ。よくふって、ただしかきまわさずに」といった。

開きっぱなしのハッチから、湿度の高いダラスの夜気がはいりこんできた。

「黒い服を着るには、すこし暑くありません？」とエリーがきいた。

「お美しい方ですね、サトラー博士」とマルカムは答えた。「あなたの脚線美なら一日じゅうでも見飽きないくらいだ。じっさいには、黒というのは暑いときにこそ向いている色でしてね。黒体輻射《ふくしゃ》を思いだしてみれば、黒が熱に強い色だということは明らかでしょう。効率的な輻射をするんですよ。冗談はさておき、わたしは二色の色しか身につけません。黒とグレイです」

エリーはあんぐりと口をあけてマルカムを見ている。

「この二色は、どのような場合にも合う色なんですよ」マルカムは先をつづけた。「それに、色のとりあわせとしてもいい。うっかり黒のズボンにグレイのソックスをはいてしまったとしても、なんの問題もありません」

「でも、同じ色ばかり着ていたら飽きませんか？」

「すこしも。むしろ楽ですよ。自分の人生は価値あるものと信じていますからね、服装のことなど考えて貴重な時間をむだにしたくない。朝、なにを着ていこうかと考えるのもごめんです。そもそも、世の中にファッション以上にくだらないものなどありますか？　プロのスポーツはそうかもしれないな。大のおとなが小さなボールを追いかけまわすわ、世界じゅうがそれに金をはらって喝采するわ、ですから

ね。しかし、総合的に見て、ファッションはスポーツよりずっとくだらないと考えています」

「マルカム博士は――」ハモンドが口をはさんだ。「強固な信念の持ち主でね」

「しかも、アリスの帽子屋のようにいかれてる」マルカムがうれしそうにいった。「しかし、この点は認めてもらわなくてはならないが、これは瑣末《さまつ》な問題ではない。世の中は驚くほどの既定事実に満ち満ちている。これこれと決まっているからこうする、これこれと決まっているからこれを選ぶ。だれも既定事実に疑問を持とうとしない。驚くべきことじゃないか、ジョン？　情報社会にあっては、だれもなにも考えようとしない。われわれは紙を追放しようというが、じっさいに追放したのは紙ではなく、考えることだ」

ハモンドは両手をふりあげ、ジェナーロに向きなおった。

「彼を呼んだのはきみだぞ」

「さいわいというべきだよ」とマルカム。「どうやら、深刻な問題をかかえているようじゃないか」

「問題などない」ハモンドが言下に否定した。

「わたしはつねづね、この島の事業が成功するはずはないといいつづけてきた。最初からうまくいかないことはわかっていたんだ」マルカムは柔らかいレザーのブリーフケースに手をつっこんで、「最終結果がどのようなものになるか、いまごろはだれの目にも明らかになっているはずだ。そろそろ事業から手を引こうというんだろう」

「いいかげんにしろ！」ハモンドがむっとして立ちあがった。「そんなことはない」

マルカムは肩をすくめ、ハモンドの怒りなどどこ吹く風で、平然とつづけた。

「きみたちに見せようと思って、当初の報告書の写しを持ってきた。ＩｎＧｅｎに対して最初に提出した報告書だ。数学は少々難解だが、意味は充分にわかると思う。おや、どこかへいくのかい？」

「電話をしなければならん」ハモンドはいい捨てて、となりのキャビンへ姿を消した。

「ま、長いフライトだ」マルカムはほかの者たちに向かっていった。「すくなくともわたしの報告書は、諸君の無聊《ぶりよう》をなぐさめてくれるだろうさ」

ジェット機は夜を徹して飛行をつづけた。

イアン・マルカムを批判する者は多いし、そのスタイルに眉をひそめる者も珍しくない。その理由が、グラントにはよくわかった。なにかというとカオス理論をふりかざすのも鼻につく点だ。グラントは方程式を眺めながら、報告書をめくっていった。

ジェナーロがいった。

「きみの報告書は、ハモンドの島が失敗すると結論づけているんだな？」

「そのとおり」

「カオス理論からの結論かい？」

「そのとおり。より正確には、位相空間における系《システム》のふるまいがもたらす帰結さ」

ジェナーロは報告書を脇へほうりだした。「そいつをわかりやすいことばで説明できるかね？」

「もちろん。まずは出発点から見ていこう。非線形方程式がなにかは知っているかい？」

「いや」

「奇妙《ストレンジ》なアトラクターは？」

「知らんな」

「わかった。では、そもそもの最初からはじめよう」マルカムはことばを切り、天井を見あげた。「物理学は、ある種のふるまいを説明するにあたって大きな成功をとげた。軌道をめぐる惑星、月へいく宇宙船、振り子、バネ、回転するボール、そういった規則的な運動についてだ。これらは線形方程式と呼ばれるもので説明できるし、そういう方程式なら数学者はやすやすと解ける。何百年も前からわれわれ

はそうやってきた」

「わかる」とジェナーロ。

「ところがここに、物理学が苦手とする、まったく別種のふるまいがある。たとえば、乱流に関することはみなそうだ。蛇口や噴水から出る水。飛行機の翼面を流れる空気。気象。心臓から押しだされる血液。このような乱流現象は非線形方程式で記述される。これを解くのはむずかしい。というより、解けないことが多い。したがって物理学には、この種のできごとをすこしも理解できない。ところが一〇年ほど前に、それらを説明するまったく新しい理論が登場した。それがカオス理論と呼ばれるものだ。

このカオス理論は、もとをただせば一九六〇年代に、コンピュータによる気象モデルを造ろうとする試みのなかから生まれたものだった。気象はひとつの巨大で複雑なシステムであり、これは陸地や太陽と相互作用する地球の大気の働きにほかならない。この巨大で複雑なシステムの働きはつねに理解を拒否してきた。したがって、われわれには気象を予測できない。初期の研究者たちがコンピュータ・モデルから学んだのもそういうことだった。理解はできても、予測することはできない。天候の予測は絶対に不可能なんだ。その理由は、このシステムの働きが初期条件に極度に依存し、敏感に反応するからだ」

「もうわからない」とジェナーロ。

「大砲である重さの砲弾を、ある速度、ある角度で発射したとしよう。つぎに、まったく同じ重さの砲弾を、まったく同じ速度、同じ角度で発射する。どうなると思う?」

「その二発はだいたい同じところに落ちるだろうな」

「そのとおり」とマルカム。「それが線形力学だ」

「わかる」

「ところがここに、ある気温、ある風速、ある湿度でスタートする気象系がある。これとほぼ同じ気温、

同じ風速、同じ湿度でスタートした気象系は――第一の気象系と同じようにはふるまわない。急速に変化していって、第一の気象系とはまったく異なるものになってしまう。快晴のかわりに雷雨になることもある。それが非線形力学だよ。初期状態に敏感で、微妙なずれがどんどん増幅されてしまうんだ」

「わかると思う」とジェナーロ。

「これを一名、〝バタフライ効果〟という。北京で蝶々がはばたけば、ニューヨークの天気が変わるというやつだ」

「するとカオスは、ほとんどランダムで予測不可能ということか？」ジェナーロがたずねた。「そういうことなのか？」

「そうじゃない」とマルカム。「あるシステムのふるまいが持つ複雑な多様性のなかには、隠れた規則性が見られるんだ。だからこそカオス理論は、株式市場の動向から暴徒の行動、癲癇《てんかん》発作時の脳にいたるまで、さまざまな対象に応用される、非常に幅の広い理論になったのさ。混乱と予測不可能性を持つどのような複雑なシステムのなかにも、必ずある種の潜在的な秩序構造が見つかる。わかるかな？」

「わかる。しかし、その潜在的な秩序構造というのは、なんだ？」

「それは基本的に、位相空間内のシステムのふるまいによって特徴づけられる」

「やれやれ。わたしが知りたいのは、なぜハモンドの島がうまくいかないと思うのかという点なんだがね」

「わかってる、わかってる。いま話すところだ。カオス理論はふたつの要点を示唆している。ひとつめは、気象のような複雑なシステムには潜在的な秩序構造があるということ。ふたつめはその逆――単純なシステムからも複雑な動きが生じうるということだ。たとえば、ビリヤードのボール。まず、ボールを突く。するとボールはビリヤード台のクッションにあたってははね返りはじめる。理屈の上では、これはきわめて単純なシステムだ。ほとんどニュートン系といってもいい。ボールに加えられる力とボール

の質量はあらかじめわかるから、ボールがクッションにぶつかる角度を計算し、先々のボールの動きを予測できるはずだ。クッションからクッションに何度はね返っても、その動きを予測できないはずはない。理屈の上では、三時間後の動きまでも予測できることになる」

「わかる」ジェナーロはうなずいた。

「ところが現実には――」マルカムは語をついで、「数秒と予測できないんだよ。なぜなら、ボールをついた直後に、ごくごく微妙な効果によって――ボールの球面の不完全さ、ビリヤード台の微妙なくぼみなどによって――ずれが生じはじめるからだ。そのずれが入念な計算を凌駕《りょうが》するのに長くはかからない。したがって、このビリヤード台のボールという単純なシステムは予測不可能となる」

「なるほど」

「ハモンドのプロジェクトも、一見したところでは単純なシステムのようだ。自然動物園のなかの動物たち。だがこのシステムも、やがては予測不可能なふるまいをするようになる」

「なぜそんなことが……」

「カオス理論の帰結さ」

「しかしきみは、島をよく見たことがないじゃないか。われわれの設備を見てもいないじゃないか」

「たしかに。だが、見るまでもないんだよ。ディテールは関係ない。カオス理論によれば、この島の予測不可能性は急速に進んでいく」

「よほど理論に自信があると見える」

「もちろんだとも。絶大な自信を持っているさ」マルカムはシートの背当てにもたれかかった。「島は問題をかかえている。ひとつのきっかけがあれば、それは一気に表に噴きだすだろう」

イスラ・ヌブラル

グラントの頭上で、ローターが音高く回転をはじめた。サンホセ空港の滑走路に落ちた影で、その動きがよくわかる。イアフォンからは、管制塔と交信するパイロットのノイズ混じりの声が聞こえている。

サンホセではもうひとり乗客を乗せた。ここで合流するため、ひと足先に飛行機でやってきていた、デニス・ネドリーという人物だ。太っていて、だらしのない感じの男だった。しじゅうチョコバーを食べており、指先はチョコレートでべとべと、シャツにはアルミ箔《はく》のかけらがくっついている。ぼそぼそと島のコンピュータの保守をしにいくといっただけで、ネドリーは握手をしようともしなかった。

プレクシガラスのキャノピーを通して、滑走路のコンクリートがすうっと離れていくのが見えた。ヘリコプターの影が、西へ、山脈へと向かって、すべるように走りだす。

「約四〇分の旅です」うしろの席から、ハモンドがいった。

低い丘陵が地上にせりあがりだすころ、ヘリコプターはきれぎれの雲の層をぬって、陽光のもとへと高度をあげた。そこで、眼下に広がる急峻な山脈を見わたして、グラントは驚いた。驚くほど大量の木が伐採され、何エーカーもの山肌がむきだしになっている。

「コスタリカは――」ハモンドが説明した。「ほかの中米諸国よりも人口コントロールがうまくいっているほうです。とはいえ、森林の伐採は見てのとおり。ほとんどはこの一〇年で切り開かれたもので

す」

山脈を越えると、ヘリコプターは雲の下に降り、西海岸の浜辺が見えるようになった。ほどなく、小さな沿岸の村を飛びこした。

「バイア・アナスコです」パイロットが説明した。「漁村ですよ」それから北を指さして、「沿岸ぞいに北へ進んだあそこ、あれがカボ・ブランコ自然保護区です。美しい浜辺があります」

そういって、パイロットはまっすぐ前方の海の彼方に視線をもどした。眼下の海水は緑色になり、やがて深い群青色に変化した。陽光がまばゆく海面に照り映えている。時刻は午前一〇時ごろだ。

「もう数分で——」ハモンドがいった。「イスラ・ヌブラルが見えてきます」

イスラ・ヌブラルは、厳密には島ではない、とハモンドは説明した。むしろ、海底から隆起した海底火山というべきものらしい。

「海底火山であった痕跡は、島じゅうのいたるところに見られます。あちこちで蒸気が噴きだしていますし、地面が温かく感じられる場所も多い。それに加えて卓越風のおかげで、イスラ・ヌブラルは周囲を霧に閉ざされている。じきにご自分の目で——おお、見えました」

高速で進みながら、ヘリコプターが高度をさげていく。たしかに見えた。見るからにとげとげしい感じの島が、霧の衣をまとい、鋭く海上につきたっている。

「なんだ、まるでアルカトラズ島じゃないか」とマルカムがいった。

木々におおわれた斜面には霧がまとわりつき、いかにも神秘的な雰囲気をただよわせている。

「もちろん、ずっと大きいがね」とハモンドがいった。「長さ一三キロ、幅は最大で五キロ、総面積五六平方キロ。私立では北アメリカ最大の動物保護区です」

ヘリコプターはふたたび上昇に転じ、島の北端に向かった。濃霧を通して、グラントは島のようすをすかし見ようとした。

「ふだんはこれほど霧が濃くないのですがね」ハモンドが心配そうな声を出した。

島の北端で、丘陵はひときわ高くなっていた。海抜六〇〇メートル以上はあるだろう。山の頂上は霧に包まれていたが、その下の、切りたった断崖と打ちよせる白波は見えた。ヘリコプターはその丘の上に舞いあがった。

「ヘリで島を訪れるのは、好ましいことではありません」とハモンド。「ほんとうは避けたいのですよ、動物たちを驚かせてしまいますのでね。それに、少々危険がともなうこともある――」

ハモンドのことばは、パイロットにさえぎられた。

「降下を開始します。つかまってください」

ヘリコプターは降下しだし、たちまちまわりを霧でつつみこまれた。イアフォンからくりかえし、電子的なビープ音が聞こえてくるだけで、外にはなにも見えない。と思ったとき、ぼんやりとなにかが見えた。マツの木だろう、何本もの緑色の幹が、霧のただなかにつきたっている。何本かは目と鼻の先だ。

「どうしてこんなところに降りるんだ？」マルカムが問いかけたが、だれも答えない。

パイロットは、左右のマツの木々に油断なく目を配っている。木々はあいかわらずすぐそばだ。ヘリコプターはまるで墜落するように、急速に降下をつづけた。

「なんという着陸だ」とマルカム。

ビープ音が大きくなってきた。グラントはパイロットを見やった。神経を集中しているようだ。プレクシガラスのキャノピーから下を見おろした。明るい蛍光を放つ大きな十字が見える。十字の先端では閃光が明滅していた。パイロットはわずかに位置を修整し、ヘリパッドに着地した。ローターの轟音が小さくなっていき、とだえた。

グラントはため息をついて、シートベルトをはずした。ハモンドがいった。

「大急ぎで降下したのは、風が強かったからです。この峠ではよく強風が吹くんですよ。それに……ま

あ、もう安全ですから」

だれかがヘリコプターに駆けよってきた。野球帽をかぶった赤毛の男だ。勢いよくドアをあけると、男は愛想よく声をかけた。

「おつかれさまでした、エド・リージスです！　イスラ・ヌブラルへようこそ！　足もとに気をつけてお降りください！」


丘をくだる道はせまくて曲がりくねっていた。空気は冷たく、じっとりとしている。が、降りるにつれてまわりの霧は薄らぎ、しだいに地形がよく見えるようになってきた。どちらかというと、ワシントン州北西部にあるオリンピック半島のような景色だ。グラントがそれを口にすると、リージスが答えた。

「そのとおりですよ。このあたりはおもに落葉性の多雨林なんです。本土のほうは古典的な多雨林ですから、植生はちょっとちがいますね。しかしですね、この落葉性多雨林は高地、とくに北部丘陵地帯の斜面に特徴的なものでして、島の大半は熱帯性多雨林なんですよ」

丘のふもとのほうには、木々の合間に、大きな建物の白い屋根が見えた。その凝った造りに、グラントは驚いた。もうすこし山道をくだり、すっかり霧からぬけ出てしまうと、南の彼方にいたるまで、島の全景が見わたせた。リージスのいうように、たしかにほとんどは熱帯性多雨林でおおわれている。

ふと見ると、うっすらと霧のかかる南の椰子の木々のあいだから、一本の太い幹がにゅっとつきだしていた。枝も葉っぱもない。ただ湾曲した太い幹が伸びているだけだ。

と、その幹が動き、グラントたちのほうへぐいと顔を向けた。そこでようやく、グラントは気がついた。自分が見ているのは――樹ではない。

地上一六メートルの高さにそびえる、巨大な生物の首、優美に湾曲した首。食いいるように、グラントはそれを見つめた。

彼が見ているのは、恐竜だったのである。

歓迎

「まさか……」エリーは静かにつぶやいた。全員が木々の上にそびえる動物の首を見つめている。「こんな、こんなことって……」

彼女が最初に思ったことはこうだ。なんて美しい恐竜だろう。本に描かれる恐竜は、ただのばかでかくてずんぐりした生き物だが、この首の長い動物の動きには優美さがある。威厳さえ感じられる。しかも、動きが速い。その動きには鈍重さなど微塵《みじん》も感じられない。

その竜脚類《サウロポッド》は警戒しているようすで一行を見つめ、低い啼《な》き声をあげた。ゾウの啼き声に似た声だ。一拍おいて、梢《こずえ》のあいだからふたつめの頭が、ついで三つめ、四つめが、ぬうっと現われた。

「なんてことなの……」とエリーはつぶやいた。

ジェナーロはことばもなかった。ここで行なわれていることは知っていたが——それも、何年も前からだ——じっさいにこんなものにお目にかかれるとは、思ってもいなかったのである。茫然としたまま、無言でその生き物を見つめた。最新バイオ技術のなんという威力か。これまで誇大なセールストークの饒舌《じょうぜつ》ほどにしか思っていなかったその効果のほどを、ジェナーロはいま、はっきりと思い知らされた。なんと大きな動物だろう！　でかい！　家ほどもある！　それが何頭も！　掛け値なしに本物の恐竜

だ！　これ以上はないというほどリアルに！

　これはあたる。こいつはもうかるぞ。

　あとは、この島が安全でありさえすれば――。


　グラントは山道に立ちつくし、顔に霧がかかるのもわすれて、椰子の木々のあいだにつきたつ何本もの灰色の首を見つめていた。目まいがする。険しい斜面をころげ落ちていくような感覚だ。息も満足にできない。なぜなら、いま彼が見ているものは、自分の生きているあいだは決して見られないと思いこんでいたものだからだ。なのに、それはいま、目の前にある。

　霧のなかにたたずむ恐竜たちは、まぎれもなくアパトサウルス――中くらいの竜脚類《サウロポッド》だった。茫然としながらも、グラントは学術的な分析を加えていた。ジュラ紀後期に繁栄した、北アメリカの草食恐竜。一般には〝雷竜《ブロントサウルス》〟として知られるもので、一八七六年、モンタナ州で、オスニエル・チャールズ・マーシュによって発見された。化石はコロラド、ユタ、オクラホマのモリソン層から発掘されている。頭骨の形状に基づき、バーマンとマッキントッシュによってディプロドクス科に分類しなおされたのは、比較的最近のことである。伝統的にブロントサウルスは、その巨体を支えるため、もっぱら浅い湖で暮らしていたと考えられていた。だが、いまは湖のなかにいないことが明らかなのに、この動物はかなり敏捷に動いている。椰子の木々の上で上下する長大な首と頭の動きは、おそろしく――驚くほどに――活発だ。

　グラントは笑いだした。

「どうしました？」ハモンドがいぶかしげな声をだした。「なにかおかしなことでも？」

　グラントはかぶりをふり、ただただ笑いつづけた。ほんの数秒前にはじめて目にしたというのに、もうこの動物の存在を受けいれている――しかも、学界で長いあいだ謎とされていた疑問を解くために、

じっくりと観察している。われながら、それがおかしくてたまらなかったが、説明したところで、この男にわかってはもらえないだろう。

なおもげらげら笑っているうちに、椰子の木々のあいだから、第五、第六の首が出現した。竜脚類たちが、新参の人間たちを見物しているのだ。その姿は、巨大なキリンを連想させた。その心地よい、ちょっぴり愚鈍そうな視線までそっくりだ。

「こいつはアニマトロンじゃない――」とマルカムがいった。「生きているとしか思えん」

「そう、まさにそのとおり」ハモンドがいった。「掛け値なしに、生きた恐竜だ」

彼方から、ふたたびあの啼き声が聞こえた。一頭が啼くと、ほかのアパトサウルスたちもそれに唱和しだした。

「あれが連中のあいさつですよ」とエド・リージス。「ようこそこの島へと歓迎しているんです」

グラントはその場に立ちつくし、しばらくうっとりとしてその声に聞きほれた。

「さぞかし、このつづきが見たいことでしょうな」ハモンドがいいながら、道をくだりはじめた。「きょうの午後は、島の施設をひととおりごらんいただいたあと、島の恐竜めぐりをしていただく予定でいます。では、ディナーのときにお会いしましょう。そのときにもまだ質問が残っていたら、ご遠慮なくどうぞ。では、これから先はミスター・リージスが……」

一行はエド・リージスの案内で、手近の建物に向かった。道の上には、ぞんざいな字で、手書きの看板がかかっていた。

〝ようこそ、〈恐竜王国《ジュラシック・パーク》〉へ〟

第三反復

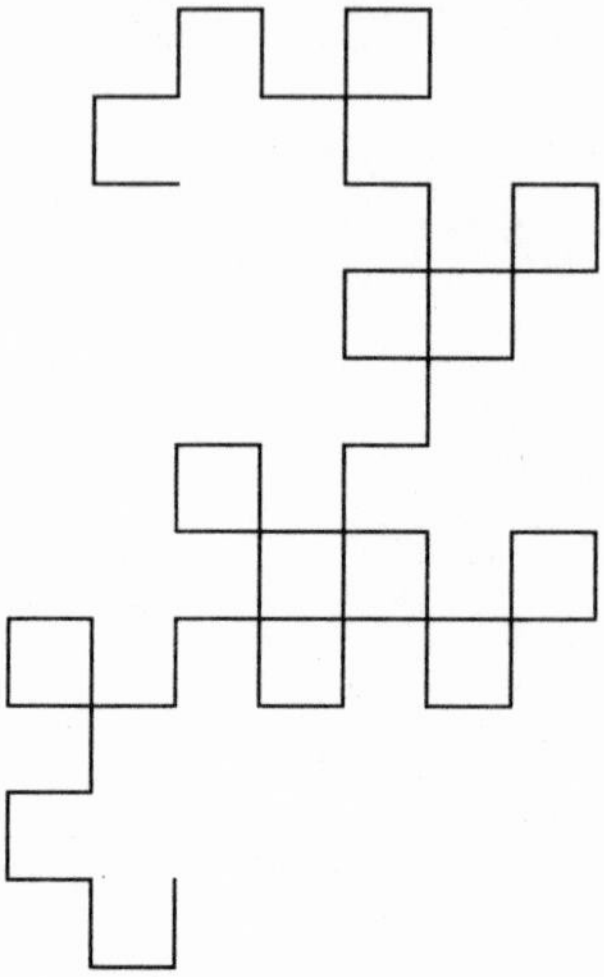

「フラクタル曲線がさらに書き加えられると、細部がより鮮明になる」

イアン・マルカム

〈恐竜王国《ジュラシック・パーク》〉

頭上にたれさがる椰子の葉のもと、一行は緑のトンネルを通って、ヴィジター・センターに歩いていった。いたるところに繁茂する熱帯植物のおかげで、これからふつうの世界をあとにし、新世界へ、有史前の熱帯世界へはいっていくのだという感覚が、いやがおうにもかきたてられる。

エリーがグラントにいった。

「本物のようだったわね、彼ら」

「ああ」とグラント。「連中を間近で見たい。足をあげさせて爪のようすを調べたい。この手で肌にさわりたい。口をあけさせて歯ならびを見てみたい。そうでないと断言はできないが……そう、たしかに感動ものだ」

「きみの研究分野もすこしは変わることだろうな」マルカムがいった。

グラントはかぶりをふった。

「すこしどころじゃない。なにもかもが変わってしまう」

ヨーロッパで恐竜の骨が発見されてから一五〇年というもの、恐竜の研究は科学的演繹《えんえき》の演習そのものだった。古生物学者は本質的に探偵とかわらない。化石骨や足跡から太古に絶滅した恐竜たちの手がかりをもとめ、推理を働かせる。最良の古生物学者とは、もっともすぐれた演繹的結論を引きだせる者

のことである。

そして、古生物学における大論争も、同じ理屈に基づいて行なわれる。なかでもとりわけ激しい議論がなされているのは、これはグラントも議論の主要な当事者のひとりなのだが、恐竜が温血であったかどうかということだ。

科学者たちはむかしから、恐竜が爬虫類であり、生きていくのに必要な熱を周囲からしか得られない冷血動物であると分類してきた。哺乳類は食物を代謝し、自分で体温を作りだせるが、爬虫類にはそれができない。ところが近年になって、エール大学のジョン・オストロムやロバート・バッカーを中心とするごく一部の研究者たちが、恐竜を鈍重な冷血動物であるとする考え方では化石記録を説明しきれないという説を唱えだした。そして、古典的な演繹法により、彼らはいくつかの証拠の系統から、恐竜が温血であったとする結論にたどりついた。

第一に、姿勢。トカゲをふくむ爬虫類は、一般に四肢を曲げて這うように移動し、体温を保つため地面にへばりついている。トカゲには数秒以上後肢で立つエネルギーはない。ところが、恐竜はまっすぐ伸びた後肢で立つばかりか、その後肢で二足歩行するものが多かった。現生する動物のなかで、後肢で立って歩けるものは、温血の哺乳類と鳥だけだ。したがって、恐竜の歩行姿勢は温血を示唆しているのかもしれない。

つぎに彼らは、恐竜の代謝を研究して、高さ六メートルもあるブラキオサウルスの首に血液を押しあげるのに必要な血圧を計算し、それほどの血圧は二心房二心室を持つ温血生物の心臓でなければ得られないと結論した。

さらに、泥中に残って化石化した足跡の研究も行ない、恐竜は人間と同じくらい速く走れたとの結論を導きだした。それらもまた、恐竜が温血であったことを示す証拠というわけである。しかも彼らは、北極圏付近でも恐竜の化石を発見した。このような寒冷な環境に爬虫類が棲めたとはとても考えられな

い。加えて、おもにグラントの研究に基づく集団行動の新しい研究により、現生の爬虫類とちがって、恐竜は複雑な社会生活を営んでおり、子供を育てていたことが示唆された。トカゲやカメは卵を産みっぱなしにするが、恐竜はそうではなかったのかもしれない。

恐竜温血説にかかわる論争が吹き荒れたのは一五年もまえのことで、いまでは敏捷で活動的という新しい恐竜観が定着しつつあるが、反目はまだまだ衰えていない。学界ではいまなお、たがいに口もきかない学者たちがいる。

だが——。もし恐竜のクローンが造れるのであれば、グラントの研究分野はたちまちのうちにさまがわりする。恐竜に関する古生物学的研究はおしまいだ。恐竜にかかわる研究全体が——巨大な恐竜の骨を展示し、おおぜいの小学生たちの声が反響する博物館のホール、大型の標本箱や研究論文、研究誌などをそろえた大学の研究室、こういったものはすべて、存在価値を失ってしまう。

「それにしては、あまり動転していないようじゃないか」とマルカムがいった。

グラントはかぶりをふった。

「この世界では前から議論されていたことだ。こんな日のくることはおおぜいが予想していた。しかし、まさかこんなに早いとは……」

「人間というやつはみんなそうだ」マルカムが笑いながらいった。「いつかはそうなるとわかっていながら、そんなに早くそうなるとは思ってもいない」

道を進むにつれて、恐竜たちの姿はすっかり見えなくなったが、遠いおだやかな声はいまも聞こえていた。

グラントがいった。

「ただひとつ疑問なのは、どこからDNAを手にいれたのかということだ」

いずれは恐竜のように絶滅した動物のクローンを造れるかもしれない——バークレー、トウキョウ、

ロンドンなどの研究所で、真剣にそう考えられていることをグラントは知っている。ただしそうするためには、もとと
なる恐竜のＤＮＡが必要だ。問題は、発見されているすべての恐竜は化石であり、化石化の過程でほとんどのＤＮＡは破壊され、無機物にとってかわられているということだった。もちろん、冷凍屍体、泥炭湿原での保存屍体、砂漠でミイラ化した屍体でも見つかれば、そのＤＮＡをとりだせる可能性はある。

だが、いままでに恐竜のミイラや冷凍屍体は一体も見つかっていない。したがって、クローニングは不可能なはずだ。なにしろ、クローンするもとがないのだから。それでは最新の遺伝子操作技術も手の施しようがない。コピー機械はあってもコピーするものがないのと同じ理屈である。

エリーがいった。

「本物の恐竜のＤＮＡを手にいれないかぎり、本物の恐竜はクローンできないわ」

「しかし、われわれの考えもつかない方法があるのかもしれない」とグラント。

「どんな方法？」

「それはわからんよ」とグラントは答えた。

フェンスの向こうにはプールがあり、その一端は滝となって、いくつもの小さな岩のプールに流れこんでいた。一帯には巨大なシダが植えられている。

「どうです、すごいでしょう」とエド・リージスがいった。「とくに霧の濃い日には、このシダのおかげで有史前の雰囲気満点になりますよ。もちろんこれは、正真正銘のジュラ紀のシダです」

エリーは足をとめ、しげしげとシダを観察した。そう、たしかに彼のいうとおり。これはセレンナ・ウェリフォルマンス――二億年以上もむかしの化石から豊富に見つかるが、いまではブラジルとコロンビアの湿原にしか現生していない植物だ。それにしても、わざわざこのシダをプールサイドに植えてお

くなんて——ウェリフォルマンスの胞子には猛毒のβ-カルボリンアルカロイドがふくまれていることを知らないとしか思えない。緑の葉状体は魅力的だが、ちょっとふれただけでも気分が悪くなるし、子供が口にしようものなら、ほぼ確実に死ぬ。この毒はキョウチクトウの毒の五〇倍も強力なのだ。

たいていの人間は植物に無関心すぎる。人は壁紙でも選ぶように、見かけだけで植物を選ぶ傾向がある。その植物もまた生きものであり、生物の持つ機能はひととおり備えていることには考えもおよばない。たとえば、呼吸、養分摂取、排泄、生殖——そして、防衛。

だが、エリーは知っている。地球の歴史を通じて、植物は動物と競いあい、ある意味でより過激に進化してきた。セレンナ・ウェリフォルマンスの毒は、植物が進化させた強力な化学兵器のほんのささやかな一例にすぎない。植物が周囲にまくテルペンは、あたりの土を毒化し、競争者を近づけない働きを持つ。アルカロイドを持つ植物は昆虫や捕食者（それに子供）に食べられずにすむ。フェロモンはコミュニケーションに使われる。甲虫にたかられたダグラスファーの木は、虫食いを予防する化学物質を分泌するが——森のなかで遠く離れたところにあるダグラスファーまでもが同じ反応を示す。これは虫にたかられた木々が分泌する警告物質への反応らしい。

地上の生物が緑を背景に動きまわる動物ばかりだと思う人間は、自分たちの見ているものをはなはだしく誤解しているといわざるをえない。その緑色の背景もまた、活発な生命活動を営んでいるのだ。植物は成長し、太陽をもとめて動き、身をよじり、向きを変える。そうしながら、たえず動物たちと相互に干渉しあっている。固い幹や棘《とげ》で動物を寄せつけないもの、毒を持つもの、みずからの生殖のため動物に養分を与えるもの、花粉や種子をばらまくもの。その複雑でダイナミックな過程は、エリーを魅了してやまない。だが、大多数の人間には、それがどうしても理解できないようだ。

そして、プールのそばに猛毒植物を植えているとなれば、〈恐竜王国《ジュラシック・パーク》〉の設計者たちも、しかるべき慎重さを欠いていることになる……。

「ね、すばらしいじゃありませんか」とエド・リージスがいった。「前方をごらんください。あれがわがサファリ・ロッジです」

エリーはいわれたとおり、前を見やった。屋根の上にガラスのピラミッドが連なる、凝った造りの一階建ての建物があった。

「当〈恐竜王国〉では、あそこにお泊まりいただくことになります」

グラントのスイートはベージュで統一され、籐の家具にはモティーフとしてグリーンのジャングル・プリントがあしらわれていた。部屋はまだ完成しておらず、クローゼットには材木が積んであり、床にも電気の配線コンジットが顔を覗かせている。一画にはテレビがあり、その上にこのようなカードがあった。

2チャンネル　ヒプシロフォドンの高地
3チャンネル　トリケラトプスの領土
4チャンネル　竜脚類の湿原
5チャンネル　暴君竜の王国
6チャンネル　ステゴサウルスの南国
7チャンネル　ヴェロキラプトルの谷
8チャンネル　翼竜の峠

憎らしいくらい、心をそそる名称ばかりだ。テレビをつけてみたが、ノイズが流れるばかりでなにも映らなかった。スイッチを切り、寝室に移動して、スーツケースをどすんとベッドにのせた。ベッドの

真上には大きなピラミッド型の天窓がある。星空のもとで眠るのは、きっとテントで寝るような気分がすることだろう。残念ながら、ガラス補強のためか、天窓には太い鉄格子がかぶせられており、縦縞の影がベッドに落ちているのが珠《たま》に瑕《きず》だった。

そこでグラントは、はっと気がついた。ロッジの図面を見たときには、天窓に鉄格子などなかったはずだ。そういえばこの格子は、いかにもあとからとってつけたように見える。黒い鉄枠がガラスの外からかぶせられ、鉄格子はその鉄枠に熔接されている。

首をかしげながら、グラントは寝室を出て、リビングにもどった。窓はプールに面していた。

ちょうどそのとき、エリーが部屋にはいってきた。

「気がついた、あのシダが有毒なこと？　それに、部屋の造りもへんじゃない、アラン？」

「計画が変更になったらしい」

「そのようね」それからエリーは、室内をひとめぐりした。「窓が小さいわね。しかもガラスは強化ガラスで、鉄枠にはめこまれている。ドアは鋼板製。そこまでする必要はないでしょうに。それに、はいってきたときのあのフェンス、見た？」

グラントはうなずいた。ロッジ全体をとりかこむフェンスは、太さ三センチ近くもある鋼鉄の棒でできた鉄柵だった。フェンスは優美な形状をなし、錬鉄を装って艶《つや》なし黒に塗ってあったが、いくら塗装でごまかそうとしたところで、フェンスを構成する格子の一本一本が異様に太く、高さが四メートルもあることまでは隠しようがない。

「たしか、あのフェンスも図面にはなかったわね」とエリーがいった。「わたしには、ここを要塞にしたてあげようとしているとしか思えないわ」

グラントは腕時計を見た。

「そいつはぜひともたしかめよう。あと二〇分でツアーのはじまりだ」

恐竜時代

一同はヴィジター・センターで合流した。こちらは二階建てで、陽極酸化処理された黒い梁《はり》と支柱が支える、総ガラス製の建物だった。かなりのハイテクを駆使して建てられたものにちがいない。

建物には小さな講堂があり、その入口に機械じかけのティラノサウルス・レックスが禍禍《まがまが》しげに鎮座していた。入口をはいると、〈恐竜時代《ホエン・ダイノソアーズ・ルールド・ジ・アース》〉と題された展示コーナーがあった。さらにその向こうには、〈恐竜とはなにか?〉と〈中生代とはこんな時代〉。ただし、展示コーナーの工事はまだ完了しておらず、床じゅうをワイヤーやケーブルが這いまわっていた。

ジェナーロはステージにあがり、席についたグラント、エリー、マルカムの三人に話をはじめた。講堂のなかに、声がわずかに反響した。

ハモンドは腕組みをして、うしろの席にすわっている。

「まもなく、施設の見学ツアーに出かけることになります」とジェナーロははじめた。「ミスター・ハモンドとスタッフ諸君が、すべてを最高の角度から見せてくれることでしょう。ただ、出発する前に、なぜみなさんにお越しいただいたのか、この島を発《た》つ前にわたしがなにを決定しなければならないか、それをお話ししておきたいと思います。もうお気づきでしょう、この島は基本的に動物公園の構成をとり、遺伝子操作でよみがえった恐竜が自在に動きまわるようすをツアー形式で見学しようという、アミ

ューズメント・パークです。アトラクションはまだ一般客には公開されていませんが、あと一年のうちには開園の予定です。

さて、ここでみなさんがたに判断していただきたいことはいたって簡単。この島は安全か、ということです。来園者は安全なのか、恐竜は安全に隔離されているか？　そういったことです」

ジェナーロは講堂の照明を落とした。

「ここに、われわれが検証しなければならない、ふたつの問題があります。ひとつめは、コスタリカ本土で発見された未知のトカゲが恐竜と同定されたこと。この恐竜はからだの一部しか回収されていません。発見されたのは今年の七月。ある浜辺で、アメリカ人の女の子を咬んだのだそうです。これについては、あとでグラント博士にくわしいお話をお願いしたいと思います。回収された断片は、ニューヨークのある研究室に保管されておりますが、じかに検分していただけるよう、この島への郵送を依頼ずみです。あとは到着を待つばかりとして、さて、つぎにもうひとつの問題です。

コスタリカの医療は優秀で、あらゆる種類の記録が残されています。今年の三月、ベビーベッドで眠る乳児がトカゲに咬まれるという事件があいついで報告されました。乳児ばかりではありません、ぐっすり眠っていた老人もです。このトカゲ咬傷事件は、イスマロヤからプンタレナスにいたる沿岸各地の村で、散発的に報告されています。三月を過ぎてからは、トカゲに咬まれたという報告はありません。ただし、このグラフを見てください。サンホセの公衆衛生局が、今年の一月から今月まで、西海岸の各町における乳児死亡数をまとめたものです」（次頁）

「このグラフのふたつの特徴にご注目いただきたい」ジェナーロは先をつづけた。「特徴その一は、乳児死亡数が一月から二月にかけては少ないのに、三月には突出し、四月にはいっていったん落ちこむものの、五月以降はぐんと高くなり、アメリカの女の子が咬まれた七月にかけてその状態がつづいていることです。公衆衛生局は、沿岸の村人たちからの報告はないが、この死亡率の増減にはなんらかの原因

乳児死亡数：1〜7月

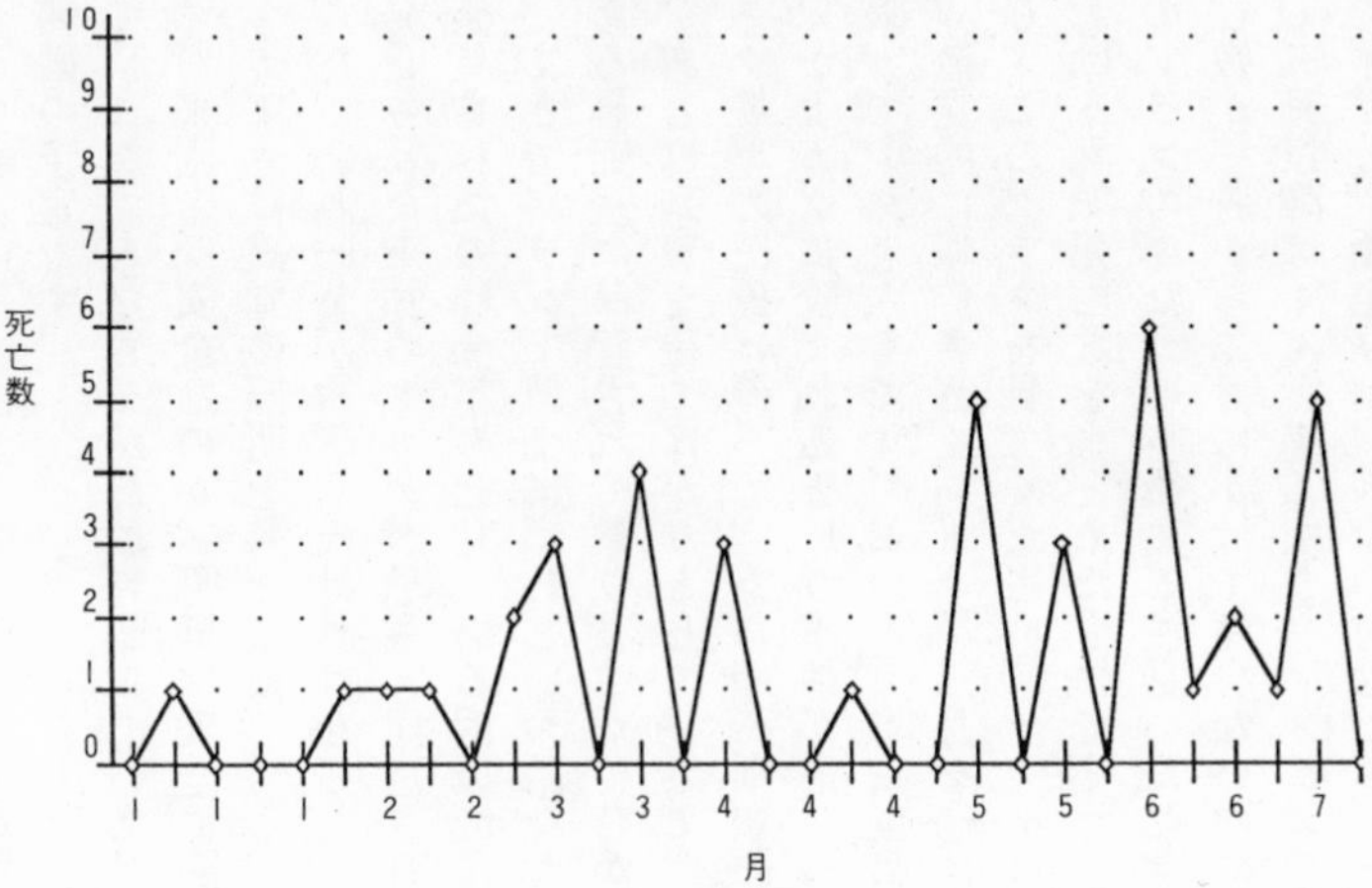

があるものと見ています。特徴その二は、不可解にも死亡数が二週間ごとにはねあがっているということです。どうやら、一週間おきになにごとかが起こっているとしか思えないのです」

照明がともった。

「以上が、みなさんに解明していただきたい問題点です。なにかご質問がありましたら——」

「わざわざ頭をつきあわせて考えるまでもないことじゃないか」とマルカムがいった。「こんなものは、いますぐに説明してやれる」

「いますぐ？」ジェナーロが問い返した。

「そうだ。第一に、これは恐竜たちが島から逃げだしたと見てまちがいない」

「そんなはずはない」うしろから、ハモンドがうなるようにいった。

「第二に、公衆衛生局のそのグラフは、逃げた恐竜たちとはなんの関係もないと思っていい」

「どうしてそんなことがわかるんだ？」グラントがたずねた。

「グラフの曲線が交互に増減をくりかえしているだろう」とマルカム。「あれは多くの複雑なシステムに見

られる特徴だ。たとえば、蛇口からしたたる水。コックをほんのすこしひねれば、ポタン、ポタン、ポタンと一定して水滴が落ちる。ところがさらにもうすこしコックをひねると、水流に乱れが生じ、大小の水滴が交互に落ちるようになる。ポッタンポタン……ポッタンポタン……そんなぐあいだ。自分でもたしかめてみるといい。乱れは強弱のリズムを生む。それが徴候なんだ。このグラフにあるような交互の増減は、いかなるコミュニティのいかなる新病罹病《りびょう》者曲線にも見られるものさ」

「しかし、どうして逃げた恐竜とは無関係だと断言できる?」グラントがきいた。

「なぜなら、これが非線形の徴候だからだよ。これだけの死亡者数を出すには、逃げた恐竜が何百頭といなくてはならない。しかし、何百頭も逃げたとは思えない。だからこのグラフの増減をもたらした原因は、新型のインフルエンザかなにかだろうというのがわたしの結論だ」

ジェナーロがいった。「しかし、恐竜が逃げたとは思うんだね?」

「おそらくは」

「なぜ?」

「ここの造りがそれを物語っているからだよ。いいかい、この島では太古の自然な環境を再現しようとしている。絶滅した動物が自由気ままに彷徨《ほうこう》する孤立した世界。そうだろう?」

「そのとおり」

「だが、わたしの視点から見れば、そのような世界は造りえない。これにかかわる数学は単純明解すぎて、計算するまでもないくらいだ。きみたちにわかりやすいようにいうなら、たとえば、そう、ここに一〇億ドルの収入があった場合、税金をはらう必要があるのかどうか——そんな質問をされたと思ってみたまえ。それに答えるには、電卓をとりだすまでもない。税金を払わなくてはならないことはわかりきっているからだ。同様に、この件もわたしには明々白々なことでしかない。自然をここのようなやりかたで再現し、外界から隔絶させることは、だれにもできやしないんだ」

「なぜだ？　げんに、動物園は……」

「動物園は自然を再現するものではない」とマルカムはいった。「はっきりさせておこう。動物園では現存する自然を流用しつつ、動物の檻を収容するため、その自然にごく微妙な修整を加えている。しかし、そういった最小限の修整でさえ、破綻《はたん》することがしばしばだ。動物の脱走は珍しいことではない。しかしそれ以前に、この〈恐竜王国〉のモデルは動物園ではない。ここは動物園よりもはるかに野心的な場所だ。むしろ、地上に宇宙ステーションを造るのに近い」

ジェナーロはかぶりをふった。「わからんな」

「なあに、ごく簡単なことだよ。自在に流れる空気を除けば、この〈恐竜王国〉のすべては外界と隔絶するように造られている。何者もはいってこられず、何者も出ていけない。ここの動物たちは地球のより大きな生態系とふれあうことはできない。脱走できないように設計されているんだ」

「事実、脱走例はない」鼻を鳴らして、ハモンド。

「そこまでの絶対な隔絶は不可能だ」マルカムはあっさりと否定した。「ともかく、そういうものなんだよ」

「そんなことはない。これまでも万事順調に運んできた」

「いいたくはないんだがね」とマルカム。「ご老人は自分のおっしゃってる意味がまるでわかってないようだ」

「こ、この傲慢な若僧めが」ハモンドは血相を変えて立ちあがり、足どりも荒く講堂から出ていった。

「たのむから、そうことを荒だてないでくれないか」ジェナーロがいった。

「これは失礼」とマルカム。「しかし、要点は変わらない。われわれが〝自然〟と呼んでいるものは、われわれが認めるよりはるかに大きく繊細微妙で複雑な体系の一部でしかない。われわれは自然の単純化されたイメージを造りあげ、そのたびにそれに裏切られる。わたしは環境保護論者ではないがね、人

はまず、自分に理解できないものがあるということを理解する必要がある。何度同じことをくりかえしたら気がすむんだろう。何度証拠をつきつけられたら理解するんだろう。たとえば、アスワン・ダム。あれを建設することで、人々はエジプトの国力が向上すると思った。じっさいには、ダムは肥沃なナイル河三角州を荒廃させ、寄生虫病が蔓延《まんえん》し、エジプト経済を破綻させた。べつの例をあげれば――」

「ご高説の途中、すまないが」ジェナーロが口をはさんだ。「ヘリコプターの音が聞こえてきた。たぶん、グラント博士に見ていただく標本が到着したんだろう」

ジェナーロはそういって、そそくさと講堂の外へ歩きだした。ほかの三人もそのあとにつづいた。

山脈の麓《ふもと》に立ったジェナーロは、ヘリコプターの音にも負けない大声でどなりちらしていた。首すじの血管が太く浮かびあがっている。

「どういうつもりだ！　いったいだれを招《よ》んだ！」

「まあまあ、おちつきたまえ」とハモンドがいった。

ジェナーロは金切り声で、「なにがおちつけだっ！　気でもちがったか！」

「そうがなりなさんな」ハモンドは居ずまいを正した。「われわれもここらでひとつ、島の安全性をはっきりさせて――」

「なにがわれわれだ！　あんたが勝手にそう思っているだけじゃないか！　いいか、これは社交上の招待旅行じゃない。こいつは週末の物見遊山なんかじゃ――」

「ここはわたしの島だ」とハモンド。「だれを招こうとわたしの自由だろう」

「これは厳密な調査なんだぞ、あんたの島のな。あんたの投資者たちは事態がおかしなことになっているんじゃないかと心配している。この島が非常に危険な場所だと見ている。それに――」

「いまさら中止しようというのではあるまいな、ドナルド――」

「ここは安全だ」ハモンドはきっぱりといった。

「あのろくでなしの数学者めがなんといおうが――」

「あの数学者は関係――」

「それにだ、ツアーで安全性は充分に――」

「そのまえに、あの連中をヘリコプターにもどせ!」

「むりだな」ハモンドは雲を指さしながら、「ヘリはもういってしまった」

じっさい、ローターの音は遠ざかりつつあった。

「なんてことだ」ジェナーロはののしった。「わからんのか、自分が無用の危険を冒していることが――」

「わかった、わかった」とハモンド。「この件はまたあとにしよう。子供たちをとまどわせたくはない」

グラントは丘の上を見あげた。エド・リージスの先導で、山道をふたりの子供がおりてくる。眼鏡《めがね》をかけた一一歳くらいの男の子と、それよりは何歳か小さい、おそらく七、八歳の女の子だ。女の子はブロンドの髪をメッツの野球帽の下に押しこんでおり、肩には野球のグローブをかついでいる。ふたりの子供はヘリパッドからの道をすばしこくおりてくると、ジェナーロとハモンドからやや離れたところで立ちどまった。

押し殺した声で、ジェナーロがつぶやいた。

「な、なんという――」

「ま、気を楽にしたまえ」ハモンドがいった。「この子たちの両親は離婚騒ぎの最中でね。せめてこの週末くらい、楽しく過ごさせてやりたいんだよ」

女の子が、ためらいがちに手をふった。

「こんにちは、おじいちゃま。お招きありがとう」

ツアー

ティム・マーフィーは、即座に険悪な雰囲気に気がついた。祖父は赤ら顔の若い男といいあいのまっ最中だ。ほかのおとなたちはふたりの向こうに立ちつくし、当惑の表情を浮かべて気まずそうにしている。妹のアレクシスも雰囲気がおかしいことに気づいているらしい。うしろにひっこんで、野球のボールを上に投げあげている。ティムは妹を押しやった。

「先にいけよ、レックス」

「自分が先にいきなさいよぉ」

「だだこねるなよな」

レックスがにらみ返してきた。横からエド・リージスが、明るい声でいった。

「ささ、みんなに紹介しようね、ツアーに出かけるのはそれからだ」

「いますぐいきたい」レックスがいった。

「まず、みんなに紹介しなきゃあ」とエド・リージス。

「や！　すぐにいくの！」

それにかまわず、エド・リージスはどんどん紹介をはじめていた。最初は祖父だ。祖父はふたりにキスをした。つぎは祖父と議論していた男。男は筋肉質で、名前をジェナーロといった。それからあとに

紹介されたおとなたちの名前を、ティムはすぐにわすれてしまった。ショーツをはいたブロンドの女の人がひとり、髭面《ひげづら》でジーンズにハワイアン・シャツという服装の男の人がひとり。アウトドア派のようだ。それから、コンピュータの保守をしにきたという太った大学生ふうの男に、黒ずくめの痩せた男。黒ずくめの男は握手をしようとはせず、だまって会釈しただけだった。ティムはおとなたちの印象をまとめようとして、ブロンドの女の人の脚を見ていたが、そこではっと、髭面の男がだれであるかに気がついた。

「ロ、ロ。あいてるよ」レックスがいった。

「この人、知ってる」とティム。

「あったりまえじゃん。いま紹介されたばっかでしょ」

「そういう意味じゃないって。本で見たんだ」

髭面の男が声をかけてきた。

「それはなんという本だい、ティム?」

「『失われた恐竜の世界』」

レックスがくすくす笑った。「パパがね、いつもいうの。ティムは頭んなかに恐竜を飼ってるんだって」

妹のことばなど、ティムは聞いていなかった。この髭面の人物について知っていることを思いだそうと、懸命になっていたからだ。アラン・グラント教授は恐竜温血説派の中心人物にあたる。たくさんの恐竜の卵が見つかったことで有名なモンタナ州のエッグ・ヒルと呼ばれる場所で、大量の化石の発掘を行なった人物でもある。これまでに発見された恐竜の卵のほとんどを発掘したのはグラント教授だといってもいい。それに、教授はすぐれたイラストレーターでもあり、自著のなかでたくさんのイラストを描いている。

「頭のなかに恐竜を？」髭面の男がいった。「なるほど。じつをいうとね、ぼくも同じ問題をかかえてるんだ」

「パパがいってた。恐竜ってバカなんだって」とレックス。「ティムってばね、夢みたいなことばかりいってないでもっとスポーツしろって、いっつもいわれてんのよ」

ティムはちょっとどぎまぎして、「おまえ、ツアーにいきたいんじゃなかったのか」

「いいじゃないよ、ちょっとくらい」

「あんなにぎゃあぎゃあ騒いでたくせに」

「ママがまちがったことというわけありません、そうでしょう、ティモシー」レックスはそういって腰に両手をあてた。ふたりの母親のする、いちばん不愉快なしぐさだった。

「まあまあ、ふたりとも」とエド・リージス。「ともかく、ヴィジター・センターへいこうじゃないか。そこからツアーをはじめよう」

全員が歩きだしたとき、ティムの耳は、ジェナーロが押し殺した声で祖父にこういうのをとらえた。

「――この件で、あんたを抹殺することもできるんだぞ――」

驚いて顔をあげたとたん、グラント博士がすぐとなりにならんだ。

「きみは何歳だい、ティム？」

「一一歳です」

「いつごろから恐竜に興味があるの？」

ティムはごくりと唾を呑みこんでから、「ちょっと前から」と答えた。グラント博士その人と口をきいていると思っただけで、どきどきしてきた。「ときどき博物館にいくんです。家族を説得できたら。とくに、父を」

「おとうさんは、あまり興味がないんだ」

ティムはうなずき、最後に家族で自然史博物館にいったときのことを話した。そのとき父親は、ある骨格標本を見てこういった。

「こいつはでかいな」

ティムはそれを聞いて、異論を唱えた。

「ちがうよ、パパ、これは中くらいだよ。カンプトサウルスだもん」

「ふうん、そうか。おれにはずいぶんでっかく見えるがな」

「まだおとなになりきってないカンプトサウルスの標本なんだよ」

父親は目をすがめて骨格を見つめた。

「こいつが生きてたのはいつだ、ジュラ紀か？」

「ちがうってば、もう。白亜紀だよ」

「白亜紀？　白亜紀とジュラ紀と、どうちがうんだ？」

「せいぜい一億年くらいの差だね」

「白亜紀のほうが古いのか？」

「ちがうちがう、古いのはジュラ紀」

「ふうん」父親はあとずさり、「ともかく、おれの目にはばかでかく見える」といって、ティムに向きなおった。その目は同意をもとめていた。こんなとき、さからわないほうがいいことをティムは知っていたので、もぐもぐと適当なことばをつぶやいた。それからティムたちは、つぎの標本に移動した。

そうやって見ていくうちに、ティムはある骨格の前に立ちつくした。ティラノサウルス・レックス。これまでに見つかった地上最強の肉食恐竜だ。あまり長いあいだ見とれているので、とうとう父親が声

をかけてきた。

「なにをそう熱心に見てるんだ？」

「椎骨を数えてるんだ」

「椎骨？」

「脊椎の骨だよ」

「椎骨くらい、おれだって知ってる」むっとした顔で、父親。それからもうしばらく、父親はそばに立っていたが、ややあって、きいた。「なんだって椎骨なんか数えてるんだ？」

「数がちがうと思うんだ。ティラノサウルスの尻尾には椎骨が三七個しかないはずなのに、これにはもっとたくさんある」

「するとなにか？ おまえは自然史博物館に展示されてる骨格がまちがってるとでもいうのか？ 信じられんな」

「だって、ちがってるんだもの」

父親は足どり荒く、隅に立っている守衛のほうへ歩いていった。

「今度はなにをしでかしたの？」母親がきつい声を出した。

「なにも。ただこの骨格標本がまちがってるといっただけだよ」

父親が狐につままれたような顔でもどってきた。この骨格の尻尾の椎骨はたしかに多すぎるんですよ、と守衛にいわれたにちがいない。

「どうしてわかった？」と父親はきいた。

「本で読んだもの」

「いやはや、たいしたもんだ、息子め」

父親はそういって、ティムの肩に手を乗せ、ぎゅっと握りしめた。

「尻尾の椎骨の数まで知っているとはなあ。おれはこんなもの、見たこともない。おまえ、ほんとうに頭のなかに恐竜を飼ってるんだな」

　そこで父親は、そろそろ帰らないとメッツ戦の後半にまにあわないといいだし、レックスがあたしも見たいといったので、家族は博物館をあとにした。そもそも恐竜を見にきたにもかかわらず、ティムはそれ以上、もう恐竜を見られなかった。ティムの家では、いつもそんなふうなのだ。


　いや、そんなふうだったというべきだっけ、とティムは訂正した。パパはママと離婚しようとしてるんだから。これからはいろいろと変わってくるんだろうな。パパはもう家を出ていった。はじめは違和感があったけれど、ティムにはそのほうがありがたかった。ママにはボーイフレンドがいるらしいけど、はっきりしたことはわからない。もちろんレックスには、そのことは話してない。パパと別れ別れになったことでレックスはすごく落ちこんでいるし、この二、三週間、やたらと憎まれ口ばかりたたくようになっているから――

「そいつの番号は５０２７かい？」

「え？」

「博物館のそのティラノサウルスだよ。５０２７だったかい？」

「そうです」とティム。「どうしてわかったんです？」

　グラントはほほえんだ。「もう何年も前から、まちがいを正そうという話が出ているからさ。しかし、もうなおされることはないだろう」

「どうして？」

「ここで行なわれていることのおかげだよ」とグラントはいった。「きみのおじいさんの、この島でね」

ティムはかぶりをふった。グラントがなにをいっているのか、さっぱりわからなかった。

「ここはただのリゾートで、プールとかテニスコートがあるだけだって母から聞いてきたんですけど」

「ところがそうじゃないんだよ」とグラントはいった。「歩きながら説明しよう」


(やれやれ、なんでおれが子守りなんかしなきゃいけないんだ)

ヴィジター・センターで待つあいだ、エド・リージスは仏頂面を浮かべ、足の先でとんと床をたたきつづけていた。いくら老人のいいつけとはいえ、おもしろくない。

――いいな、鷹のように目を光らせて子供たちを見張っていろよ、今週末、全責任を持ってあの子たちの面倒を見るんだぞ――。

まったく気にいらない。なんだかばかにされているような気にすらなってくる。おれはベビーシッターなんかじゃない。それをいうなら、いくら相手がVIPとはいえ、このおれにツアーのガイドをさせるとはなにごとだ。おれは〈恐竜王国《ジュラシック・パーク》〉広報室の室長だぞ。一年後の開園に向けて、やらなければならないことは山積みしてるんだ。サンフランシスコ、ロンドン、ニューヨーク、トウキョウの広告代理店と折衝するだけでも手いっぱいだというのに。しかも、広告代理店側にはこのリゾートの正体を明かせないからたいへんだ。どこの広告代理店も、なんのおもしろみもない平凡なキャンペーンばかり出してきやがる。あまりこの仕事に乗り気ではないらしい。クリエイティヴな連中というのは、刺激がないとだめだ。とびきりの仕事をしてもらうためには、張りあいを与えてやる必要がある。だから、ツアーなんかで科学者たちとむだな時間をつぶしているひまはない。

しかし、それが広報屋という仕事の泣きどころでもあった。だれも広報を専門職とは考えてくれないのだ。リージスがこの島に出入りするようになって七カ月になるが、いまだに妙な仕事を押しつけられ

ることがある。たとえば、一月のあの件がそうだ。あんなことはハーディングにでもやらせればいいじゃないか。ハーディングでなければ、工事請負業者のオーウェンズがやるべきことだ。なのに、おはちはこっちにまわってきた。気分の悪くなった作業員の手当てなど、おれにわかるわけがない。そこへもってきて、今度はツアー・ガイドとベビーシッターの役まわりときた。

リージスはうしろをふりかえり、人数を数えた。まだひとりたりない。

そこでようやく、サトラー博士が現われた。シャワーでも浴びてきたらしい。

「さあて、ではみなさん、見学会をはじめましょう。まずは二階からです」

ティムはほかのみんなといっしょに、ミスター・リージスのあとにつづいてワイヤーで吊った黒塗りの階段をのぼり、建物の二階にあがった。二階にあがると、こんな標識があった。

立入禁止
これより先
許可なき者の立入を禁ず

見ただけで、ティムはぞくぞくしてきた。一行は二階の廊下を進んでいった。壁の一面はガラス製で、外はバルコニーになっていた。バルコニーの外にならぶソテツ並木には、うっすらと霧がかかっていた。反対側の壁はオフィスなのだろう、ずらりとドアがならび、それぞれに文字がステンシル書きされていた。〈恐竜監視員室〉……〈お客さまサービス室〉……〈総支配人室〉……。

廊下をなかばまで進んだところにはガラスの仕切りがあり、そこにはこんな標識があった。

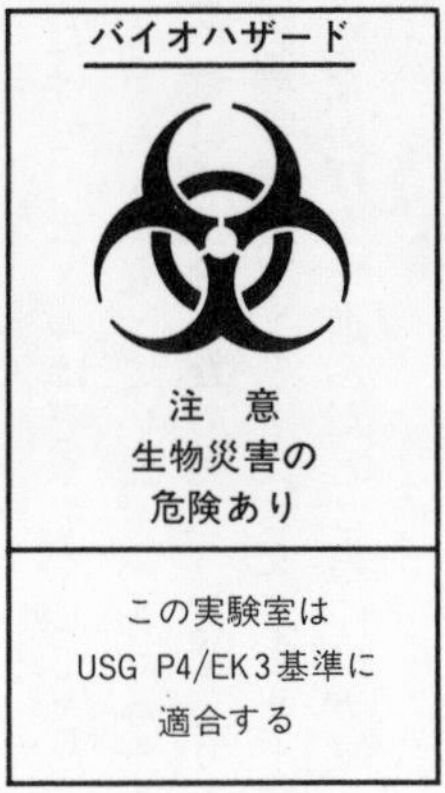
バイオハザード
注 意
生物災害の
危険あり
この実験室は
USG P4/EK3基準に
適合する

そしてその下には、

注意
催奇性物質あり
これより妊娠女性は
立入を禁ず

危険
放射性同位元素使用中
発癌の可能性あり

ティムはますます興奮してきた。催奇性物質！　そんなものがあるなんて！　あまり興奮したので、エド・リージスにこういわれたときにはがっかりだった。

「標識のことは気にしないでください、当局の手前、つけてるだけですから。なにも危険なものはありませんよ、まったく安全です」

そういって、エド・リージスはドアの向こうにみなを案内した。仕切りの向こうには、警備員がひとり立っていた。エド・リージスはくるりと一行に向きなおって、

「もうお気づきでしょうが、この島には最低限の人員しかいません。このリゾートはわずか二〇人の職員だけで運営していけるんです。もちろん、開園すればもっとおおぜいの人員がいりますが、当面は二〇人もいれば充分。ここはこの島のコントロール・ルームです。〈王国〉全体をここから管理するんです」

一行はガラス壁の前に立ち、その向こうの薄暗い部屋を覗きこんだ。小規模な宇宙管制センターという趣きの部屋だった。ガラスに描かれた透明な〈王国〉のマップボードが垂直に立っており、それに向かいあって、真新しいコンピュータ・コンソールがならんでいる。データを表示しているモニターもあるが、ほとんどの画面に映っているのは〈王国〉各地からの映像だ。コントロール・ルームには人がふたりいるきりで、なにやら立ち話をしていた。

「左にいるのがうちのチーフ・エンジニアで、ジョン・アーノルド」

リージスが、ボタンダウンの半袖シャツにネクタイを締め、煙草を吸っている男を指さした。

「そのとなりが、恐竜監視員のミスター・ロバート・マルドゥーン。ナイロビでガイド兼ハンターとして鳴らした著名人です」

マルドゥーンはたくましいからだつきをした男で、カーキ色一色の服を着ており、胸ポケットにはサングラスをひっかけていた。マルドゥーンは見学者たちに気がついてこちらを見やり、小さく会釈してから、またコンピュータ・モニターに目をもどした。

「さぞかしこの部屋をごらんになりたいことと思いますが」とエド・リージス。「まずは、どうやって

恐竜のDNAを手にいれたかをご説明しましょう」

ドアの文字は〈抽出室〉とあった。一般的な研究所のドアと同じく、ここもセキュリティ・カードで開くようになっていた。エド・リージスがスロットにカードをすべりこませると、ランプがまたたき、ドアが開いた。

そこは小さな部屋で、グリーンの光で照明されていた。なかには白衣を着た技術員が四人いて、双眼鏡筒のついた複合顕微鏡を覗いたり、高解像度ディスプレイのグラフィックを見たりしていた。室内は黄色い石でいっぱいだ。石は厚紙の箱にいれてあるもの、ガラスの棚にのせてあるもの、大きなひきだしトレイにのせてあるもの、いろいろある。石のひとつひとつにはタッグがつけてあり、黒インクで番号がふってあった。

リージスがヘンリー・ウーという、三十代なかばの細身の男を紹介した。

「ウー博士はうちの主任遺伝学者です。ここでなにをしているか、彼から説明してもらいましょう」

ヘンリー・ウーはほほえんで、

「まあ、できるだけやってみよう」といった。

それから、一同に向かって、

「遺伝学はちょっと複雑でしてね。みなさん、ここの恐竜たちのDNAをどこからとったか、きっと不思議に思っておられることでしょう」

「たしかに、それは思った」グラントがいった。

「実際問題として、DNAを手にいれるにはふたつの源が考えられます。ひとつは、化石骨。ロイのDNA抽出技術を用いれば、恐竜の骨からじかにDNAを抽出できます」

「それは、どういう分野?」とグラント。

「つまりですね、ほとんどの可溶性タンパク質は化石化の過程で浸出してしまいますが、タンパク質のうちの二〇パーセントは、骨をすり砕き、ロイの技術を用いることで回収できるのです。ロイ博士自身、絶滅したオーストラリアの有袋類《ゆうたいるい》からこの方法でタンパク質を採取していますし、古代人の骨などからも血球を回収しています。この技術はきわめて精度が高く、五〇ナノグラムの試料があれば使えます。五〇ナノグラムというのは、一グラムの二〇〇〇万分の一のことです」

「その技術を応用して、恐竜を？」ふたたび、グラント。

「いえ、これはバックアップです。ご推察のように、二〇パーセントではわたしどもの作業に充分な量とはいえません。クローンを造るためには、恐竜の完全なDNA鎖が必要です。そこで、これの出番となります」ウーは黄色い石のひとつを持ちあげた。「琥珀ですよ。有史前の樹脂が化石化したものです」

グラントはエリーと、ついでマルカムと顔を見合わせた。

「こいつはおそれいった」うなずきながら、マルカム。

「ぼくにはまだわからないな」これはグラントだ。

「樹脂というやつは――」ウーが説明をつづけた。「しばしば昆虫をからめとり、閉じこめてしまうことがあります。すると昆虫は、化石化した琥珀のなかに完璧な状態で保存される。琥珀のなかからはじつにさまざまな種類の昆虫が見つかっているんですよ。そしてそのなかには、大型動物の血液を吸っていた昆虫もふくまれます」

「血液を吸う――」グラントはくりかえした。その口があんぐりと開いた。「ということは、恐竜の血液も……」

「運がよければ、そういうことです」

「そして、その昆虫は琥珀中に保存される……」グラントはかぶりをふった。「なんということだ――

これはうまくいくかもしれないぞ」

「事実、うまくいくんです」ウーがいって、顕微鏡の一台に歩みよった。その顕微鏡に、技術員のひとりが琥珀のかたまりをセットした。琥珀中にはハエが封じこめられている。大型モニターにそのようすが映しだされた。琥珀を通して、有史前のハエの胸部に、長い針がさしこまれていった。

「この昆虫がほかの生物の血球を体内に持っていたとしたら、それを抽出し、古生物のDNA——絶命した生物のDNAが得られるかもしれません。もちろん、じっさいに抽出し、複製し、分析してみるまで、それがなんのDNAかはわからないわけですが。ともかく、そのような作業を、わたしどもは五年間つづけてきました。長く遅々としたプロセスではありましたが——立派に報われました。

じっさいのところ、恐竜のDNAはですね、哺乳類のDNAよりも抽出が簡単なのです。なぜかといいますと、哺乳類の赤血球には核がありませんから、赤血球中にDNAはない。したがって哺乳類をクローンするためには、赤血球よりずっと数の少ない白血球を入手しなくてはなりません。ところが恐竜は、現在の鳥と同じように、赤血球に核がある。これは恐竜が現生爬虫類とは異質な生物であることを示す、多くの証拠のひとつといえます。恐竜は厚い皮におおわれた、巨大な鳥類だったのです」

ティムが見たところでは、グラント博士はそれでも懐疑的なようだった。あの太っただらしない感じの男、デニス・ネドリーは、とうになにもかも知っているという顔で、説明にはまったく興味がないらしく、じれったそうにとなりの部屋のほうばかり見ている。

「作業のつぎの段階は、ミスター・ネドリーにはもうおわかりでしょう」ウーがつづけた。「抽出したDNAをどうやって解析したか。わたしどもはそのために、強力なスーパーコンピュータを用いたのです」

一同はスライド式のドアを通り、となりのひんやりした部屋にはいった。室内は大きなうなりに満ちていた。部屋の中央には高さ二メートルの塔がいくつか立っており、周囲の壁には腰ほどの高さのステ

```
   1 GCGTTGCTGG CGTTTTTCCA TAGGCTCCGC CCCCCTGACG AGCATCACAA AAATCGACGC
  61 GGTGGCGAAA CCCGACAGGA CTATAAAGAT ACCAGGCGTT TCCCCCTGGA AGCTCCCTCG
 121 TGTTCCGACC CTGCCGCTTA CCGGATACCT GTCCGCCTTT CTCCCTTCGG GAAGCGTGGC
 181 TGCTCACGCT GTAGGTATCT CAGTTCGGTG TAGGTCGTTC GCTCCAAGCT GGGCTGTGTG
 241 CCGTTCAGCC CGACCGCTGC GCCTTATCCG GTAACTATCG TCTTGAGTCC AACCCGGTAA
 301 AGTAGGACAG GTGCCGGCAG CGCTCTGGGT CATTTTCGGC GAGGACCGCT TTCGCTGGAG
 361 ATCGGCCTGT CGCTTGCGGT ATTCGGAATC TTGCACGCCC TCGCTCAAGC CTTCGTCACT
 421 CCAAACGTTT CGGCGAGAAG CAGGCCATTA TCGCCGGCAT GGCGGCCGAC GCGCTGGGCT
 481 GGCGTTCGCG ACGCGAGGCT GGATGGCCTT CCCCATTATG ATTCTTCTCG CTTCCGGCGG
 541 CCCGCGTTGC AGGCCATGCT GTCCAGGCAG GTAGATGACG ACCATGAGGG ACAGCTTCAA
 601 CGGCTCTTAC CAGCCTAACT TCGATCACTG GACCGCTGAT CGTCACGGCG ATTTATGCCG
 661 CACATGGACG CGTTGCTGGC GTTTTTCCAT AGGCTCCGCC CCCCTGACGA GCATCACAAA
 721 CAAGTCAGAG GTGGCGAAAC CCGACAGGAC TATAAAGATA CCAGGCGTTT CCCCCTGGAA
 781 GCGCTCTCCT GTTCCGACCC TGCCGCTTAC CGGATACCTG TCCGCCTTTC TCCCTTCGGG
 841 CTTTCTCAAT GCTCACGCTG TAGGTATCTC AGTTCGGTGT AGGTCGTTCG CTCCAAGCTG
 901 ACGAACCCCC CGTTCAGCCC GACCGCTGCG CCTTATCCGG TAACTATCGT CTTGAGTCCA
 961 ACACGACTTA ACGGGTTGGC ATGGATTGTA GGCGCCGCCC TATACCTTGT CTGCCTCCCC
1021 GCGGTGCATG GAGCCGGGCC ACCTCGACCT GAATGGAAGC CGGCGGCACC TCGCTAACGG
1081 CCAAGAATTG GAGCCAATCA ATTCTTGCGG AGAACTGTGA ATGCGCAAAC CAACCCTTGG
1141 CCATCGCGTC CGCCATCTCC AGCAGCCGCA CGCGGCGCAT CTCGGGCAGC GTTGGGTCCT
1201 GCGCATGATC GTGCT ※ CCTGTCGTTG AGGACCCGGC TAGGCTGGCG GGGTTGCCTT
1281 AGAATGAATC ACCGATACGC GAGCGAACGT GAAGCGACTG CTGCTGCAAA ACGTCTGCGA
1341 AACATGAATG GTCTTCGGTT TCCGTGTTTC GTAAAGTCTG GAAACGCGGA AGTCAGCGCC
```

ンレスの筐体《きょうたい》がずらりとならんでいた。

「これがわがハイテク・コインランドリーです」にやりと笑って、ウー博士。「壁にならんでいるボックスは、すべてハマグチ製のフード自動DNA塩基配列決定装置《シークエンサー》。そしてこれらを超高速で制御するのが、クレイXMPスーパーコンピュータです。部屋の中央にあるあの塔がそうですね。要するに、みなさんは信じられないほど高性能の遺伝子工場にいるというわけです」

室内には数台のモニターがあったが、処理があまりにも高速なため、なにが表示されているのかまったくわからない。ウーがキーをたたくと、表示が遅くなった。（上図）

「ここに映っているのは、恐竜のDNA塩基配列《シークエンス》のごく一部です」ウーがいった。「ごらんのように、各シークエンスは四つの塩基性化合物で構成されています。アデニン、チミン、グアニン、シトシンです。表示されているDNAのこの部分には、おそらくなんらかのタンパク質——ホルモンや酵素を合成する指示がふくまれているのでしょう。完全なDNA分子には、このような塩基が三〇億対もふくまれています。一日八時

```
                          Nsp04
   1  GCGTTGCTGGCGTTTTTCCATAGGCTCCGCCCCCCTGACGAGCATCACAAAAATCGACGC
  61  GGTGGCGAAACCCGACAGGACTATAAAGATACCAGGCGTTTCCCCCTGGAAGCTCCCTCG
 121  TGTTCCGACCCTGCCGCTTACCGGATACCTGTCCGCCTTTCTCCCTTCGGGAAGCGTGGC
 181  TGCTCACGCTGTAGGTATCTCAGTTCGGTGTAGGTCGTTCGCTCCAAGCTGGGCTGTGTG
                             □                          BrontIV
 241  CCGTTCAGCCCGACCGCTGCGCCTTATCCGGTAACTATCGTCTTGAGTCCAACCCGGTAA
 301  AGTAGGACAGGTGCCGGCAGCGCTCTGGGTCATTTTCGGCGAGGACCGCTTTCGCTGGAG
              434 DnxT1                    AoliBn
 361  ATCGGCCTGTCGCTTGCGGTATTCGGAATCTTGCACGCCCTCGCTCAAGCCTTCGTCACT
 421  CCAAACGTTTCGGCGAGAAGCAGGCCATTATCGCCGGCATGGCGGCCGACGCGCTGGGCT
 481  GGCGTTCGCGACGCGAGGCTGGATGGCCTTCCCCATTATGATTCTTCTCGCTTCCGGCGG
 541  CCCGCGTTGCAGGCCATGCTGTCCAGGCAGGTAGATGACGACCATCAGGGACAGCTTCAA
 601  CGGCTCTTACCAGCCTAACTTCGATCACTGGACCGCTGATCGTCACGGCGATTTATGCCG
                                                        Nsp04
 661  CACATGGACGCGTTGCTGGCGTTTTTCCATAGGCTCCGCCCCCCTGACGAGCATCACAAA
 721  CAAGTCAGAGGTGGCGAAACCCGACAGGACTATAAAGATACCAGGCGTTTCCCCCTGGAA
              924 Cao111                DinoLdn
 781  GCGCTCTCCTGTTCCGACCCTGCCGCTTACCGGATACCTGTCCGCCTTTCTCCCTTCGGG
 841  CTTTCTCAATGCTCACGCTGTAGGTATCTCAGTTCGGTGTAGGTCGTTCGCTCCAAGCTG
 901  ACGAACCCCCCGTTCAGCCCGACCGCTGCGCCTTATCCGGTAACTATCGTCTTGAGTCCA
 961  ACACGACTTAACGGGTTGGCATGGATTGTAGGCGCCGCCCTATACCTTGTCTGCCTCCCC
1021  GCGGTGCATGGAGCCGGGCCACCTCGACCTGAATGGAAGCCGGCGGCACCTCGCTAACGG
1081  CCAAGAATTGGAGCCAATCAATTCTTGCGGAGAACTGTGAATGCGCAAACCAACCCTTGG
1141  CCATCGCGTCCGCCATCTCCAGCAGCCGCACGCGGCGCATCTCGGGCAGCGTTGGGTCCT
                1416 DnxT1
               SSpd4
1201  GCGCATGATCGTGCT[illegible]CCTGTCGTTGAGGACCCGGCTAGGCTGGCGGGGTTGCCTTACT
1281  ATGAATCACCGATACGCGAGCGAACGTGAAGCGACTGCTGCTGCAAAACGTCTGCGACCT
```

間、一〇秒にいちどの割合でこのような画面を見るとしても、DNA鎖全体の構造をひととおり見るのにかかる時間は二年以上。じつに膨大なものですよ」

そこでウーは画面を指さして、

「この画面に出ているのは典型的な例です。というのは、このDNAにはエラーがあるからなんですよ。1201の行ですね。わたしどもの抽出するDNAのほとんどは、一部が欠落しているか不完全なものです。ですから、わたしどもが——というよりもここのコンピュータが最初にすることは、それを修復することです。コンピュータはまず、制限酵素と呼ばれるものでDNAを切断します。つぎに、各種の酵素のなかから、しようとする作業にふさわしい適切な酵素を選択するわけです」

「これはDNAの同じ部分に、制限酵素とその切断箇所を追加したものです。(上図)1201の行を見ますと、損傷部分の両端を切断するのにふたつの酵素が使われてい

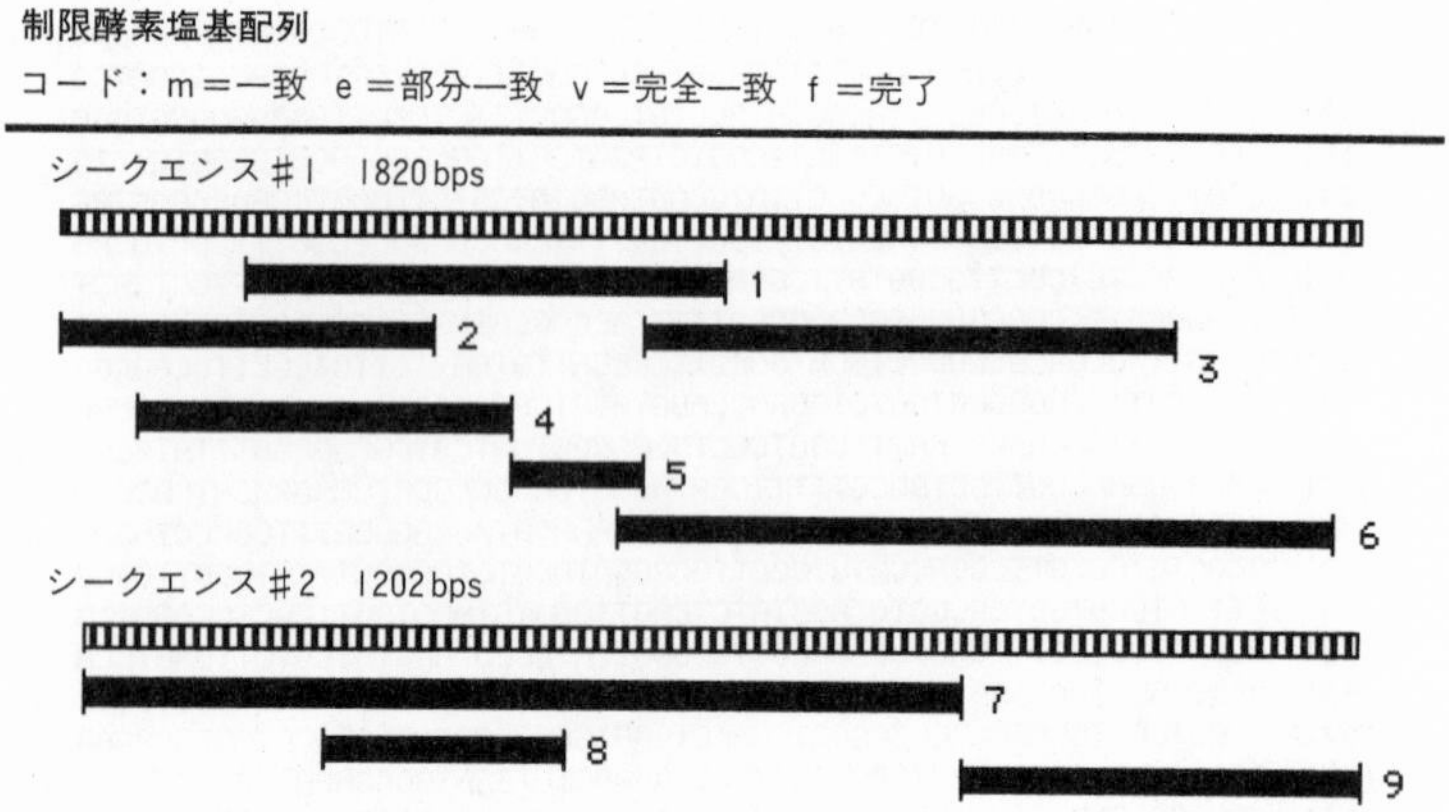

ますね。どの酵素を使うかは、通常、コンピュータが決定します。しかし、損傷を修復するためにはどのような塩基を挿入すればいいのかも知っておく必要がある。そのためには、さまざまな断片をならべて全体を補完させなくてはなりません。こんなぐあいです」（上図）

「こうすることで、損傷部分と重なるＤＮＡの断片が見つかり、欠落部分の内容がわかる。それさえわかってしまえば、あとは修復するだけです。図の黒い線は分析後の断片――制限酵素によって切断され、分析された恐竜ＤＮＡの小区画を表わします。いまコンピュータは、コードの重複部分をさがしながら、分割された断片をつなぎあわせているところです。パズルをつなぎあわせるようなものですね。この作業を、スーパーコンピュータはすばらしい高速でやってのけます」

（次頁）

「こうしてコンピュータにより、ＤＮＡ鎖が修復されました。この作業を通常の実験室でやろうとすれば何ヵ月もかかりますが、ここでは数秒でできてしまいます」

「すると、ＤＮＡ鎖全体が対象ということかな?」グラントがたずねた。

「ああ、いやいや。それは不可能です。たしかに六〇年代当時から比べれば格段の進歩をとげてはいますが。あのころは

1 GCGTTGCTGGCGTTTTTCCATAGGCTCCGCCCCCCTGACGAGCATCACAAAAATCGACGC
61 GGTGGCGAAACCCGACAGGACTATAAAGATACCAGGCGTTTCCCCCTGGAAGCTCCCTCG
121 TGTTCCGACCCTGCCGCTTACCGGATACCTGTCCGCCTTTCTCCCTTCGGGAAGCGTGGC
181 TGCTCACGCTGTAGGTATCTCAGTTCGGTGTAGGTCGTTCGCTCCAAGCTGGGCTGTGTG
241 CCGTTCAGCCCGACCGCTGCGCCTTATCCGGTAACTATCGTCTTGAGTCCAACCCGGTAA
301 AGTAGGACAGGTGCCGGCAGCGCTCTGGGTCATTTTCGGCGAGGACCGCTTTCGCTGGAG
361 ATCGGCCTGTCGCTTGCGGTATTCGGAATCTTGCACGCCCTCGCTCAAGCCTTCGTCACT
421 CCAAACGTTTCGGCGAGAAGCAGGCCATTATCGCCGGCATGGCGGCCGACGCGCTGGGCT
481 GGCGTTCGCGACGCGAGGCTGGATGGCCTTCCCCATTATGATTCTTCTCGCTTCCGGCGG
541 CCCGCGTTGCAGGCCATGCTGTCCAGGCAGGTAGATGACGACCATCAGGGACAGCTTCAA
601 CGGCTCTTACCAGCCTAACTTCGATCACTGGACCGCTGATCGTCACGGCGATTTATGCCG
661 CACATGGACGCGTTGCTGGCGTTTTTCCATAGGCTCCGCCCCCCTGACGAGCATCACAAA
721 CAAGTCAGAGGTGGCGAAACCCGACAGGACTATAAAGATACCAGGCGTTTCCCCCTGGAA
781 GCGCTCTCCTGTTCCGACCCTGCCGCTTACCGGATACCTGTCCGCCTTTCTCCCTTCGGG
841 CTTTCTCAATGCTCACGCTGTAGGTATCTCAGTTCGGTGTAGGTCGTTCGCTCCAAGCTG
901 ACGAACCCCCCGTTCAGCCCGACCGCTGCGCCTTATCCGGTAACTATCGTCTTGAGTCCA
961 ACACGACTTAACGGGTTGGCATGGATTGTAGGCGCCGCCCTATACCTTGTCTGCCTCCCC
1021 GCGGTGCATGGAGCCGGGCCACCTCGACCTGAATGGAAGCCGGCGGCACCTCGCTAACGG
1081 CCAAGAATTGGAGCCAATCAATTCTTGCGGAGAACTGTGAATGCGCAAACCAACCCTTGG
1141 CCATCGCGTCCGCCATCTCCAGCAGCCGCACGCGGCGCATCTCGGGCAGCGTTGGGTCCT
1201 GCGCATGATCGTGCTAGCCTGTCGTTGAGGACCCGGCTAGGCTGGCGGGGTTGCCTTACT
1281 ATGAATCACCGATACGCGAGCGAACGTGAAGCGACTGCTGCTGCAAAACGTCTGCGACCT
1341 ATGAATGGTCTTCGGTTTCCGTGTTTCGTAAAGTCTGGAAACGCGGAAGTCAGCGCCCTG

研究所をあげてとりくんでも、この画面一面分の情報を解読するのに四年もかかったものでした。それがいまでは、コンピュータが二時間で解読してのける。しかしですね、そうはいっても、DNA分子はあまりにも巨大です。わたしどもがチェックしているのは、DNA鎖における種同士、もしくは現生動物のDNAとの差です。種と種を比べても、ヌクレオチドは数パーセントしかちがいませんから。それを分析するだけでも、たいへんな仕事なわけですがね」

デニス・ネドリーはあくびをした。InGenがこの種の研究をしていることは、ずっと前から見当がついていたのだ。二年前、InGenの依頼で〈王国〉のコントロール・システムを設計したさい、初期の設計パラメータを見てみると、データ・レコードが3×10^9となっていた。てっきりまちがいだと思ってパロアルトに確認をいれたところ、そのスペックであっているという。なんと、三〇億レコードだ。

ネドリーは大型システムの豊富な設計経験を持つ。もともとは多国籍企業の世界的な電話通信網の設計で名をなした人間である。このような大型システムがあ

つかうデータはしばしば何百万レコードにもなるため、その程度の規模には慣れている。だが、InGenのもとめるスペックは、そんなレベルすらもはるかに超えていた……。

途方に暮れたネドリーは、ケンブリッジのマサチューセッツ工科大学近くにあるシンボリック社のバーニー・フェローズを訪ねた。

「なあバーニー、三〇億レコードも使うデータベースというと、いったいなんだろう？」

「まちがいさ」笑いながら、バーニー。「ゼロがひとつ、もしかすると、ふたつ多い」

「ところがまちがいじゃないんだよ。確認したんだ。こいつは要求どおりのスペックさ」

「そんないかれた話があるもんか。こんなシステムが動くはずはない。世界最高速のプロセッサでめったやたらに速いアルゴリズムを使ったとしても、検索だけで何日もかかるぞ。いや、何週間もだ」

「そうなんだ」とネドリー。「そいつはわかってる。さいわい、アルゴリズムまで設計しろとはいわれちゃいないがね。依頼されたのはシステム全体の記憶装置とメモリーがらみの部分だけだ。それはそれでいいとして……このデータベース、なんに使うと思う？」

バーニーは顔をしかめた。「この仕事、NDだな？」

「ああ」とネドリーは答えた。彼の受けるほとんどの仕事には守秘義務《ノンディスクロージャー・アグリーメント》がつきものだ。

「なにか漏らしてもよさそうなことはないか？」

「依頼主はバイオエンジニアリング企業だ」

「バイオエンジニアリング——となると、アレしかないな……」

「アレって？」

「DNA分子だよ」

「おいおい、よせよ。DNA分子の解析なんてできるわけないだろう」

生物学者たちのあいだで、〈ヒトゲノム解析計画〉——ヒトのDNA鎖全体を解析し、その塩基配列

を決定しようという話が出ていることは知っている。しかし、世界じゅうの研究機関がこぞって協力しあったとしても、結果が出るまでに一〇年はかかるはずだ。それは原爆を造りだしたマンハッタン計画にも匹敵する、一大事業なのである。

「依頼主は一私企業だぜ」とネドリー。

「三〇億レコードとなると、ほかにそれらしいものは思いあたらない。それにしても、その連中、システム設計をあまく見ているらしいな」

「あまいなんてもんじゃない」

「でなければ、分析しているのはDNAの断片で、処理をできるだけ主記憶中で行なうアルゴリズムを作ろうとしているのか」

それならまだ筋が通る。検索方式によっては、データベースは大量のメモリーを食うからだ。

「アルゴリズムの開発者はわかってるのか？」

「いや。隠しごとの好きな会社でね」

「ともかく、依頼主はDNAに関するなにかをしたいんだろう」とバーリー。「で、システムは？」

「XMP数台の並列処理だ」

「XMP数台の並列処理だぁ？　クレイ一台だけじゃないというのか？　そりゃとんでもない話だぞ」

バーニーは眉をひそめて考えこんだ。「それ以上は話せないか？」

「すまん。むりだ」

帰ってきたネドリーは、ともかくもコントロール・システムの設計にとりかかった。開発チームともども全力を投球しても、一年以上はかかる大仕事だった。とりわけ苦労したのは、依頼主がサブシステムの目的を教えてくれなかったことだ。指示は簡潔で、〝記録保存モジュールを設計しろ〟だの、〝画像表示モジュールを設計しろ〟だの、漠然とした表現ばかり。設計パラメータは指示してきても、使用

のさいのディテールは教えてくれない。まるでまっ暗闇で手探りしていたようなものだった。だから、システムが完成し、稼働しはじめてからバグがあったと聞かされても、すこしも意外ではなかった。あれだけ情報が少なければ、バグがあって当然だ。なのに、この連中ときたら大あわてでここへ呼びつけ、〝おまえの〟バグをなんとかしろと騒ぎたてる。まったく迷惑な話だった。

ネドリーがみなに顔をもどしたとき、グラントがたずねた。

「しかし、コンピュータがDNAを解析したとして、そこに記録された恐竜がなんであるか、どうやって確認するんだろう？」

「方法はふたつありましてね」ウーが答えた。「第一の方法は、系統発生マッピングです。生物体のあらゆる構成要素——手足その他の器官ですね、これらと同じく、DNAも時とともに進化します。ですから、DNAの未知の断片を選び、コンピュータによって進化のどの段階にあたるのか、おおざっぱに見当をつけるんです。時間はかかりますが、できないことではありません」

「それで、もうひとつの方法は？」

ウーは肩をすくめた。

「そのまま成長させて、どんな恐竜になるか見まもるんですよ。ふだんはこの方法を使っています。どのようにしてそれを行なうのか、これからお見せしましょう」

ツアーがつづくにつれて、ティムはだんだんいらいらしてきた。技術的な話は好きだが、さすがにもうつまらなくなってきたのだ。となりの部屋には〈核移植室〉の表示があった。ウー博士がセキュリティ・カードでドアをあけ、一行をなかに通した。

この部屋でもやはり、技術員たちが顕微鏡を覗いていた。奥のほうには、青い紫外線灯で煌煌と照明された一画がある。ウー博士がいうには、ここのDNA研究には、細胞分裂を緊急に停止させる必要が

あり、そのため世界でもとびきり強力な毒物を保存してあるのだそうだ。

「ヘロトキシン、コルヒチノイド、β－アルカロイド」ウー博士はそういって、紫外線灯の下に置かれた一連の注射器を指さした。「いかなる動物も、一、二秒で殺すことができます」

ティムは毒物の話をもっと聞きたかったが、ウー博士はさっさと話題を変え、ワニの未受精卵を利用してDNAだけを置きかえる話をした。グラント教授がいくつかむずかしい質問をはじめた。部屋の一画には、〈液体窒素〉と書かれた大きなタンクがあり、そのそばにはウォークイン・タイプの巨大な冷凍庫があって、なかの棚には小さなアルミ箔で包まれた冷凍胚がならんでいた。

レックスはうんざりしているようすだった。ネドリーはあくびをしている。サトラー博士も興味を失いかけていた。ティムも複雑な研究施設ばかり見せられるのにあきあきだった。彼が見たいのは、恐竜なのだ。


となりの部屋には〈孵卵室〉の表示があった。

「この部屋は温度と湿度を少々高めにしてあります」部屋にはいる前に、ウー博士が説明した。「摂氏三七度、相対湿度は一〇〇パーセントに保ってあります。酸素濃度も高めで、三三パーセントの設定です」

「ジュラ紀の気候だ」とグラント。

「そうです。すくなくともそうであったといわれる気候を設定しています、なかにはいったら、気分の悪くなった方はすぐにおっしゃってくださいよ」

ウー博士がスロットにセキュリティ・カードをさしこんだ。シュッという音をたてて、外側のドアが開いた。

「念のため申しあげておきますが、室内のものには絶対に手をふれないでください。卵のなかには手の

脂が染みこんでしまうものがありますから。それから、頭上に気をつけてください。センサーがつねに動いていますので」

ウー博士が孵卵室にはいる内側のドアをあけ、一行は室内にはいった。そこは大きな部屋で、濃い赤の赤外線灯で照明されていた。卵の列が、何脚もの細長い孵卵台にのっている。その台の上を、シューッという音をあげて噴きだす霧がおおいつくしており、卵の白い輪郭ははっきり見えない。ロッキング機構があるらしく、どの卵も小さくゆれている。

「爬虫類の卵は卵黄を大量にふくみますが、水はまったくふくんでいません。したがって、胚は卵外の環境から水分を補給しなくてはならない。この霧はそのためのものです」

ウー博士は説明をつづけた。ひとつの孵卵台には一五〇個ずつ卵がのせてあり、台ごとに新たに抽出されたDNAに基づくグループがまとめてある。どのグループであるかは、各台に記された記号――STEG-458/2、TRIC-390/4などでわかる。

室内の技術員たちは腰まである霧につかりながら、卵から卵へと移動し、霧のなかに手をつっこんで一時間ごとに卵を回転させては、温度センサーでその温度をはかっていた。部屋は頭上のテレビカメラと動き《モーション》センサーでモニターされている。上から吊りさげられた温度センサーは、卵に近づいてはフレキシブル・アームでその表面にふれ、ビープ音をあげたのち、つぎへ移動するという作業をくりかえしていた。

「この孵卵室で生まれ、成長した恐竜は、種類にして一〇種以上、頭数にして二三八頭。孵化した個体の生存率は約〇・四パーセントで、この点は改善したいと思っています。ただ、コンピュータ解析によると、変数が五〇〇もありましてね。うち一二〇は環境変数、もう二〇〇は卵内の変数、残りが遺伝物質そのものに内在する変数ですから、そう簡単にはいきません。卵殻はプラスティック製です。それに胚を機械で挿入して、ここで孵化させるんです」

「成長するまで、どのくらいかかな?」

「恐竜の成長はかなり早くて、二年から四年で成体となります。ですから〈王国〉には、成体がうようよいますよ」

「記号はなにを意味するものだろう?」

「このコードは」と、ウーは記号を指さして、「各DNA抽出グループを識別するものです。最初の四文字は恐竜の種類を表わすもの。これを見てください、このTRICはトリケラトプス(Triceratops)の意味です。STEGはステゴサウルス(stegosaurus)。ほかも同様です」

「では、こちらの台は?」グラントがきいた。

そのコードはXXX‐0001/1となっていた。その下には殴り書きで、〝コエルと推定〟。

「それは新しいDNAグループです」ウーが説明した。「それからどんな恐竜が生まれるかは、まだわかりません。はじめて抽出したDNAのグループは、孵化してみないとどんな恐竜かわからないんです。そこに〝コエルと推定〟とあるでしょう。それはコエルロサウルスとかなんとか、そんな名前の恐竜だろうということです。たしか小型の草食恐竜だったかな。どうも恐竜の名前はなかなか覚えられませんでね。なにしろ、これまでにわかっている恐竜の属名だけで、三〇〇種はあるんですから」

「三四七種だよ」すかさず、ティム。

グラントがにやにやしながらきいた。「卵から孵りそうなやつはいないのかな?」

「いまにも孵りそうなものはいません。孵卵期間は恐竜によってちがいますが、おおむね二カ月といったところです。孵卵室スタッフの負担を小さくするため、さみだれ式の孵化を試みてはいるんですがね。二、三日のうちに一五〇頭の恐竜が集中して孵ったらどんな騒ぎになるか、想像してみてください。もちろん、孵った仔のほとんどは生き延びられません。その記号Xグループが孵化するのは、あと二、三日というところでしょう。なにか質問はありますか? なければ、生まれたての子供たちがいる新生児

室へ移動しましょう」

そこは円形の部屋で、どこもかしこもまっ白だった。病院の新生児室にあるような保育器があるが、いまはどれもからっぽだ。床にはぼろきれやおもちゃが散乱している。白衣の若い女性がひとり、ドアに背を向け、床にすわりこんでいた。

「きょうはどの仔を連れてきてるんだい、キャシー？」ウー博士がたずねた。

「あいにく、一頭だけなの」とキャシーと呼ばれた女性が答えた。「赤ん坊のラプトルよ」

「ちょっと見せてくれないか」

キャシーは立ちあがり、わきにどいた。それを見つめるティムのそばで、ネドリーがつぶやいた。

「トカゲそっくりじゃないか」

床の上の動物は高さ約四五センチほどで、小柄なサルほどの大きさだった。暗い黄色の地膚に茶色の縞模様がはいっていて、ちょうど虎のようだ。頭部はトカゲそのもので、鼻づらが長くつきだしているが、力強い二本のあと脚で立っており、太くてまっすぐな尻尾でバランスをとっている。その動物はあと脚よりずっと小さい前足を動かしながら、ちょこんと首をかしげ、自分を見おろす人間たちを見つめ返していた。

「ヴェロキラプトルだ……」アラン・グラントが低い声でいった。

「ヴェロキラプトル・モンゴリエンシスです」うなずきながら、ウー。「肉食恐竜ですよ。この仔はまだ、生後六週間です」

「種類はちがうが、ぼくもちょうどヴェロキラプトルを発掘したところなんだ……」

グラントがもっとよく見ようと身をかがめたとたん、小さなトカゲはジャンプし、グラントの頭を跳び越えると、ティムの腕に飛びこんできた。

「うわっ！」

「ジャンプはお手のものですよ」とウーがいった。「赤ん坊でもこのジャンプ力ですからね。当然、成体はもっとすごいでしょう」

ティムはヴェロキラプトルを抱きかかえた。小さな恐竜はまるで重さを感じさせない。体重はせいぜい五〇〇グラムから一キロというところだろうか。膚は暖かく、湿り気はまったくなかった。その小さな頭は、ティムの目と鼻の先だ。黒いビーズのような目がじっとティムを見つめている。口からは、先がふたつに枝別れした小さな舌が、ちろちろと出たりはいったりしていた。

「咬みつかないかな」とティム。

「だいじょうぶ。彼女はよく慣れてるんだ」

「たしかかね？」心配そうな顔で、ジェナーロ。

「ええ、もちろんですとも」ウーが答える。「すくなくとも、もうすこし大きくなるまではね。どちらにしても、赤ん坊には歯がありませんから。卵歯《らんし》さえないんです」

「卵歯？」ネドリーが問い返した。

「ほとんどの恐竜は卵歯を持って生まれてくるんです。卵歯というのは、サイのツノのように鼻先に生えた小さな突起で、卵の殻を割るのに使われます。ところがラプトルはそうじゃない。このとがった鼻づらで卵殻に穴をあけるんです。そこから先は、新生児室のスタッフが手を貸してやらなくてはなりません」

「手を貸してやるというと――」グラントがかぶりをふりながら、「野生の状態ではどうなるんだろう？」

「野生？」

「野生で生まれるときだよ。自然のなかで巣を造った場合さ」

「ああ、それはありえません」とウーは答えた。「わたしどもの恐竜は、卵を産めないんです。だからこそ、この新生児室があるわけですよ。当〈恐竜王国〉の恐竜供給源は、ここにしかありません」

「どうして卵を産めないんだい？」

「それはですね、こういう場所ですから、恐竜に卵をどんどん産まれてはこまるわけですよ。危険なものをあつかう以上、必ず二重三重の安全システムを用意するのがふつうです。恐竜の管理については、なにごとにつけ、すくなくとも二重の予防策を用意してありましてね。産卵の抑制にしても、やはり二重の措置を講じてあります。第一の対策としては、恐竜を不妊にしてあることがそうです。X線を照射してあるんですよ」

「もうひとつの対策は？」

「〈恐竜王国〉の恐竜たちは、すべて雌なんです」そういって、ウーはにっこりと笑った。

さっそくマルカムが口をはさんだ。

「その点、もうすこしくわしく説明してほしい。なぜかというと、そのX線照射が不確実性をはらんでいるように思えるからだ。照射量をまちがえることもあるかもしれないし、恐竜の不適切な器官に照射してしまうことも――」

「おっしゃるとおりです」とウー。「しかし、生殖線の破壊については絶対の確信を持っています」

「それに、全部が雌だという点にも疑問がある」マルカムがつづけた。「ちゃんとチェックはしたのかい？　恐竜に近づいて、たとえばそう、スカートをめくってなかを覗いたりしたのか？　つまり、恐竜の性別をどうやって見わけられるのかということをききたいんだ」

「性器は種によってちがいますからね。簡単に見わけられるものもあれば、むずかしいものもある。しかし、ご質問にお答えしておきましょう、すべての恐竜が雌であるとわかっているのは、文字どおり、雌になるよう育ててあげたからなんです。染色体をいじり、卵殻内の発育環境をコントロールすることで

ね。バイオエンジニアリングの立場からすると、雌のほうが孵しやすいんですよ。おそらくごぞんじでしょうが、脊椎動物の胚というやつは、遺伝的に例外なく雌です。われわれはみな、生命を持った時点では雌なわけです。それに刺激が加わって——発育の適切な段階でホルモンが加わるなどして——胚が雄に変化する。しかし、なんの刺激も加えずに成長させると、胚は自然に雌になってしまう。ですから、ここの恐竜はみんな雌なんです。もっとも、恐竜によっては、雄のように呼ぶこともありますがね。たとえばティラノサウルス・レックスなどは、〝彼〟と呼びます。しかしじっさいには、彼らも雌なんです。そして、信用してください、恐竜たちは子供を産めないからだなんです」

小さなヴェロキラプトルがフンフンとティムのにおいを嗅ぎ、ついでティムの首に鼻づらをすりつけた。ティムはくすくす笑った。

「餌をねだってるんだね」とウーがいった。

「なにを食べるの?」

「ネズミだよ。しかし、この仔はついさっき餌を食べたばかりだから、しばらく餌をやらなくてもいいんだ」

小さなラプトルは頭を離し、まじまじとティムを見つめ、ふたたび前肢で宙をかいた。小さな手の三本指の先には、かわいらしい鉤爪が生えている。そこでラプトルは、もういちどティムの首に頭をすりよせた。

グラントが近づいてきて、しげしげとラプトルを観察した。それから、鉤爪の生えた小さな三本指に手をふれ、

「ちょっといいかい?」といった。

ティムは抱いていたラプトルを離した。

グラントは恐竜を向こうに向けて、その背中をじっと見つめた。ラプトルはもがき、キーキーと啼いた。ついでグラントは、ラプトルを自分の顔の高さまで持ちあげて、その横顔をじっと眺めた。ラプトルがかんだかい声で啼きだした。

「どうも気にいらないようですね」リージスがいった。「せっかくだっこされていたのに、急に持ちあげられたものだから……」

ラプトルはなおも啼きつづけているが、グラントは気にするようすもない。今度は尻尾をぎゅっと握り、肉の上から骨の構造をさぐった。リージスがいった。

「グラント博士。どうかもう、そのへんで」

「痛くはないさ」

「グラント博士。この動物は現代の動物じゃありません。つついたりいじめたりする人間のいない、遠い過去からやってきた生きものなんです」

「べつにいじめたりは――」

「グラント博士。やめていただけますか」

「しかし――」

「おねがいしますよ」リージスの口調がきびしくなった。

グラントはラプトルをティムにもどした。たちまちラプトルは啼くのをやめた。ふれあったたがいの胸を通して、ティムは小さな心臓がどきどきしているのを感じとった。

「どうも失礼しました、グラント博士」リージスがいった。「ですが、幼い恐竜というのはデリケートなものでしてね。孵化ストレス症候群で死んだものもいるんです。副腎皮質の機能不全が原因らしいんですがね。ときどき、五分で死んでしまうものもいます」

ティムは小さなラプトルの頭をなでて、

「もうだいじょうぶだよ」と話しかけた。「もうだいじょうぶ、こわいことなんかないさ」恐竜の心臓はまだどきどきしている。

「恐竜は人間なみのあつかいをしてやることが重要です。われわれはそう考えています」とリージスがいった。「あとで心ゆくまで研究していただくことはお約束しますから」

それでもグラントはうしろ髪をひかれるようすで、ふたたびティムの抱いた恐竜のそばに歩みよってくると、しげしげとラプトルを眺めた。

だしぬけに、小さなヴェロキラプトルがくわっと口を開き、シャーッと息を吐いて威嚇した。

「すばらしい」とグラント。

「ここに残って、この子と遊んでいてもいい?」ティムはリージスにたずねた。

「ああ、すまないが、また今度にしてくれないかな」腕時計を見て、エド・リージス。「もう三時だからね。そろそろ〈王国〉のツアーに出てもいい時間だ。〈王国〉が用意した環境でいろいろな恐竜がどんなふうに暮らしているか、見にいこうじゃないか」

ティムは恐竜を離した。ヴェロキラプトルはちょろちょろ部屋の向こうに駆けていき、ぼろきれをつかむと、がぶりと口にくわえ、小さな鉤爪で、その端をぐっと押さえた。

コントロール

コントロール・ルームに歩いてもどる途中、マルカムがいった。

「もうひとつ質問があるんだが、ウー博士。これまで孵した恐竜は、何種類なんだろう?」

「正確なところは知りませんがね。いまのところ、一五種だったと思います。きみは知っているか、エド?」

「ああ、一五種だ」エドがうなずいた。

「どうして正確な数を知らないんだ?」信じられないという顔で、マルカム。

ウーはにっこりと笑って、

「数えるのをやめたからですよ。一〇種めあたりを超えた時点でね。これは理解していただかなくてはなりませんが、ときどきこういうことがあるんです。一見、生まれた恐竜になんの欠陥もなく——といっても、わたしどもの基礎研究であるDNAの観点から見たら、ということですが——半年ほどつつがなく成長する。そこで急に、異常が起こる。それでようやく、わたしどもはエラーがあったことに気づくのです。たとえば、誘発遺伝子が機能していない。特定のホルモンが分泌されていない。その他、発生段階でなんらかの異常が起きていたらしい。そうなると、いわば恐竜の設計図の段階まで立ち返らなくてはなりません」

そこでウーはほほえんだ。

「一時期などは、二〇種以上がいたと思います。しかしいまは、一五種しかいません」

「それで、その一五種のなかに――」マルカムはグラントのほうを見て、「あれはなんといったかな?」

「プロコンプソグナトゥス」とグラント。

「それだ。そのプロコンプソグナトゥスとかなんとかははいっているのかね?」

「ああ、もちろん」ウーは即座に答えた。「コンピーはきわめて特徴的な恐竜ですからね。じっさい、ほかの恐竜よりずっとたくさん育てました」

「なんのために?」

「〈恐竜王国《ジュラシック・パーク》〉の環境をできるだけリアルに、できるだけ自然に近づけたかったからですよ。プロコンプソグナトゥスは三畳紀のスカベンジャーでした。ジャッカルのようなものです。ですから、掃除屋としてコンピーがほしかったのです」

「掃除というのは、屍体のことかな?」グラントがきいた。

「それもあります、もし屍体があれば、ですが。しかし総頭数二三〇頭なにがしでは、あまり屍体は出ません。ですから、コンピーの掃除の主要な対象は屍体ではありません。まったく別種の廃棄物を処分してほしかったのです」

「それは?」

「この島にはとても大きな草食恐竜がいます。最大の竜脚類は孵さないよう、意図的に努めているのですが、それでも外には三〇トンを超す恐竜が闊歩していますし、五トンから一〇トン級のものはざらです。そこでふたつの問題が生じてくるわけです。ひとつは食料問題。これは二週間にいちど、島へ食料を運びこまざるをえません。こんな小さな島ですから、かくも巨大な動物を何十頭も養う力はないんで

す。

　もうひとつの問題は、排泄物です。ゾウのフンをごらんになったことがあるかどうかわかりませんが――それはもう、たいへんな量ですよ。ひとつの大きさが、だいたいサッカー・ボールほどもあるんです。それがブロントサウルスともなれば、一〇倍の大きさはある。しかも最大の恐竜は、食べたものを充分に消化しないため、排泄量が多い。恐竜が滅んで六〇〇〇万年、そのあいだに恐竜のフンを分解するよう特殊化していたバクテリアも消滅してしまったようでしてね。すくなくとも竜脚類のフンは、分解が遅いんです」

「そいつは問題だ」マルカムがいった。

「大問題ですよ」真顔で、ウー。「この問題を解決するにはかなりの時間がかかりました。アフリカにフンをころがす特殊なコガネムシがいることはごぞんじでしょう。このコガネムシはゾウのフンを食べるんです。たいていの大型動物には、そのフンを食べるよう進化した生物がつきものでしてね。コンピーはたまたま、大型草食恐竜のフンを食べ、消化しなおすことがわかったんです。コンピーのフンは現生のバクテリアに分解されます。ですから、充分な数のコンピーを供給することで、フンの問題は解決されたわけです」

「島に放ったコンピーの数は？」

「正確な数はちょっと……。ただ、目標頭数は五〇頭で、その目標は達成しました。すくなくとも、ほぼそれに近い数は確保できたはずです。グループは三孵《さんかえ》りぶん。半年ごとに一グループを孵化させて、目標頭数を達成したんです」

「五〇頭――」とマルカム。「その行動を追跡するとなると、かなりおおごとだな」

「コントロール・ルームは、まさにそれを可能にするようにできています。仕組みは向こうで見せてくれるでしょう」

「ぜひとも見せてもらおう」とマルカムがいった。「しかし、もしコンピーが一頭でも島から逃げだして……」

「逃げられっこありません」

「そういうことにしておこう。しかし、かりに一頭が逃げたとしたら……」

「本土の浜辺で見つかったトカゲのことをいっているんですね？」眉をひそめて、ウー。「アメリカ人の女の子を咬んだとかいう？」

「そう、たとえばそれだ」

「そのトカゲについては説明のしようがありません。ただ、それがここの恐竜でないことだけはたしかです。理由はふたつあります。第一に、ここのコントロールは、コンピュータで数分ごとにすべての恐竜の数を数えているんです。一頭でもいなくなれば、すぐにわかります」

「で、もうひとつの理由は？」

「本土が一五〇キロ以上の彼方だということですよ。船でもまる一日近くかかる距離だ。それにここの恐竜は、外界に出たら一二時間以内に死んでしまいます」

「どうしてわかる？」

「そのような因子を組みこんであるからですよ」執拗な質問に、ウーもとうとういらだちの色を浮かべはじめた。「いいですか、われわれだってバカじゃない。相手が有史前の動物であることは承知しています。恐竜は現存しない環境——何千万年も前に消滅してしまった複雑な生態系の一部です。現代には捕食者もいなければ、その成長に歯どめをかける要素もない。野性化されてはたいへんなことになる。だからわれわれは、恐竜のリジンが欠乏するように仕組みました。タンパク質代謝に異常を起こす酵素があるんですが、その酵素を作る遺伝子を挿入したんです。その結果、恐竜は必須アミノ酸のひとつであるリジンを体内で作れなくなる。リジンを外から摂取するしかなくなるんです。したがって、リジン

の豊富な食物をとらないかぎり——われわれの与えるタブレットをとらないかぎり、恐竜は一二時間以内に昏睡状態に陥り、死んでしまう。要するに、外界では生きていけないよう遺伝子操作されているわけですよ。彼らが生きられるのは、ここ〈恐竜王国〉だけ。野放しにしているわけじゃない。恐竜たちは本質的に、われわれのとりこなんです」


「ここがコントロール・ルームです」とエド・リージスがいった。「さあて、これで恐竜がどうやって生みだされるかはわかった。おつぎは、外に出る前に、〈王国〉を管理するコントロール・ルームを見ていただきま——」

　ことばの途中で、エド・リージスは口ごもった。ぶ厚いガラス窓の向こうが真っ暗だったからだ。モニターもほとんど消えている。ついているのは、めまぐるしく変わる数字と大型船舶の映像を映しだしている、三つのモニターだけだ。

「どうしたっていうんだ？」とエド・リージス。「あ、そうか、船が着いたのか」

「船？」

「二週間にいちど、本土から補給船がくるんですがね。この島の弱点のひとつは、良港はもちろん、ちゃんとした桟橋もないってことです。波が荒いときは、船を桟橋に誘導するのがひと苦労なんですよ。そのあいだは立入禁止です。ま、二、三分でおわるでしょう」リージスがガラスをたたいたが、なかの者たちはふりむきもしない。「やっぱり、待つしかないようですね」

　エリーがウー博士にたずねた。

「さっきおっしゃいましたね、ときどきなんの欠陥もないようでいて、順調に成育しているかと思うと、急に異常が表に出る個体もいるって……」

「ええ。それを避けるすべはないと思います。ＤＮＡは複製できても、発生にはいろいろとタイミング

がありますからね。すべて正常に育っているかどうかは、ちゃんと成体になってみないことにはわからないでしょう」

グラントがいった。「正常に育っているかどうかなんて、どうしてわかるんだい？　だれも恐竜の実物など見たこともないのに」

ウーはほほえんだ。「それについてはわたしもいろいろと考えました。ちょっとしたパラドックスですが……最終的には、グラント博士のような古生物学者の方に化石記録と比較していただいて、発育の度合いを検証していただければと思っています」

今度はエリーが、「でも、いま見た恐竜、ヴェロキラプトルは——モンゴリエンシスとおっしゃいませんでした？」

「琥珀の産地から判断したんですよ。中国産の琥珀でしたのでね」

「じつに興味深い」グラントがいった。「ぼくもちょうどアンティロプスの幼体を掘りだそうとしていたところなんだ。以前はデイノニクス類と分類されていたやつです。ここには成体のヴェロキラプトルはいるんですか？」

「いますとも」エド・リージスが打てば響くように答えた。「八頭の雌がいます。これが優秀なハンターぞろいで。ごぞんじのように、群れで狩りをするんですよ」

「このツアーでお目にかかれますか？」

「だめです」急に顔を曇らせて、ウーがぴしゃりといった。気まずい間があった。ウーがリージスに目くばせをした。

「いましばらくはむりなんですよ」リージスはこともなげな口調で弁解した。「ヴェロキラプトルはまだ〈王国〉に放していないんです。囲いにいれてあるんですよ」

「そこにいけば見られるかな？」グラントがたずねた。

「ええ、ええ、どうぞどうぞ。そうだ、船の誘導がおわるのを待っているあいだに──」リージスは腕時計を見て、「──囲いにまわって、見ていらしてはどうです」

「ぜひ」とグラント。

「わたしも」とエリー。

「ぼくもいきたい」ティムも熱心な声でいった。

「この建物の裏手にまわって、業務用施設の前を通っていくと、囲いが見えます。ただし、フェンスにはあまり近づかないように。どうする、レックス、きみもいくかな?」リージスはレックスにも声をかけた。

「いかない」レックスはにべもなく否定してから、値踏みするようにリージスを見つめた。「それよりさ、ちょっと肩ならししない? キャッチボールしようよ」

「いいとも」とエド・リージス。「コントロール・ルームにいれてもらえるまで、ふたりで下におりて、キャッチボールをしてようか」


エリーとマルカム、それからいつもくっついているあの男の子といっしょに、グラントは建物の裏へまわりこんでいった。グラントは子供が好きだ。子供たちのようにおおっぴらに恐竜を愛してくれる集団はほかにいない。あんぐりと口をあけ、頭上にそびえる巨大な骨格を見あげる子供たち。そんな子供たちの姿を、グラントはよく博物館で眺める。どうして子供たちはあんなにも恐竜に魅せられるのだろう? 考えた末にたどりついた結論は、恐竜という巨大な生物が、抗しがたい圧倒的な権威を象徴しているからだというものだった。恐竜は親の象徴なのだ。親と同じく、愛すべき、畏怖すべき対象なのだ。だから子供たちは、親を愛するように、恐竜を愛するのではないか。

だからこそ子供たちは、あんなにもよく恐竜の名前を覚えられるのだろう。三歳の子供が、「あ、ス

テゴサウルス！」と叫んだときの驚きはいまもわすれられない。子供たちがこんな複雑な名前を覚え、口にできるのは、名前を覚えることで巨大な権威を身近なものにしたい、という願望があるからではないのだろうか。

「ヴェロキラプトルについては、どんなことを知ってるんだい？」グラントはティムに話しかけた。ちょっと話をしてみたかったのだ。

「群れで狩りをする小型の肉食恐竜でしょ。デイノニクスみたいなの」

「そのとおりだよ。そのデイノニクスも、いまではヴェロキラプトルと見なす説があるけれどね。ただし、群れで狩りをしていたというのは状況証拠でしかない。こういう説が出てきたのは、ひとつにはその形状によるんだ。敏捷で強力だけれど、恐竜にしては小さくて――体重はせいぜい六〇キロから一二〇キロというところかな。群れで狩りをしたとすれば、大きな獲物を倒すときだっただろう。じっさい、一頭の大型恐竜に襲いかかる数頭のラプトルの化石も発見されているんだ。それにもちろん、ラプトルは大きな脳を持っていたということもあるね。たいていの恐竜より、ラプトルはずっと知能が高かったんだよ」

「どのくらいだい？」マルカムがたずねた。

「その答えは、人によってさまざまだな」とグラント。「恐竜がたぶん温血であったろうという説が有力になるにつれて、なかにはかなり知能の高い恐竜もいただろうと考える古生物学者が増えてきた。しかし、だれにもたしかなことはわからない」

ヴィジター・センターをあとにしてまもなく、発電機の大きなうなりが聞こえてきた。かすかにガソリンのにおいもただよってくる。ソテツの木立ちを通りぬけると、鉄の屋根でおおわれた、大きくて平たいコンクリート製の建物が目にはいった。うなりはそこから聞こえてくるようだ。一行はその建物のなかを覗きこんだ。

「やっぱり発電機だわ」エリーがいった。

「やけにでかいな」なかを覗きながら、グラント。

建物は地下二階ぶんの深さがあった。うなりをあげるタービンや、地中に消える無数のパイプの巨大な集合体が、寒々しい裸電球の光で照らしだされている。

「ただのリゾートに、これほどの規模のものはいらないぞ」マルカムがいった。「ちょっとした町の電力なら、充分にまかなえる大きさだ」

「コンピュータ用かな」

「かもしれん」

そのとき、メエェェという鳴き声が聞こえてきた。数メートル北にいってみると、そこは柵で囲われていて、ヤギの群れが収容されていた。ざっと数えてみたところ、五、六〇頭はいるようだ。

「どうするのかしら、ヤギなんて?」エリーがきいた。

「こっちがききたいね」

「たぶん、恐竜のエサだろう」マルカムがいった。

一行はさらに先へと進み、未舗装の道を通って、密生した竹林を通りぬけた。その竹林を出たところに、高さ四メートルほどの金網フェンスがあった。しかもフェンスは二重で、上にはぐるぐる巻いた有刺鉄線がつけられている。外側のフェンスからは、ジーという通電のうなりがあがっていた。

二重フェンスの向こうには、高さ一五メートルほどの巨大なシダが密生していた。ふいに、なにかがにおいを嗅いでいるような、フンフンという音が聞こえた。つづいて、ジャリジャリという足音。それがだんだん近づいてくる。

長い静寂がつづいた。

「ねえ、なにも見えないよ」とうとう、ティムが小声でいった。

「シッ！」

グラントは待った。数秒が経過した。ハエがあたりを飛ぶ音がする。やはりなにも見えない。

そのとき、エリーに肩をつつかれた。見ると、ある場所を指さしている。

シダのあいだに、そいつの頭が見えた。微動だにせず、からだの一部を茂みのなかに隠し、一対の大きな黒い目で、冷酷にこちらをにらんでいる。

頭の長さは約六〇センチ。つきでた鼻づら、耳の役をする耳道の穴まで裂けた口にずらりとならぶ牙の列。その頭部は巨大なトカゲ、あるいはワニを思わせた。まばたきはしない。ぴくりとも動かない。肌は革のようで、小さないぼでおおわれ、基本的にさっき見た幼体と同じ体色をしている。黄褐色の地色に赤みがかった縞模様がはいったところは、虎の毛皮のようだ。

見ていると、その前肢のいっぽうがゆっくりと動き、顔のそばのシダの葉を押しのけた。筋肉の発達した力強い腕だ。手にはものをつかめる三本の指があり、それぞれの指の先端は湾曲した鉤爪になっている。その手がそうっと、シダの葉を押しやった。

グラントは戦慄した。（こいつ……われわれを狩ろうとしている）

人間をはじめとする哺乳類にとって、爬虫類の獲物の狩り方はまったく異質であり、理解を超えている。人が爬虫類を忌みきらうのもむりはない。その絶対凝固ぶり、その冷酷さ、そのペース。なにもかもが異質なのだ。アリゲーターその他の大型爬虫類のただなかにいると、人はまったく異質な暮らし、まったく異質な世界、地球からとうに消滅してしまった世界の太古の記憶を思いだすのかもしれない。

もちろんこの恐竜は、自分が見つかっているとは思ってもいないのだろうが――

そのときだった。

だしぬけに、左右から二頭のヴェロキラプトルがとびだしてきた！　すさまじいほどの速さだ。またたく間に一〇メートルの距離を駆けぬけ、あっと思ったときにはもうフェンスに到達していた。一瞬、

グラントの目がぼやけた姿をとらえた。一八〇センチほどの力強い体軀、バランスをとるためにぴんと張った尻尾、湾曲した鉤爪が生えた手足。がっと開いた口にはぎざぎざの歯がならび……。

二頭は突進しながらうなり声をあげ、高々と空中にジャンプするや、ひときわ長大な第二足指の鉤爪を蹴りだした。が、そのまま勢いよくフェンスに激突し、熱い火花をほとばしらせた。

二頭は怒りの声をあげて地面にころがった。グラントは魅せられたようにふらふらとフェンスに近づいた。

その瞬間、それを待っていたかのように、シダのあいだのヴェロキラプトルが猛然ととびだし、地を蹴った。その攻撃も、グラントたちの胸の高さでフェンスにはばまれた。が、降りそそぐ火花に、ティムが悲鳴をあげた。

ヴェロキラプトルたちは爬虫類独特の低いシャーッという声をあげると、シダの茂みに跳ねていき、姿を消した。あとにはかすかな腐臭と、刺激臭をともなう煙がただようばかりだった。

「びっくりしたぁ――」ティムがいった。

「なんてすばやいの……」これはエリーだ。

「群れで狩りをするんだ」首をふりながら、グラント。「本能的に、群れで獲物の不意をついて狩りをするんだよ……すばらしい」

「しかし、あまり賢いとはいえないな」マルカムがいった。

フェンスの向こうで、ソテツのあいだから鼻を鳴らす音が聞こえた。つづいて、葉むらのあいだから、ゆっくりといくつかの頭がつきだされた。グラントは数を数えた。三……四……五……。恐竜たちはじっとこちらを見つめている。冷酷な目で獲物を見つめている。

作業服を着た黒人が、息せききって駆けつけてきた。「お怪我はありませんか？」

「だいじょうぶだよ」グラントが答えた。

「アラームが鳴ったんで飛んできましたよ」黒人はフェンスを見やり、黒焦げになった三つのへこみに気がついた。「とびかかってきたんですか？」

「三頭がね」

黒人はうなずきながら、「こいつらときたら、しじゅうそんなことばっかりしてるんです。フェンスにぶちあたって、電気ショックを受けて。ショックなんか屁でもないみたいですね」

「やっぱり賢いとはいえないな」マルカムがいった。

黒人は一瞬だまりこみ、午後の陽光に目をすがめながら、マルカムを見つめた。それから、「フェンスがあったことに感謝するんですね、セニョール」

といって、立ちさった。


はじまってからおわるまで、襲撃は時間にしてわずか六秒ほどだったろう。グラントはなおも狩りの印象を整理しようとしていた。なんというすさまじい速さだ。あまりの敏捷さに、ラプトルたちの動きはほとんど見えなかった。

センターにもどりながら、マルカムがいった。

「めちゃくちゃに疾《はや》い連中だったたな」

「ああ」とグラント。「現生のどんな爬虫類よりもはるかにすばやい。雄のアリゲーターも動きはすばやいが、それは短い距離に限定してのことだ。よくて二メートルだよ。インドネシアにはコモドドラゴンという、体長三メートルほどのオオトカゲが棲んでいて、こいつは時速四五キロの記録を持つ。人間を追いつめるのに充分な速さだ。ただし、体力がないのでこれは瞬間的なスピードでしかない。それに現地では、めったに人を襲ったりはしないがね。しかしあのヴェロキラプトルは、その倍は敏捷だったように思う」

「チータなみの速さだった」とマルカム。「時速一〇〇キロ前後はあっただろう」

「たしかに」

「しかし連中、まっしぐらに突進してきたぞ。まるで鳥みたいに」

「たしかに」

いまの時代、あれほどすばやい反射速度を持つ動物といえば、かなり小型の哺乳類くらいしか思い浮かばない。コブラと戦うマングースはその代表だ。そのほかには——鳥がいる。たとえば、アフリカのヘビクイワシ、それにヒクイドリ。ヒクイドリはオーストラリアやニューギニアに棲む、鉤爪の生えたダチョウのような鳥である。じっさい、ヴェロキラプトルのあの獰猛さ、すばやさから、グラントはヒクイドリにきわめて近い印象を受けた。

マルカムがいった。

「そうするとヴェロキラプトルは、皮膚といい姿といい、爬虫類の外見を持っていながら、鳥のように動き、鳥なみのスピードと獲物を狩る知恵を持つ——そういうことか？」

「そうだ」とグラント。「しかも、両方の習性がまじりあっているらしい」

「意外かね？」

「そうでもない。じつはこれは、ずっと前から古生物学者が信じていたことに近いんだ」


一八二〇年代から一八三〇年代にかけて巨大な骨がつぎつぎと発見されたとき、科学者たちはその骨が、現存する生物の巨大変種のものであると説明した。それ以外の説明は、彼らにはむりだった。なぜなら当時は、種が滅びるはずはない、神はみずからの創造物が滅びることをお見過ごしにはならない、と信じられていたからである。

やがて神による創造という概念があやまりであることがはっきりすると、これが絶滅した動物の骨で

あると認められるようになった。しかしそれは、どんな動物なのか？

一八四二年、当時の英国の指導的な解剖学者であったリチャード・オーウェンは、その骨の主に〝恐《ディ》竜《ノサウリア》〟という名前をつけた。ラテン語で〝恐ろしいトカゲ〟という意味である。当時すでにオーウェンは、恐竜がトカゲ、ワニ、鳥などの特徴を併せ持っていることに気づいていた。とりわけ、恐竜の腰の骨は、トカゲよりも鳥のそれに似ていた。しかも、トカゲとちがって、多くの恐竜は二本の脚で立っていたらしいこともわかっていた。そこからオーウェンは、恐竜が敏捷で活発な生物であると考えた。この見方は、以後四〇年にわたって支持されている。

だが、ほんとうに巨大な骨が——生きているとき、体重が一〇〇トンもあった巨大生物の骨だ——発掘されはじめるや、科学者たちは恐竜が愚鈍で動きの遅い生きものであり、絶滅するのは当然であったと見なすようになった。こうして、恐竜が動きの遅い爬虫類であったというイメージは、鳥に近い敏捷な生きものであったというイメージを圧倒していった。グラントのような古生物学者たちが、もっと活発な生物を想定する恐竜像に回帰しだしたのは、比較的最近になってからのことである。恐竜のふるまいについては、グラントは研究者仲間からもひときわラディカルな人間だと見なされている。だが、そのグラントといえども、たったいま目のあたりにした、巨大で信じられないほど敏捷な狩人の前には、自分のイメージなどはるかに貧弱なものであったことを認めざるをえなかった。

「要するに、さっきいおうとしたのはこういうことだ」とマルカムがいった。「あれはきみにとって説得力のある動物だったのか？　あれはほんとうに恐竜なのか？」

「たしかに恐竜だ」

「それに、あの連携のとれた攻撃のしかた……」

「予想されたことだ」とグラントはいった。

化石記録によれば、ヴェロキラプトルの群れは、たとえばテノントサウルスのように、体重が四〇〇

キロ以上もあって馬くらい速く走れた恐竜をも倒せたらしい。連携攻撃なくして、それは不可能だ。

「ことばもなしに、どうやって連携するんだ？」

「連携のとれた狩りに、ことばはいらないのよ」エリーが横から説明した。「チンパンジーだってよく連携して狩りをするわ。チンプの群れはヒヒに忍びよって殺してしまうの。意志の疎通は、目でするのよ」

「するとあの恐竜たちは、まぎれもなくわれわれを襲ってきたのか？」とマルカム。

「ええ」

「可能であれば、われわれを殺して食べていたのか？」

「たぶんね」

「なぜこんなことをきくかというと――」マルカムは語をついで、「前にこんなことを聞いたことがあるからだ。ライオンやトラのような大型肉食獣には、生まれついての人食いはいない。そうだろう？ライオンやトラが人食いになるのは、なにかの拍子に人間が簡単に倒せる獲物だと気づいてからだ。そうでないと、人食いにはならない」

「たしかにそのとおりだと思う」とグラントがいった。

「ところがあの恐竜たちは、ライオンやトラよりもずっと積極的に襲ってきた。連中の生きていた時代には、人間というものが――そもそも大型哺乳類というものが――まったくいなかったはずだ。そんな連中が人間を見て、あんなふうに襲いかかってくるものだろうか？　もしかすると連中は、育つ過程のどこかで、人間を殺すのが簡単だということに気づいたんじゃないのか……？」

一行はだまりこみ、黙々と歩きつづけた。

「どちらにしても――」ややあって、マルカムがいった。「早いところコントロール・ルームを見たくてたまらなくなったよ」

バージョン4・4

「連中、なにか問題はあったかね？」ハモンドがきいた。

「いいえ」とヘンリー・ウーは答えた。「なんの問題もありませんでしたよ」

「きみの説明を信じたか？」

「信じないはずがありませんよ。純然たる事実ばかりをかいつまんで説明したんですから。問題が発生しているのは細部だけです。その細部のことで、きょうはぜひご相談したいと思っていました。これはつまり、美意識の問題だとお考えください」

ジョン・ハモンドは不快なにおいでもかいだような顔で鼻にしわをよせ、

「美意識だと？」と問い返した。

ハモンドの優雅なバンガローは、〈王国〉北部のソテツの木々のあいだに建っている。ふたりが立っているのは、そのリビングルームだ。室内はゆったりとして居心地がよく、設置された六台のモニターには〈王国〉の恐竜たちが映しだされている。コーヒーテーブルの上には、ウーが持ってきたファイルがのせてあり、その表紙には、〈恐竜開発仕様：バージョン4・4〉のゴム印が押してあった。

ハモンドはいつもどおり、親が子に対するような辛抱強い態度で、じっとこちらを見つめている。ウーは年齢三三歳、大学院を出てからの五年間、ずっとハモンドのもとで働いてきた手前、そのような態

度をとられるのもしかたないという気持ちがある。なにしろ、大学院を出てすぐに、ハモンドに雇いいれられたのだ。

「もちろんこれは、美意識のみならず、現実的な効果も考慮してのことです」とウーはいった。「フェイズ2にかかわるわたしの進言をぜひともご検討ください。絶対に、バージョン4・4に進むべきです」

「現在の恐竜のストックをすべて交換するというのかね?」

「そうです」

「なぜ? 連中のどこに欠陥がある?」

「欠陥はありません。本物の恐竜だということを除いては」

「それがわたしの依頼したことではないか、ヘンリー」ハモンドはほほえんだ。「そしてきみは、その依頼に応えてくれた」

「それはそうですが、しかし……」ウーは口ごもった。どうやってハモンドに説明すればいいのだろう。ハモンドはめったにこの島を訪れない。島の状況を知らない人間に、ここの特殊な状況をどう説明したものか。「こうしてここに立っているいま現在、世界じゅうで本物の恐竜を見たことのある人間は皆無です。恐竜がどんな姿をしているのかはだれも知りません」

「ふむ……」

「しかしいま、ここには本物の恐竜がいます」ウーは室内にならぶモニターを指さして、「ただし、ある意味でここの恐竜たちは不完全です。信頼性に欠けるんですよ。それを改良したいと思います」

「どんなふうに?」

「第一に、動きが速すぎることです。人間は大型動物があんなにすばやく動くのに慣れていません。恐竜がスピードアップされていると——フィルムの速まわしのような処置をされていると——来園者に思

われてもこまるでしょう」

「しかしヘンリー、これは本物の恐竜だろう。自分でそういったばかりではないか」

「たしかにそうですが、もっと動きの遅い、飼いならされた恐竜に改良するのは簡単なことです」

「飼いならされた恐竜？」ハモンドは鼻を鳴らした。「だれもそんなものは見たがらんよ、ヘンリー。客が見たいのは本物の恐竜だ」

「それには異論がありますね」とウー。「はたして客は本物を見たがるでしょうか。客が見たいのは予想どおりの恐竜です。ここにいる恐竜は、一般のイメージとかけはなれています」

ハモンドは顔をしかめている。

「この〈王国〉が娯楽の場所だ、とおっしゃったのはあなたです、ジョン。娯楽であれば本物である必要はない。娯楽は現実とは相反するものなのですから」

ハモンドは嘆息した。

「なあヘンリー、またぞろこんな抽象的な議論をしようというのかね？　知ってのとおり、わたしはものごとを単純にしておきたい。いまの恐竜が本物であるならば――」

「正確には、本物といえません」ウーはモニターを指さし、リビングルームをいったりきたりしはじめた。「自分で自分をごまかしてもはじまらない。わたしたちは過去を再現したわけではないのです。過去は喪われました。決して再現することはできません。わたしたちがここでなしとげたことは、過去を模倣することです。すくなくとも、過去のあるバージョンをコピーすることです。そのコピーとして、これ以上のバージョンが造れるとは思えません」

「本物よりよいということか？」

「そうです」とウー。「どうせここの恐竜たちはすでに改良されているのです。特許をとるための遺伝子を挿入し、リジンを欠乏させました。成長を促進させ、すこしでも早く成体になるように、あらゆる

手をつくしました」

ハモンドは肩をすくめた。

「それはやむをえまい。ぐずぐずしてはいられなかったからな。投資者の手前というやつがある」

「もちろんです。ですから、どうせならもっと徹底してはどうかといっているんです。もっと改良を加えて人々の見たい恐竜にしたてあげる。それがなぜいけないんです？　客受けのする恐竜、あつかいの楽な恐竜を――この〈王国〉だけの、鈍重でもっと従順なバージョンを造ることが、なぜいけないんです？」

ハモンドは渋面を作った。「それでは恐竜が本物でなくなってしまう」

「どうせいまでも本物じゃないんだ。わたしが何度も申しあげているのはそこです。ここにはリアリティなんてないんです」

ウーはそういって、あきらめたように肩をすくめた。これ以上いってもむだなことは承知している。ハモンドが技術的ディテールに興味を示したことはいちどもない。そしてこの議論は、本質的に技術的なものだ。DNAの欠損やつぎあてにともなう現実を、どうやってハモンドに説明したものだろう。DNA鎖の隙間を埋めるために、ウーは可能なかぎり最良の推測を行なったが、それでも推測は推測でしかない。恐竜のDNAは手入れの必要な古い写真のようなものだ。基本的にはオリジナルと同じものだが、ところどころに修復や修整が加えられ、その結果――

「なあ、ヘンリー」ハモンドがウーの肩に腕をまわしてきた。「こういってはなんだが、きみは怖じけをふるいかけているようだ。ずいぶん長いあいだ働きづくめだったし、たいへんな仕事をなしとげてくれた――たいへんな偉業だ。そしていま、その偉業をいよいよ部外者に開陳しようとしている。すこしばかり神経質になるのは当然だよ。疑念をいだくのもわかる。しかしだ、ヘンリー、わたしは確信しているぞ、全世界が絶対に満足することを――心から満足することをな」

しゃべりながら、ハモンドはウーをドアのほうへと導きはじめた。

「ですが、ジョン、思いだしてください、わたしたちが恐竜捕獲装備の製造に着手したのは八七年のことです。まだ成体は見ていませんでしたが、見こみで造らざるをえなかった。大型電気銛《テーザー》、牛追い電気棒のついた車、電気捕獲網発射銃。どれも特殊なニーズに合わせた特注品です。そして、ひととおり納入されている。しかし、それではもう、反応が遅すぎて実用にならないんです。改良を加えなければ。マルドゥーンが軍用の装備を要求していることはごぞんじでしょう。対戦車誘導ミサイルやレーザー誘導兵器です」

「マルドゥーンに口出しさせる必要はない」とハモンド。「わたしはなんの心配もしておらん。ここはただの動物園だ、ヘンリー」

電話が鳴り、ハモンドが離れていった。ウーは別の角度から話を持っていけないかと考えた。だが、長い長い五年間の工期ののち、〈恐竜王国《ジュラシック・パーク》〉はいよいよ完成に近づいている。いまさらなにをいっても、ジョン・ハモンドは耳を貸さないだろう。

むかしはハモンドが真剣に話を聞いてくれた時期もあった。とくに、はじめて採用のさそいがあったころはそうだった。あれはウーが二八歳、スタンフォード大学のノーマン・アサートン研究室で、博士号の取得を目前にしていた大学院生のころだ。

アサートンの死によって、研究室は悲しみにくれると同時に、混乱に陥った。研究資金や博士論文がどうなるのかはだれにもわからない。お先まっ暗で、学生たちは将来に不安を覚えた。研究室の者でアジョン・ハモンドがウーのもとを訪ねてきたのは、葬儀から二週間後のことだった。研究室の者でアサートンがハモンドとなにかの関係があることを知らない人間はいなかったが、詳細は霧に包まれていた。あのときのハモンドの直截さを、ウーは絶対にわすれない。

「ノーマンはつねづね、きみが研究室でいちばんの遺伝子研究者だといっていた」とハモンドは切りだした。「今後の身のふりかたは決まっているのかね？」

「わかりません。研究はつづけるつもりですが」

「大学に残って？」

「はい」

「それはいかん」ハモンドはずばりといった。「すくなくとも、自分の才能をだいじに思うのなら、やめたほうがいい」

ウーは目をしばたたいて、「なぜです？」

「現実を見てみたまえ。大学はもはやこの国の知的中枢ではない。そう思うだけでもばかばかしい話だ。大学はもう時代遅れだよ。そう驚いた顔をしなさんな。きみも気づいていないわけではあるまい。第二次大戦以来、真に重要な発見はすべて民間研究機関の手でなされている。レーザー、トランジスター、ポリオ・ワクチン、マイクロチップ、ホログラム、パソコン、核磁気共鳴診断装置、CATスキャン――リストはどこまでもつづく。大学はもはや、ものごとの生まれる場所ではない。四〇年も前からそうだった。コンピュータなり遺伝学なりでほんとうに重要な研究をしたいのなら、大学に残ってはいかん。才能の浪費だ」

ウーはことばもなかった。

「そもそもだよ」と、ハモンドは語をついで、「きみが新しいプロジェクトをはじめるとして、しなくてはならないことはなんだね？　どれだけの助成金申請書や書類を書き、どれだけの許可をとらなくてはならん？　運営委員会はなんという？　学部長は？　大学の予算委員会は？　もっと研究スペースが必要になったときはどうする？　もっと助手が必要になったときは？　必要なものがすべて得られるのにどれだけかかる？　賢い人間は書類や委員会などで貴重な時間をむだに費やしたりしないものだ。人

生はあまりにも短く、DNAはあまりにも長い。そしてきみは業績をあげたい。なにかをなしとげたいのなら、大学を出たまえ」

当時のウーは業績をあげたくてしかたがなかった。ジョン・ハモンドのことばに、ウーはすっかり引きこまれた。

「わたしがいっているのは研究のことだ」とハモンドはつづけた。「本物の業績だよ。科学者に必要なものはなにか？　時間だ。資金だ。どうだろう、きみにその気があれば、五年間の研究期間と年間一〇〇〇万ドルの研究資金を提供しようではないか。全部で五〇〇〇万ドルだ。その使い道についてはいっさい口を出さない。決めるのはきみだ。すべてきみの好き勝手にしてよい」

あまりにもうますぎる話だった。ウーは長いあいだだまりこんでいた。しばらくして、彼はたずねた。

「その見返りに、なにをすればいいんです？」

「不可能事に突破口を開くことだ。できるはずのないことに挑戦してもらいたい」

「どういうことです？」

「具体的なことはいえないが、おおむね爬虫類のクローンにかかわることだ」

「不可能なこととは思えませんね」とウーはいった。「爬虫類のクローンは哺乳類よりも簡単です。一〇年から一五年もあればものになるでしょう。抜本的な進歩があったとしてのことですが」

「期限は五年だ」とハモンド。「ただし、資金は潤沢《じゅんたく》に与える。不可能事に挑戦する意気ごみのある人間にはな」

「わたしの研究は公にされるんですか？」

「最終的には」

「すぐにはされない？」

「そうだ」

「しかし、最後には公にされるんですね？」ウーはその点にこだわった。

ハモンドは笑った。

「心配はいらんよ。成功すれば全世界にきみの偉業が知れわたる。約束しよう」


たしかに、研究の成果があがったいま、全世界に知れわたることにはなるだろう、とウーは思った。五年におよぶ超人的な研究をつづけてきて、〈王国〉開園まであますところあと一年。もちろん、この五年間、ハモンドの請け合った条件がすべて守られたわけではない。ああしろこうしろといってくる者たちはいたし、大きな圧力が加えられたことは何度もある。おまけに、研究内容そのものも変化した。恐竜が鳥にかなり近いことがわかってくるにつれ、爬虫類のクローンからの路線変更をせまられたのだ。鳥のクローンともなれば話はまるっきりちがう。はるかにむずかしい。しかも最後の二年間、ウーの主な仕事は、研究チームとコンピュータ制御のDNAシークエンサーを管理することとなった。管理などしたいわけではない。そんなことのためにここへきたのではなかった。


とはいえ、研究は成功した。だれも成就できるとは思ってもいなかったことを――すくなくともこんな短期間でできるとは思ってもいなかったことを、ウーはなしとげたのだ。となれば、自分の専門知識と努力に照らしてみて、ここの運営方法に対し、ある程度の発言権があると思うのは当然ではないか。なのに、彼の影響力は日増しに衰えていくばかりだった。恐竜はよみがえった。恐竜を生みだす手順はルーティーン・ワークとして確立されている。テクノロジーは成熟した。だからジョン・ハモンドにはもう、ヘンリー・ウーはいらないのだ。

「それはよかった」ハモンドが電話に答えた。しばらく耳をかたむけてから、ウーにほほえみかけて、「すばらしい。わかった。それでいい」というと、電話を切った。

「話はどこまでだったかな、ヘンリー？」

「フェイズ2のくだりです」とウー。

「おお、そうだったな。その話は前にもしたはずだぞ、ヘンリー――」

「わかっています。しかし、おわかりになっていないようなので――」

「そんなことはないさ、ヘンリー」ハモンドの声にはいらだちがにじみだしていた。「ちゃんとわかっているとも。それに、本音をいおうか。わたしには現状に手を加えるべき理由がひとつも見あたらん。ゲノムに対して加えた変更はすべて、法で義務づけられているもの、万やむをえないものばかりだ。将来的には仕様を変更することもあろうさ。病気への抵抗力をつけるなど、そういった理由でな。しかし、もっと改良できるからといって本物に手を加えるようなことは考えておらん。われわれは本物の恐竜を生みだした。人々が見たがっているのはそれだ。だからそれを見せなくてはならん。それがわれわれの義務だ。それが誠実さというものなんだよ、ヘンリー」

そういって、ハモンドはにっこりと笑い、ドアをあけ、退出するようにとうながした。

コントロール

暗いコントロール・ルームのなかで、グラントはたくさんのコンピュータ・モニターを見まわした。こうしているだけで、なんだかいやな気分になってくる。グラントはコンピュータが好きではない。いまどきの研究者として時代遅れに見えることはわかっているが、そんなことは気にもならなかった。身近な学生のなかには、本能的にコンピュータと相性のいい者がいる。だが、グラントはそんな相性を感じたことがない。コンピュータは彼にとって、異質で得体の知れない機械でしかないのだ。オペレーティング・システムとアプリケーションとの根本的なちがいさえわからないのだからいやになる。ことばも通じない異国の地にまぎれこんでしまったのとすこしも変わらない。だが、ジェナーロは悦にいった顔をしていたし、マルカムにいたっては、獲物のにおいを嗅ぎつけたブラッドハウンドのようにごきげんだった。

「まずはコントロール・システムをお見せしましょうかね」

すわったまま椅子をこちらに回転させて、ジョン・アーノルドがいった。チーフ・エンジニアは年齢四五歳、痩せ型の神経質そうな男で、チェーンスモーカーだった。目をすがめてひととおり見学者たちを見まわすと、アーノルドは、

「ここのコントロール・システムはね、とんでもないしろものなんですよ」といって、つぎの煙草に火

をつけた。

「たとえば？」ジェナーロがうながした。

「たとえば、恐竜追跡システムです」

アーノルドがコンソールのキーをたたいた。垂直なガラスのマップボードが明るくなり、ぎざぎざのブルーのラインが現われた。

「Tレックスの幼体の例でいきましょう。ティラノサウルス・レックスの子供ですよ。これは彼の、〈王国〉内における過去二四時間の行動を示す軌跡です」アーノルドはもういちどそのキーをたたいた。

「そのまえの二四時間です」もういちど。「さらにそのまえの二四時間」

マップのラインはぐしゃぐしゃに重なりあい、子供のらくがきのようになった。だがそのらくがきは、ある特定区域だけに集中していた。人工湖南東の岸辺付近だ。

「これによって、その時期のテリトリーがわかります」とアーノルドはいった。「まだ幼いので、水辺に近いところにとどまってますね。それから、巨大な成体のレックスには近づかないようにしてます。ビッグ・レックスとリトル・レックスの行動パターンを重ねてみると、両者の軌跡が決して交差しないことがわかりますよ」

「そのビッグ・レックスは、いまどこにいるんだね？」

アーノルドはべつのキーを押した。マップのラインが消去され、湖の北西の草原に、コード番号を付されたひとつの輝点が現われた。

「ここです」

「リトル・レックスは？」

「いいでしょう、〈王国〉にいる恐竜の位置を全部お見せしましょう」

マップに何十もの輝点がともり、クリスマス・ツリーのようににぎやかになった。輝点のひとつひとと

つには、識別コードがついている。

「二三八頭の現在地です」

「誤差は？」

「二メートルとありません」アーノルドはふうっと煙を吐きだした。「お疑いなら、車で現地に出かけてみられるとよろしい。このマップに表示されたとおりの位置に恐竜たちはいるはずです」

「その位置は、どのくらいの頻度で確認しているんだね？」

「三〇秒ごとに」

「じっに厳密だな」とジェナーロ。「どうやって位置を確認するんだ？」

「〈王国〉全体にモーション・センサーをとりつけてありましてね。ほとんどは有線ですが、なかには無線のやつもあります。もちろん、モーション・センサーでは種類までわかりませんが、画像でじかに姿を確認しますからだいじょうぶ。人間がモニターを見ていないときでも、コンピュータがちゃんと監視しています。それに、全個体がどこにいるのかも」

「コンピュータがミスすることは？」

「赤ん坊の場合にはありますね。ひどく小さいイメージなんで、ときどき混同するんですよ。しかし、その点は心配におよびません。赤ん坊はたいてい、親の群れにくっついていますから。種類別頭数集計表もあります」

「それは？」

「一五分ごとに、コンピュータが恐竜の個体数を種類ごとに数えあげるんですよ」とアーノルド。「こんなぐあいです」（次頁）

「ここに表示されているのは——」と、アーノルドは語をついで、「いま説明したのとはまったく異なる計数法による数字です。行動データに基づいているんですよ。さっきとはカウントの仕方が異なりま

総頭数　238

属名	飼育頭数	捕捉頭数	バージョン
ティラノサウルス	2	2	4.1
マイアサウラ	21	21	3.3
ステゴサウルス	4	4	3.9
トリケラトプス	8	8	3.1
プロコンプソグナトゥス	49	49	3.9
オスニエリア	16	16	3.1
ヴェロキラプトル	8	8	3.0
アパトサウルス	17	17	3.1
ハドロサウルス	11	11	3.1
ディロフォサウルス	7	7	4.3
ケアラダクティルス	6	6	4.3
ヒプシロフォドン	33	33	2.9
エウオプロケファルス	16	16	4.0
スティラコサウルス	18	18	3.9
ミクロケラトプス	22	22	4.1
総頭数	238	238	

す。ですから、コンピュータがミスをすることはありえません。ふたつの異なる集計方式によるデータをつきあわせているわけですから。一頭でも恐竜がいなくなれば、五分以内にわかります」

「なるほど」マルカムがいった。「で、じっさいに恐竜がいなくなったことがそれで発見されたことは？」

「あります、ある意味でね」とアーノルド。「これまでに数頭の恐竜が死にましてね。木の枝につっこんでくびれ死んだオスニエリアが一頭。腸の病気で死んだステゴサウルスが一頭。こいつはこの連中の持病のようです。それから、高いところから落ちて首の骨を折ったヒプシロフォドンが一頭。どのケースでも、恐竜が動かなくなったとたん、その番号がカウント対象からはずされて、コンピュータが警報を出しました」

「五分以内に？」

「そうです」

グラントがたずねた。「右端の列は？」

「恐竜のリリース・バージョンですよ。最新バージョンは4・1か4・3です。そろそろバージョン4・4への移行を考えてます」

「バージョンがある？　ソフトウェアみたいに？　新しく

リリースされるたびに？」

「そうです」とアーノルド。「ある意味で、ソフトみたいなものですからね。ＤＮＡ異常を発見するたびに、ウー博士の実験室で新バージョンを造らざるをえないわけです」

生きものにソフトウェアのように番号をつけ、アップデートとリビジョンの対象にするという考えに、グラントは不快感を覚えた。なぜだかはよくわからない――あまりにも新しすぎる考え方のせいもあるのだろうが――本能的に受けいれがたいのだ。なんといっても、相手は生きものなのだから……。

グラントの表情を読んだのだろう、アーノルドがいった。

「いいですか、グラント博士、ここの恐竜たちを夢想的な目で見るのは無意味というものですよ。だいじなのは、連中が造られたものであることをわすれないことだ。連中は人間の手で造りだされた生きものです。ときにはバグもあるでしょう。だから、そのバグが見つかるたびに、ウー博士の実験室が新バージョンをリリースするのは当然のこと。となれば、〈王国〉にいる恐竜のバージョンを把握しておくのは、必要不可欠の対応じゃありませんか」

「ああ、ああ、それはそうだろうとも」マルカムがじれったそうに口をはさんだ。「それより、計数の件にもどるがね――カウントはモーション・センサーの反応に基づいているんだな？」

「そうですよ」

「で、そのセンサーは〈王国〉全体にあるのかね？」

「陸地の九二パーセントはカバーしてますね」とアーノルド。「センサーの効かない場所はほんの数カ所しかありません。たとえば、ジャングルを貫く川はだめです。水の動きと水面から上昇する空気の対流とで、センサーが狂ってしまうんです。しかし、それ以外の場所はほぼ全域にセットずみ。たとえどれかの恐竜が未監視地域にさまよいこんでも、コンピュータがそれを記憶していて、そこから出てくるのを監視しますから。もし出てこなければ、警報を発する仕組みです」

「それではきくが」と、ふたたびマルカム。「この表には四九頭のプロコンプソグナトゥスがカウントされている。かりにわたしが、その一部がべつの種類ではないかと疑問をいだいたとしよう。そうではないことをどうやって証明できる?」

「方法はふたつあります。ひとつめは、コンピー各個体の動きを他のコンピーと区別して追うやりかた。コンピーには社会性があって、群れで行動します。〈王国〉にあるコンピーの群れはふたつ。ですから、各個体はA群かB群のどちらかに所属します」

「それはわかったが、しかし——」

「もうひとつの方法は、カメラで視認することです」アーノルドはいくつかのキーをたたいた。モニターのひとつが、1から49までのコードがついたコンピーをたてつづけに表示していった。

「この画像は……」

「各識別コードに対応するイメージです。どれも五分以内の画像です」

「すると、その気になれば、すべての恐竜をここから見られる?」

「そうです。いつでも好きなときに、全部の恐竜をモニター画面に出せます」

「各エリアの囲いこみ状況はどうかね?」ジェナーロがたずねた。「恐竜がエリアの外に出たりすることは……?」

「絶対にありません」言下に、アーノルド。「なにしろ高価な恐竜たちですからね、ミスター・ジェナーロ。十二分に気をつかって面倒をみてますよ。境界のガードは二重三重。一番手は濠です」

アーノルドがキーを押すと、ガラスのマップボードがふたたび明るくなり、オレンジ色のバーのネットワークが現われた。

「濠の深さは最低でも四メートル、いずれも水が張ってあります。大型恐竜用の濠ともなれば、深さは一〇メートルにも達しますね。つぎのガードは高圧電流フェンスです」

明るい赤の輝線がボードに現われた。

「フェンスの高さは四メートル、総延長八〇キロ。うち三五キロは島の外周をぐるりととりかこんでいます。〈王国〉の全フェンスには一〇〇〇〇ボルトの高圧電流が流してあります。恐竜たちもすぐに、近づかないほうがいいことを学習しますよ」

「しかし、万一脱走するものがいたら?」ジェナーロが重ねてきいた。

アーノルドは鼻を鳴らし、煙草をもみ消した。

「あくまでも、かりにの話だ」とジェナーロ。「そうなったときの対策はどうだね?」

マルドゥーンが咳ばらいをし、口をはさんだ。

「現場に出動して、恐竜を押しもどすまでですよ。そのための方法はいろいろある。電気銛式《テーザー》ショックガン、電気捕獲網、麻酔銃。致命的な武器はひとつもない。というのは、ミスター・アーノルドがいうように、恐竜が高価な動物だからです」

ジェナーロはうなずいた。「では、島から逃げだした場合はどうなる?」

「二四時間とたたずに死んでしまうだけですよ」アーノルドがいった。「連中は遺伝子操作された動物です。自然の世界では生きていけません」

「それでは、このコントロール・システム自体はどうだね?」ふたたび、ジェナーロがいった。「なんらかの形で破壊される可能性は?」

アーノルドは首をふりながら、

「ありませんね。システムのガードは万全だ。コンピュータはあらゆる面で自立しています。電源も専用、予備電源も専用。外部とはいっさい通じていませんから、モデム経由で侵入されることもない。コンピュータ・システムは安全です」

ちょっと間があった。アーノルドは煙草をふかし、先をつづけた。

「じっさい、たいしたシステムですよ。化け物みたいなシステムです」

「すると――」とマルカムがいった。「このシステムがそれほど完璧に作動しているのなら、問題はなにひとつないわけだ」

「いやいや、問題のタネはつきませんよ」片方の眉をつりあげて、アーノルド。「しかし、あなたが心配しているような問題じゃありません。おおかた、恐竜が逃げるんじゃないか、本土に上陸して騒ぎを起こすんじゃないかと心配しているんでしょうがね。それについてはすこしも心配しちゃいません。それよりも――ここの恐竜たちは脆弱《ぜいじゃく》で繊細です。六五〇〇万年の時を経て、いまとはまったく異なる時代、自分たちの適応していた時代から、この現代へと連れてこられたんですからね。こちらとしても、手探りで連中の面倒を見ている状態なんですよ」

アーノルドはいったんことばを切り、先をつづけた。

「これはわかっていただきたいのですがね。人間は何百年もむかしから、哺乳類や爬虫類を動物園で飼ってきました。だから、ゾウやワニの飼育についてはたっぷりとノウハウがある。しかし、これまで恐竜の面倒を見たことのある人間はひとりもいません。連中は新しい動物です。わかっていることはなにもない。いちばん心配なのは、連中の病気ですね」

「病気？」急に真剣な顔になって、ジェナーロが問い返した。「客に恐竜の病気が伝染《うつ》る心配があるのかね？」

アーノルドはまたもや鼻を鳴らした。

「ジェナーロさん、あなた、動物園のアリゲーターから風邪を伝染《うつ》されたことがありますか？　あったとしても、動物園は関知しない。ここも同様です。心配なのは、恐竜たちが固有の病気、あるいはほかの動物に伝染《うつ》された病気で死んでしまいはしないかということです。もっとも、そのための監視プログラムはありますがね。ビッグ・レックスの健康ファイルを見てみますか？　ワクチン投与記録は？　歯

の検診記録は？　こいつは見ものですよ。虫歯にならないよう、獣医たちがあのばかでかい牙の掃除をする場面というのは……」

「いや、いまはいい」とジェナーロ。「それより、機械的なシステムのほうはどうなんだね？」

「というと、アトラクションのことですか？」

グラントははっとして顔をあげた。アトラクション？

「どのコースもまだ準備ができてませんでね」とアーノルドがいった。「水中のレールでボートを動かすジャングル・リバー・ライド、翼竜ドームの空中散歩、このへんは設置してありますが、まだまだ動かせる状態じゃありません。〈王国〉オープン時には、基本的な恐竜ツアーだけではじめることになるでしょう。このツアーにはあと数分で出発してもらいます。予定しているアトラクションはほかに六コースで、これはオープン後一年後の公開となります」

「ちょっと待った」グラントがいった。「アトラクションも用意する気なのか？　アミューズメント・パークみたいに？」

「ここは動物公園ですからね。いろいろなエリアのツアーを用意するわけですが、それをアトラクションと呼んでいるんです。それだけのことですよ」

グラントは渋面を作った。またしても不快感がこみあげてきた。恐竜をアミューズメント・パークの見せものにするなんて、がまんならない。

マルカムが質問をつづけた。「このコントロール・ルームから〈王国〉全体を管理できるのかね？」

「できますとも」とアーノルド。「必要とあらば、片手でもできます。徹底的に自動化を進めていますからね。人間が監視していなくとも、四八時間はコンピュータが自動的に恐竜たちを追跡し、エサを与え、水おけに水をやるんです」

「ミスター・ネドリー、これはきみが設計したシステムなんだな？」マルカムはネドリーに声をかけた。

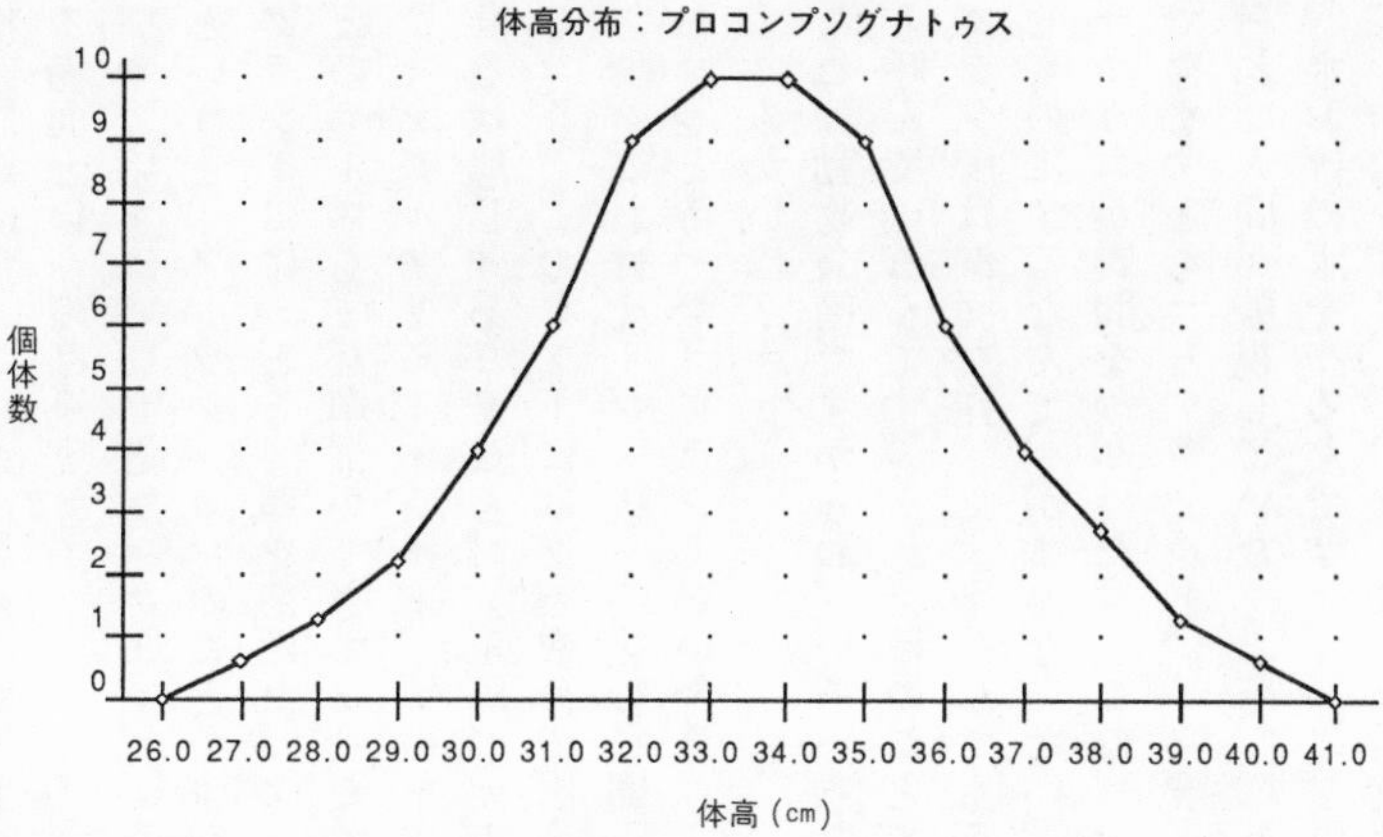

ネドリーは部屋のはずれのターミナルに腰かけ、チョコバーを食べながらなにかをタイプしており、キーボードから顔もあげずに、

「ああ、そうだよ」と答えた。

「まったく、たいしたシステムですよ」アーノルドが誇らしげにいった。

「そのとおり」ネドリーはうわの空のていで、「フィックスしなきゃならない小さなバグは二、三あるけどね」

「それでは」とアーノルドが水を向けた。「そろそろツアーのはじまる時刻のようです。ほかに質問がなければ……」

「もうひとつある」マルカムがいった。「単なる学問的な質問だ。きみはプロコンプソグナトゥスの全個体を追跡できること、一頭一頭の画像をとらえられることを見せてくれた。では、彼らをひとつの集団として見た研究はしているだろうか。たとえば、大きさの統計とか？　もし体高や体重を知りたいといわれたら……」

アーノルドがカチャカチャとキーをたたいた。べつのスクリーンがともった。（上図）

「どんなお望みにも、即座に応じられます」とアーノルド。

「コンピュータは映像イメージを読むさいに計数データをとって、瞬時に翻訳できるんです。これは動物個体数の一般的

なポアソン分布図ですよ。群れの大多数は平均値付近に分布していて、平均より大型・小型のものが数頭ずつ曲線の両端に位置しています」

「これは予想どおりのグラフだな？」とマルカム。

「そうです。健康な動物の個体数は必ずこのような分布図になります。さて――」アーノルドはまたつぎの煙草に火をつけて、「ほかに質問はありますか？」

「いいや」マルカム。「必要なことはもうわかった」

コントロール・ルームを出しなに、ジェナーロがマルカムに話しかけた。

「わたしには非常にすぐれたシステムのように思えるがね。この島から恐竜が逃げられるとはとても思えん」

「ほほう？」とマルカム。「わたしには明々白々なことに思えるがね」

「というと――ちょっと待て。きみはまだ恐竜が逃げたと思っているのか？」

「思っているんじゃない。逃げたことがわかったのさ」

「なぜだ？　きみも見たじゃないか。ここでは全部の恐竜を数えているんだぞ。どの恐竜も自由自在にカメラで見られる。どの恐竜がどこにいるかもつねに把握している。いったいどうやって脱出できるというんだ？」

マルカムはにやりと笑った。「明解なことなんだがねえ。思いこみがいけないんだよ」

「そっちの思いこみかもしれんじゃないか」憮然《ぶぜん》として、ジェナーロ。

「そうかな。考えてもみたまえ。ここの科学者と技術者が造りあげようとしている〈恐竜王国《ジュラシック・パーク》〉は、自己完結した、世界に例のない生態系だ。そしてコントロール・ルームの技術者たちは、ここに自然の世界をもとめている。さっき見せてくれたグラフがいい例さ。しかしだよ、この島であれほどみごとにあたりまえの曲線が成立するということは決定的におかしい。ちょっと考えてみれば、それはすぐにわ

かるはずだ」

「そうなのか？」

「そうだとも。さっきのウー博士の話を前提におけば、あんな個体数分布図になるわけがないんだ」

「どうしてだ？」

「あれが自然の世界の分布図だからだよ。この〈恐竜王国〉には自然の環境がない。〈恐竜王国〉は自然の世界ではないんだ。自然の世界を模倣しようとしてコントロールされた世界、それがこの島だ。その意味において、ここはほんとうの公園《パーク》といえる。様式美に満ちた日本庭園のようなものだな。その気になれば、人工的に手を加えることで、自然は本物よりも自然らしく見せることができるんだ」

「またわけがわからなくなってきた」当惑顔で、ジェナーロ。

「ツアーに出てみれば、なにもかもはっきりするさ」とマルカムはいった。

ツアー

「さあさあ、みなさん、こちらですよ、こちら」

エド・リージスがにこやかにいった。女性係員がそのかたわらで、ヘッドバンドに〈恐竜王国《ジュラシック・パーク》〉のラベルがつき、小さな青い恐竜のロゴがはいった日よけ帽《ソラトピー》を配っていく。

ヴィジター・センターの地下ガレージから二台のトヨタ製ランドクルーザーが走り出てきて、一行のそばで停止した。驚くほど静かな走行音だ。どちらの車にも運転手は乗っていない。サファリ・ジャケットの制服を着たふたりの黒人がドアをあけてくれた。

「一台につき二名さまから四名さま、一台につき二名さまから四名さままでご乗車になれます」録音された声がアナウンスした。「一〇歳未満のお子さまには、必ずおとなの方がおつきそいください。一台につき二名さまから四名さままで……」

ティムはグラントを目で追った。教授はサトラー、マルカム、それからあのジェナーロという弁護士といっしょに、一台めのランドクルーザーに乗りこんでいく。ティムは所在なげにレックスを見やった。妹はつったったまま、グローブにこぶしを打ちつけている。

ティムは一台めを指さし、リージスにたずねた。

「あっちに乗っちゃだめ?」

「どうも、お話があるみたいだね」とエド・リージスはいった。「技術的なお話らしいよ」

「技術的な話って興味があるんだ」とティム。「ぼく、あっちに乗りたい」

「まあまあ。お話の内容ならちゃんと聞けるよ。車同士の無線をつけっぱなしにしておくからね」

二台めがやってきた。ティムとレックスがまず乗りこみ、そのあとにエド・リージスがつづいた。

「これは電気自動車なんだ」とリージスが説明した。「道路に埋めたケーブルで誘導されているんだよ」

ティムはフロントシートにすわれたのがうれしかった。ダッシュボードにはふたつのコンピュータ・ディスプレイがあり、CD-ROM、つまりコンピュータ用レーザーディスクのプレイヤーらしい箱もセットされている。携帯用トランシーバーに、無線機らしい機械もあった。屋根の上には三本のアンテナがつきだしていて、グローブ・ボックスには不思議な形のゴーグルがひとつだけはいっていた。

黒人たちがランドクルーザーのドアを閉めた。電気的なうなりをあげて、車は発進した。前の車を見ると、マルカムとジェナーロが興奮したようすで指をつきつけあい、議論している。エド・リージスがいった。

「前の車でなにを話しているのか、きいてみようね」無線のスピーカーがガリガリと鳴った。

「いったいきみはなにしにここへきたんだ！」ジェナーロの声がスピーカーから流れ出てきた。かんかんに怒っているような声だった。

「こっちはちゃあんと役目を心得ているがねえ」マルカムの声だ。

「きみにはアドバイスを与えにきてもらったんだ、謎かけをしにきてもらったんじゃない。わたしはこの会社の五パーセントを所有しているし、ハモンドが責任をもって仕事をやっているのかどうかたしかめる務めがある。いつまでもわけのわからないことばかりいっているのなら――」

エド・リージスが無線機の通話ボタンを押した。

「もしもし、こちらリージスです。〈恐竜王国〉は無公害の方針で運営されておりまして、この軽量電気ランドクルーザーは、日本のトヨタに特注したものです。最終的には、アフリカのサファリ・パークと同じように、動物のあいだをぬって走れるようにしたいと思っていますが、当面はゆったりとすわって、自動運転によるツアーをお楽しみください」ちょっと間を置いてから、「ところで、お話はこちらにもよく聞こえるんですが」

「ええい、やくたいもない」ジェナーロの声がいった。「他聞をはばかって議論していられる状況ではないのだ。だいたい、わたしに無断であんな子供たちを呼ぶから、こんな——」

エド・リージスはにんまりと笑い、ボタンを押した。

「それよりも、見学をはじめようじゃありませんか。ね？」

車内にファンファーレが鳴りわたり、ダッシュボードのディスプレイに〝ようこそ〈恐竜王国〉へ〟の文字が現われた。つづいて、よく通る声が案内をはじめた。

「ようこそ、〈恐竜王国〉へ。あなたはいままさに、有史前の世界に足を踏みいれようとしています。地球上からとうに絶滅したはずの恐竜がのし歩く世界。その世界が、いよいよあなたの目の前に広がるのです」

「リチャード・カイリーだよ」エド・リージスがいった。「うちは金惜しみしないんだ」

二台のランドクルーザーは、ずんぐりとしたソテツの低い茂みのそばを通過した。リチャード・カイリーがつづけた。

「まず、周囲をとりまく驚くべき植物を見てください。左右に茂る木々はソテツといって、有史前に栄えた椰子の木の祖先です。草食恐竜の大好物がこのソテツなのです。ソテツのほかに、ベンネチテスやイチョウも見えますね。この恐竜の世界には、マツ、ヒノキ、ラクウショウといった、現代世界でもおなじみの木々も生えています。ようくまわりを見てください」

ランドクルーザーはゆっくりと、うっそうと茂るジャングルのあいだの道を進んでいった。本物のジャングルという幻想を高めるためだろう、壁やフェンスが緑の木々で巧妙に隠されている。

「恐竜というと、わたしたちはまず、巨大な生物を想像します」リチャード・カイリーの声がつづけた。「一億年のむかし、ジュラ紀や白亜紀の広大な湿原や森林をのし歩き、むしゃむしゃとソテツを食べる、巨大な草食恐竜の世界。しかし、ほとんどの恐竜は、みなさんが思っているほど大きくありません。いちばん小さな恐竜はネコぐらいの大きさしかなく、平均的な恐竜はポニーほどの大きさなのです。そこでまず、その平均的な恐竜の代表である、ヒプシロフォドン科の恐竜たちを訪ねてみることにしましょう。さあ、左を見てください。彼らの姿が見えるはずですよ」

全員が左に顔を向けた。

ランドクルーザーは低い隆起の上で停車した。左の茂みが部分的にとぎれ、そこから東の光景が見えている。くだり勾配の斜面をおおう森の向こうは、高さ一メートルほどの黄色い草でおおわれた草原になっていた。恐竜の姿はなかった。

「どこにいるのよ」レックスがいった。

ティムはダッシュボードに目を移した。トランスミッターのランプがまたたき、CD-ROMがうなりをあげた。自動システムがディスクにアクセスしているのだ。恐竜を追跡しているモーション・センサーがランドクルーザーのディスプレイと連動しているのだろう。ディスプレイにヒプシロフォドンの画像が現われ、その上にデータが表示された。

リチャード・カイリーの声がいった。

「ヒプシロフォドン科の恐竜は、恐竜界のカモシカです。小柄で敏捷で、かつてはイギリスから中央アジア、北アメリカにかけて、世界じゅうに分布していました。わたしたちはこの科が、非常に成功した恐竜であったと考えています。その顎と歯は、現生のカモシカたちよりも植物を咀嚼するのに適した構

造を持っていたからです。じっさい、〝ヒプシロフォドン〟という名前は〝高くうねった歯〟を意味しており、これはひとりでに削りあげられる、この恐竜独特の歯に由来します。ほら、まっすぐ前の平原や木の枝に、その姿が見えませんか？」

「木の枝ぉ？」レックスがいった。

「恐竜が木に登るの？」

ティムは双眼鏡で声の指示したあたりをさぐり、

「右のほうだ」といった。「あの大きな緑の幹を半分くらい登ったところ……」

光と影がまだらになった枝葉のなか、ヒヒほどの大きさのダークグリーンの動物が、木の枝の上で微動だにせずに立っていた。うしろ脚で立ったトカゲのように見える。だらりとたれた長い尾でバランスをとっている。

「オスニエリアだ」とティムはいった。

「そこに見える小柄な恐竜は、ヒプシロフォドン科のオスニエリアです」声が説明した。「これは発見者である一九世紀の恐竜ハンター、エール大学のオスニエル・チャールズ・マーシュにちなんでつけられた名前です」

ティムはさらに二頭のオスニエリアを見つけた。同じ木の、もっと上の枝に立っている。大きさも同じくらいだ。どれもまったく動こうとしない。

「つまんなーい」レックスがいった。「ぜんぜん動かないんだもん」

「下の草原には、ヒプシロフォドン科ヒプシロフォドンの群れが見られます」声がつづけた。「顔を出させるのはしごく簡単、ひと声交尾コールを聞かせてやればいいのです」

フェンスのラウドスピーカーから、ガチョウの啼き声のような、鼻にかかった長い啼き声が流れ出た。まっすぐ左の草原から、トカゲがひょいひょいと頭をもたげた。全部で六頭だ。その動作がおかしくて、ティムは笑った。

頭が引っこんだ。ふたたびラウドスピーカーが叫ぶと、まったく同じパターンで、またもやひょこひょこと頭があがった。驚くほど画一的な行動パターンだ。

「ヒプシロフォドンはあまり賢くありません」声が説明した。「だいたい、家畜の牛程度の知能です」

ヒプシロフォドンの頭は鈍い緑色で、ダークブラウンと黒の斑紋が、ほっそりした首すじをしだいに広がりながら這いおりていた。頭の大きさからすると、からだは約一・二メートル――シカと同じくらいの大きさだろうか。

数頭のヒプシロフォドンは、もぐもぐと顎を動かしていた。一頭が五本指の手をあげて頭をかいた。そのしぐさがどことなく哀愁を感じさせ、考え深げに見えた。

「からだをかくところが見えたなら、それは皮膚の病気です。ここ〈恐竜王国〉の獣医学者は、ファンガスかアレルギーだろうと考えていますが、たしかなところはわかっていません。なんといっても、ここにいるのは恐竜――史上はじめて生きた姿を観察される動物たちなのです」

ランドクルーザーのモーターが始動し、ギアがガガガとかみあう音がした。思いがけなく大きな音に驚いて、ヒプシロフォドンの群れは大きく跳びあがり、カンガルーのようにジャンプしながら草原を逃げていった。午後の陽光のもとで、その全身とたくましいうしろ脚、長い尾がはっきりと見えた。ほんの数回のジャンプで、早くもヒプシロフォドンの姿は見えなくなってしまった。

「さあ、これで魅力的な草食恐竜の見学はおしまい。つぎはもうすこし大型の恐竜を見にいくことにしましょう。すこしといっても、かなり大型ですよ」

ランドクルーザーは発進し、〈恐竜王国〉の南に向かって進みだした。

コントロール

「ギアのかみあう音がした」暗いコントロール・ルームのなかで、ジョン・アーノルドがいった。「ランドクルーザーBB4とBB5がもどってきたら、整備班に電気クラッチをチェックさせろ」

「わかりました、ミスター・アーノルド」インターカムの声が答えた。

「——瑣末なことを気にするのだな」

背後からハモンドの声がいった。ふりかえると、ちょうど老人がコントロール・ルームにはいってきたところだった。ハモンドは室内を見まわした。画面には〈王国〉を南へと向かう二台のランドクルーザーが映っている。マルドゥーンは部屋の一画に立ち、だまってモニターを見まもっていた。

アーノルドはすわったまま、中央コンソールからコントロール・パネルへと椅子を移動させると、「瑣末な問題なんて、ここにはありえませんよ、ハモンドさん」といって、またもや煙草に火をつけた。

彼はふだんから神経質な男だが、いまは特別ぴりぴりしている。なにしろ、部外者がはじめて〈王国〉ツアーに出ているのだ。どうにも心配でしかたがなかった。アーノルドのチームはめったに恐竜たちのもとへはいかない。獣医のハーディングはときどき出かけていくし、飼育係たちも受け持ちの飼料小屋にはいく。しかし、それ以外の要員はこのコントロール・ルームから〈王国〉を見わたすのがつねだった。いま、こうして外からの客が〈王国〉ツアーに出ていくところを見ていると、心配なことが数

かぎりなくあった。

ジョン・アーノルドはシステム・エンジニアだ。一九六〇年代後半にはポラリス潜水艦発射弾道ミサイルの開発にたずさわったが、ひとりめの子供が生まれると、兵器開発にかかわっているのにいやけがさしてきた。おりもおり、ディズニー社が高度に洗練されたテクノロジーを駆使するアミューズメント・パークのアトラクション開発に乗りだし、大量の航空宇宙関係技術者を雇いはじめていた。アーノルドもそのひとりとして、オーランドのディズニーワールド建設に加わり、その後もカリフォルニアのマジックマウンテン、ヴァージニアのオールドカントリー、ヒューストンのアストロワールドと、大手のアミューズメント・パーク建設につぎつぎにたずさわってきたのだった。

だが、パークの開発畑をわたり歩くうちに、彼の現実観はゆがんでしまった。半分冗談めかしてだが、アーノルドはよく、全世界が日増しにテーマ・パークの暗喩《メタファー》になりつつあるとこぼす。ある休暇のあとには、こんなことを口にした。

「パリという街は、テーマ・パークそのものだな。ちがうのはおそろしく高くつくことと、パークの従業員たちが愛想悪くてむすっとしていることだけだ」

この二年間のアーノルドの仕事は、〈恐竜王国《ジュラシック・パーク》〉の体裁を整え、公開できる状態にもっていくことだった。エンジニアなので、長期のスケジュールには慣れている。口癖は、〝九月オープン〟。来年の九月には一般公開するぞという意味だ。だが、その九月が近づいてくるにつれ、進捗《しんちょく》状況の悪さが心にのしかかってきた。経験上、パークのアトラクションのひとつからバグをとり除くのに数年はかかることがわかっている。ましてや、パーク全体を正常に運営するためには——

「心配性だな、きみも」ハモンドがいった。

「さあ、そうでしょうかね」とアーノルド。「いっておきますがね、技術者の視点から見れば、〈恐竜王国〉は史上はじまって以来の野心的なテーマ・パークなんです。客はそんなことなど考えもしないで

しょうが、それを考えるのがわたしの仕事だ」

アーノルドは問題点を指折り数えはじめた。

「第一に、〈恐竜王国〉はアミューズメント・パークなるものの問題をすべてかかえています。乗り物のメンテナンス、順番待ちの列の管理、交通ルートの確保、レストラン、宿泊施設、ゴミ処理、安全体制の整備。

第二に、ここは大型動物園の問題もひととおりかかえてるんです。動物の世話、健康管理、給餌と清掃、寄生虫・病害虫・アレルギー・病気の予防、柵の保守、その他諸々の雑事。

それに加えて、いままでだれも面倒を見たことのない大量の動物の世話という、前代未聞の難題が重なってるんですからね」

「最後の問題については、そうおおごとでもあるまいに」

「いいや、おおごとです。あなたはここで現場を見てないからそんなことがいえるんだ」アーノルドはゆずらなかった。「ティラノサウルスは湖の水を飲んでときどき病気になる。原因はわかりません。トリケラトプスは六頭以上のグループになるとテリトリーをめぐって殺しあう。これも原因不明。ステゴサウルスはしょちゅう舌に水ぶくれができるし、下痢ばかりしている。これも原因不明ですが、おかげで二頭が死にました。ヒプシロフォドンは皮膚病持ちです。ヴェロキラプトルともなると――」

「ヴェロキラプトルのことはいわんでもいい」とハモンド。「あれの話にはうんざりだ。あんなに兇暴な動物は見たこともない――と、口を開けばそればかりいう」

「しかし、事実ですよ」マルドゥーンが低い声でいった。「あれは一頭残らず、処分してしまうべきです」

「無線発信首輪をつけたいといったのはきみだったな」とハモンド。「それは承諾したはずだぞ」

「たしかにね。ところが連中、あっという間に首輪をかみちぎってしまう。それに、問題はヴェロキラ

プトルばかりではありません。たとえ連中が檻から逃げだせないとしても——〈恐竜王国〉がつねに危険な場所であるという点は認識しておく必要があります」

「きみまでがそんなことをいう。いったいきみたちはどっちの味方だ？」

「ここには絶滅したはずの恐竜が一五種もおり、そのほとんどが危険な生きものなんです」アーノルドがいった。「ジャングル・リバー・ライドの公開を延期せざるをえないのは、ディロフォサウルスのせいです。翼竜ドームの翼竜ロッジも同様。翼指竜《プテロダクテイルス》どもはなにをしでかすかわかりません。この遅延は技術的な問題ではないんですよ、ハモンドさん。恐竜の管理にかかわる問題なんです」

「技術的遅延を山ほどかかえておるくせに、恐竜のせいにするのはおかどちがいだ」

「たしかにそれは認めましょう。しかし、メイン・アトラクションの〈王国めぐり〉を正常に動作させるのは至難のわざなんです。モーション・センサーの情報をもとに車のCD－ROMを制御するのがどれほどたいへんか、考えてもみてください。それをちゃんと動くようにするだけで何週間もかかるんだ。しかも今度は、車のギアシフトに異常が出てきた。ただのギアシフトにですよ！」

「ものごとは正しく見ようではないか」とハモンドがいった。「きみが技術面をきちんとかたづけさえすれば、恐竜たちも自然におさまるところへおさまる。しょせんは動物だ、訓練できんはずがない」

アーノルドの見たところ、そもそものはじめから、これはハモンドの信念の核をなしているらしい。いくらエキゾチックであろうと、どこの動物園でも動物は動物らしくふるまっている。それなら恐竜も、そのうち〈王国〉側の世話のしかたを覚え、そのように反応するはずではないか、というわけだった。

「ところで、コンピュータのほうはどうなんだ？」ハモンドはそういって、デニス・ネドリーをじろりと見やった。ネドリーはコントロール・ルームの一画のターミナルで作業をつづけている。「いつもいつも、頭痛のタネはこのいまいましいコンピュータめだ」

「じきになおりますよ」とネドリー。

「最初からきちんと設計してさえおれば、こんなことには――」

いいつのろうとするハモンドの腕にそっとふれて、アーノルドはそのへんにしておいてくれとうながした。仕事中のネドリーをわずらわせたところで、時間のむだなだけだ。

「なにしろ、これほど大規模なシステムですからね」とアーノルド。「バグはつきものですよ」

事実、バグ・リストは一三〇項目以上にも達しており、そのなかには奇妙な障害が多数あった。たとえば――

恐竜給餌プログラム。これが二四時間ごとではなく、一二時間ごとにリセットされるため、日曜には給餌量が記録されない。その結果、スタッフは恐竜がどれだけのエサを食べたのか、正確にはつかめない状態になっている。

セキュリティ・システム。セキュリティ・カードで開くドアをすべて制御するこのシステムは、主電源が落ちると停止してしまい、予備電源がはいっても復旧しない。つまり、主電源でないとセキュリティ・プログラムは走らないのだ。

照度調整システム。これは午後一〇時になると照明を暗くするシステムだが、なぜか一日おきにしか作動しない。

排泄物自動分析システム(通称オート・フンコロガシ)。恐竜のフンのなかの寄生虫をチェックするプログラムだが、じっさいにはいもしないファゴストムム・ウェヌロスムという寄生虫を、必ずどの個体にも〝発見〟してしまう。そして、自動的に恐竜のエサに虫くだしをまぜてしまうのだ。無用の投与を防ぐため、給餌員が補給器から虫くだしをとりのぞくと、今度は警報が鳴りだし、これをとめるすべはない。

そんな不可解なエラーのリストは、何ページにもわたってつづいていた。

ここへきたとき、デニス・ネドリーは今週末だけでバグ・フィックスしてしまえるとたかをくくって

いたようだ。だが、バグ・リストを見せられたとたん、顔色を変えた。そしてケンブリッジのオフィスに電話をいれ、スタッフ・プログラマーたちに週末の予定を全部キャンセルし、月曜日まで臨戦体制で望めと指示を出した。アーノルドには、プログラマーたちとプログラム・データをやりとりするため、イスラ・ヌブラルと本土間の全電話回線を使う必要があると申しいれてきた。

ネドリーが作業をはじめると、アーノルドは自分のモニターに新しいウィンドウを開き、隅のコンソールでネドリーがしていることを確認した。ネドリーを信じていなかったわけではない。ただ、なにがどうなっているのかを知りたかっただけだ。以来ネドリーは、もくもくと作業をつづけている。

アーノルドは右のコンソールのグラフィック・ディスプレイを見た。そこには電気ランドクルーザーの進み具合が表示されていた。二台の車は翼竜ドームのすぐ北を流れる川ぞいの道づたいに、鳥盤目エリアへと近づきつつあった。

「左を見てください」声がいった。「あそこにあるのは〈恐竜王国〉の翼竜ドームです。まだ完成していないので、一般公開はされていません」

いわれたとおり、ティムはそちらを見やった。彼方にアルミ構造材のきらめきが見える。

「そのすぐ下にあるのが、中生代のジャングル・リバーです。運がよければ、とても珍しい肉食恐竜の姿が見られるかも――。さあみなさん、よく目を開いて!」

ランドクルーザーのディスプレイが、まっ赤なとさかを持つ、鳥のような頭を映しだした。だが、ティムの車に乗っている者は、全員が窓の外を見つめていた。車は小高い尾根を進んでおり、左手下方には流れの速い川が見える。両岸からせりだす密生した枝葉が、屋根のように川におおいかぶさっている。

「ほうら、何頭かいましたね」声がいった。「この恐竜は、ディロフォサウルスといいます」

声は何頭かといったが、ティムは一頭しか見つけられなかった。そのディロフォサウルスは、川辺に

あと脚で立ち、上体をかがめて水を飲んでいた。体格は基本的に肉食恐竜のそれだ。がっしりした尾、力強いあと脚、長い首。体長は三メートル強で、ヒョウのように黄色地に黒の斑紋がある。

なによりもティムの興味を引いたのは、その頭部だった。目の上から鼻にかけて山型に走る、二枚の幅の広い冠。二枚は根元でくっついており、頭上でV字型に広がっている。冠には赤と黒の縞模様が走っていて、オウムかオオハシのようだ。と、ディロフォサウルスが、ホウ、ホウ、とフクロウのようなやさしい啼き声をあげた。

「かーわいい」とレックス。

「ディロフォサウルスは——」と声はつづけた。「もっとも初期の肉食恐竜の一種です。その顎の筋肉には獲物を倒すだけの力がなく、主に屍肉をあさっていたのではないかと古生物学者は考えていました。ところがディロフォサウルスには——毒があったのです」

「そうそう」にっこり笑って、ティム。「本に書いてあったとおりだ」

ホウ、ホウ。もういちど、ディロフォサウルスのフクロウのような啼き声が、午後の陽光のなかに響いた。

レックスが不安そうにもぞもぞと身を動かした。「ほんとに毒があるの、リージスさん？」

「心配いらないよ」とエド・リージス。

「ねえ、あるの？」

「あ、ああ。そうなんだ、レックス」

「現生のドクトカゲやガラガラヘビと同じように、ディロフォサウルスも口のなかの毒腺から血毒素を分泌します。咬まれたものは数分で意識をなくしてしまいますから、それからおもむろに、好きなように獲物を始末するというわけです。この〈恐竜王国〉を徘徊する恐竜たちのなかでもひときわ美しい、けれども非常に恐るべき恐竜——それがディロフォサウルスです」

ランドクルーザーは角を曲がり、川から離れだした。もういちどディロフォサウルスの姿が見えないかと、ティムをうしろふりかえった。なんてすごいんだろう！　毒を持った恐竜なんて！　できることなら車をとめてほしかったが、すべては自動的に進んでいた。きっとグラント教授も、車をとめたくてしかたがなかったにちがいない。

「ここで右手の絶壁の頂上を見てください。あれこそは、当〈王国〉が誇る三つ星レストラン、〈レ・ジガント〉。世界的に有名なフランスの〈ル・ボーマニエール〉から、とくにアラン・リシャールをシェフにお迎えしました。ご予約はロッジのお部屋からダイヤル4でどうぞ」

ティムは絶壁の上を見あげたが、そこにはなにもなかった。

「まだできてないんだよ」エド・リージスが説明した。「レストランの建設がはじまるのは十一月からなんだ」

「――有史前の探険をつづけましょう。つぎは鳥盤目の草食恐竜です。右手を見てください。もうそろそろ見えてくるはずです」

そのことばどおり、大木の陰にじっとたたずむ、二頭の恐竜が見えた。トリケラトプスだ。大きさや灰色の体色はゾウそっくりだが、サイのような攻撃的スタンスをとっているところがちがう。左右の目の上に一本ずつつきでた角の長さは一メートル半、ちょうど象牙を逆向きにしたように見える。三本めの、サイのそれに似た角は、鼻の近くに位置していた。嘴《くちばし》のような鼻づらもサイによく似ている。

「ほかの恐竜とちがって」と声がつづけた。「トリケラトプス・セラトゥスは目がよく見えません。今日のサイと同じように、近眼なのです。しかも、動くものに驚きやすい。もしわたしたちの車が見えるほど近くにいたら、たちまち突進してくることでしょう！　しかし、ご安心――この距離なら安全です。トリケラトプスには頭のうしろに扇形の襟飾りがあります。これは固い骨でできていて、とても丈夫です。一頭の重さは約七トン。いかめしい外見とは裏腹に、じっさいにはたいへんおとなしい恐竜で、

飼育係の顔もよく覚え、とてもなついています。とくに、からだのうしろのほうをかいてやると大喜びします」

「どうして動かないの？」レックスがいって、いきなり窓をおろした。「おーい！　このバカ恐竜！動けーっ！」

「恐竜を刺激しちゃいけないねえ、レックス」エド・リージスがいった。

「どうしてよ？　バカじゃん、あいつら。本の絵みたいにじーっとしてるだけだもん」

声は説明をつづけている。

「──て、太古の世界からよみがえったこの気のいい恐竜たちとあまりにも対照的なのが、これから見にいく怪物です。史上もっとも有名な捕食動物、最大最強のトカゲの王者──その名は、ティラノサウルス・レックス」

「いよいよだぞ、ティラノサウルス・レックスだ」ティムがいった。

「ここのデクノボウみたいなんじゃないといいけどな」ぷいとトリケラトプスから顔をそむけて、レックス。

ランドクルーザーは、ごとごとと進んでいった。

ビッグ・レックス

「暴君竜ティラノサウルスは、恐竜時代も後期になってから登場しました。恐竜は一億二〇〇〇万年の長きにわたって地球を支配しましたが、ティラノサウルスが地上に君臨したのは、その最後の一五〇〇万年間のことです」

ランドクルーザーは小高い丘の上で停車した。森林におおわれた南側の斜面は、なだらかに傾斜して湖へとつづいている。太陽は大きく西にかたむき、霧におおわれた地平線へ沈みかけていた。〈恐竜《ジュラシック》・王国《パーク》〉の景観全体がやわらかな夕陽を浴びて、影が長く伸びている。さざ波のたつ湖面は、きらめくピンクの三日月でいっぱいだ。ずっと南のほうには、数頭のアパトサウルスの優美な首が見えた。湖岸に立つ巨竜たちのからだが、波立つ湖面に反射している。ものういセミしぐれを除いては、なんの音も聞こえない。その眺めを見ているうちに、グラントはほんとうに何千万年もの時をさかのぼり、太古に滅びた世界へやってきたような気分になってきた。

「どうです、雰囲気満点でしょう?」無線機からエド・リージスの声がいった。「わたしはね、夕方になると、よくここへくるんですよ。そして、じっとすわってるんです」

グラントは雰囲気に呑まれることなく、質問した。

「Tレックスはどこだい?」

「いい質問ですね。チビスケのほうはよく湖の近くをうろちょろしてます。湖には魚を放流してありましてね。やっこさん、魚のつかまえかたを覚えたんですよ。おもしろいですよ、チビスケのつかまえかたは。前足を使わないで、頭ごとざぶんと水中につっこむんです。鳥みたいにね」

「チビスケ?」

「小さなTレックスのことですよ。まだ二歳の子供で、大きさは成体の三分の一ほどですかね。高さは二メートル半、体重は一トン半。もう一頭は完全成体のティラノサウルスですが、いまのところ、見あたらないようです」

「草食恐竜を狩りにいってるんじゃないのかな」とグラント。

リージスが笑った。無線を通して聞く彼の声は、ちょっと金属的だった。

「できることならそうするでしょう。ときどき湖のそばに立って、アパトサウルスをじーっと見てますよ。しきりに前足を、こう、いらいらと動かしてね。しかし、Tレックスのテリトリーは濠とフェンスで完璧に囲いこんであります。見たところわかりませんが、信じてください、やっこさんはどこへもいけやしません」

「それなら、いまはどこにいるんだ?」

「隠れてるんですよ」とリージス。「彼、ちょっとばかりシャイなもんでね」

「シャイ?」今度はマルカムがいった。「ティラノサウルス・レックスがシャイだって?」

「そのう、原則としてね、やっこさんはいつも隠れてるんです。開けた場所で姿を見ることはまずありません。とくに、昼間はね」

「なぜだ?」

「お肌がデリケートで、日焼けしやすいんじゃないかという話です」

マルカムが笑いだした。

グラントがため息をつき、いった。

「いろいろと夢をぶち壊してくれるものだ」

「がっかりしなくてもいいですよ」とリージス。「まあ待っていてごらんなさいな」

どこかからおだやかなメエェェという声が聞こえた。ついで空き地のまんなかに、天井のない小さな檻がせりあがってきた。地下から油圧で持ちあげられているようだ。なかにはヤギが一頭はいっている。と、檻の周囲の格子が下にさがりだし、ヤギは縄でつながれたまま空き地のまんなかにとり残され、悲しげに鳴きつづけた。

「もうじきです」と、ふたたび、リージス。

一行は窓の外を見つめた。

「見たまえ、彼らを」コントロール・ルームのモニターを見つめて、ハモンドがいった。「かぶりつきで窓の外を見つめておる。一刻も待てんという風情ではないか。やはり危険あってこそのショーというものだ」

「心配なのはそこです」マルドゥーンは指先に鍵を引っかけてくるくるまわしながら、緊張の面持ちでランドクルーザーを見つめていた。部外者によるはじめての〈恐竜王国〉ツアーとあって、マルドゥーンもアーノルドと同様、不安でたまらないのだ。

ロバート・マルドゥーンは大柄な男で、年齢は五〇歳、スティール・グレーの口髭と深いブルーの瞳の持ち主だった。ケニアで生まれ育ち、父親のあとをついで、アフリカのビッグゲーム・ハンターのガイドとして人生の大半を送ってきたのだが、一九八〇年以降は野生動物コンサルタントとして、動物保護団体や動物園設計者と仕事をするようになった。この世界では名の通ったほうで、ロンドン・サンデー・タイムズのある記事では、こんなふうな評価をされたこともある。

〝ゴルフ・コース設計の第一人者といえばロバート・トレント・ジョーンズだが、動物園の設計でそれに相当するのが、ロバート・マルドゥーン。比類なき知識と技術の持ち主だ〟

一九八六年には、サンフランシスコのある会社の依頼を受け、北アメリカのある島で私立の自然動物公園建設にたずさわった。そのさい、各種動物区の境界を定め、ライオン、ゾウ、シマウマ、カバなどに必要な放し飼いスペースを指示したのがマルドゥーンであり、いっしょにしてもよい動物と分けておくべき動物の選別を行なったのも彼だった。しかしそのころにはもう、この仕事はすっかりルーティーンと化しており、むしろカシミール南部に造るというインドの動物公園、タイガーワールドのほうに興味を引かれていた。

そんなおり、一年ほど前のことだが、この〈恐竜王国〉の恐竜監視員としての話が舞いこんできた。たまたまアフリカを離れたいと思っていたこと、サラリーが抜群なこともあって、マルドゥーンは一年契約でこの仕事を引き受けた。ここがじつは遺伝子操作された有史前の恐竜だらけであると知ったときには、心底から驚いたものだ。

もちろんこれは興味つきない仕事だったが、アフリカで過ごした長年の経験から、マルドゥーンは確固たる動物観を——あまりロマンティックではない動物観を持つにいたっており、そのせいでカリフォルニアの〈恐竜王国〉管理本部とは、なにかと摩擦を起こした。なかでもとくに意見の衝突が多かった相手が、コントロール・ルームでたったいま目の前に立っている、この口うるさい小男だった。恐竜のクローニングは実験室でできるにしても、それを野外で放し飼いにするとなると、問題の質はまったく変わってくる。それがマルドゥーンの持論である。

彼の見るところ、一部の恐竜はおそろしく危険で、この手の動物公園で飼えるようなしろものではない。そもそも、恐竜についてはまだわかっていないことが多すぎる。たとえば、ディロフォサウルス。この島原産のネズミを狩る現場を目撃されるまで、あの恐竜に毒があるとはだれひとり予想だにしてい

なかった。ネズミを咬むと、彼らはすぐにあとずさり、獲物が死ぬまで待っているのだ。予想外の能力はそれだけにとどまらず、ディロフォサウルスには遠くまで毒を吐きかける能力があった。いきなり毒を吐きかけられた飼育係などは、あやうく失明しかけたこともある。

ハモンドがしぶしぶディロフォサウルスの毒の分析を認めたのは、そんな事件があってからのことだった。分析の結果、毒には七種の有毒酵素がふくまれていることがわかった。しかもディロフォサウルスは、じつに一五メートルも先まで毒を飛ばす。これでは車で島をめぐる客が目をつぶされてしまいかねない。ここにいたって、ようやく管理本部は毒嚢を切除する決定をくだした。だが、獣医が二頭のディロフォサウルスをつかまえて調べてみたところ、どちらからも毒嚢を切りとることはできなかった。どこから毒が分泌されるのかわからないのだ。それを調べるためには、一頭を解剖せざるをえないが——管理本部は頑として、一頭も殺してはならないといってゆずらなかった。

それよりもさらに心配なのが、ヴェロキラプトルである。あの連中は天性のハンターであり、決して獲物をとりのがすことがない。おまけに、腹がへっていなくても獲物を殺す。殺戮そのものが好きなのだ。動きはじつにすばやく、猛スピードで地を駆け、驚くほどのジャンプ力を見せる。四肢すべてに鋭い鉤爪を具え、片手の一撃だけでも人間の腹はあっさり裂けて臓物がこぼれでてしまう。その強力な顎と歯は、肉片を咀嚼するためではなく、むしりとるためのもの。知能はほかの恐竜よりはるかに高く、生まれついての檻破りの名手だ。

動物園の専門家であれば、動物のなかにはことさら檻からぬけだすことの好きな種類がいることを知っている。たとえばサルやゾウは、檻の扉をあけることができる。野生のブタもかなり高い知能の持ち主で、鼻づらで扉のロックを押しあげてしまうことがある。しかし、なかでもとくに檻ぬけの得意なのが、オオアルマジロだ。そして、ヘラジカ。ヘラジカはゾウの鼻と同じくらい器用に鼻づらを使いこなし、いつもまんまと檻をぬけてしまう。やはり、天性のものがあるらしい。

そしてそれは、ヴェロキラプトルも同様だった。

ラプトルはすくなくともチンパンジーなみの知能を持っている。そして、チンパンジーと同じように手先が器用で、扉をこじあけ、ものをいじることができる。檻をぬけるなど朝めし前だ。やがてマルドゥーンの不安は現実となり、ヴェロキラプトルの一頭が逃げだした。そのラプトルはつかまるまでに建設作業員をふたり殺し、もうひとりに重傷を負わせた。その事件以後、サファリ・ロッジには頑丈な鉄柵のゲートが設置され、周囲にも高い鉄柵が張りめぐらされ、ガラスはすべて強化ガラスに交換された。ラプトルの囲いも新設されて、電子センサーをとりつけられ、万一また脱走があった場合には、ただちに警報が鳴るようにセットされた。

だが、マルドゥーンはそれだけでは安心できず、銃も要求した。それに、携帯式のTOW——対戦車誘導ミサイルも。ハンターたる者、四トンのアフリカゾウをしとめるのがどれほどおおごとなのかを知っている。そしてここの恐竜のなかには、その一〇倍の体重を持つものもいるのだ。だが、管理本部は難色を示し、島には絶対に銃など装備させないといいはった。向こうが折れたのは、マルドゥーンが辞職をちらつかせ、マスコミに一件を暴露するぞと脅しをかけてからのことだ。結局、特別開発のレーザー照準式ロケット・ランチャーが一基だけ導入され、いまは地下の武器庫に格納されている。その部屋の鍵を持っているのはマルドゥーンだけだ。

いま彼が指先でもてあそんでいるのは、その鍵だった。

「ちょっと地下室にいってくる」とマルドゥーンはいった。

アーノルドがモニターを見つめたままうなずいた。二台のランドクルーザーは丘の頂上に停車し、Tレックスが現われるのを待っている。

「あのさあ」遠くのコンソールから、デニス・ネドリーに呼びとめられた。「もどってくるとき、コーク買ってきてもらえる？」

グラントは車のなかで待機したまま、固唾《かたず》をのんでヤギを見つめた。ヤギの鳴き声がしだいに大きく、切迫した調子を帯びていく。必死につなぎ縄を引っぱっては、右往左往している。無線機から、レックスが不安そうな声でこういうのが聞こえた。

「ねえ、あのヤギ、どうなっちゃうの？　あのヤギ、食べられちゃうの？」

「たぶんね」だれかがそう答えたときだった――ふいに、そのにおいがただよってきた。ものの腐ったようなにおいが、丘の斜面を這いのぼってくる。

グラントが小声でいった。

「彼がきた」

「彼女だ」とマルカム。

ヤギは空き地のまんなかにつながれており、いちばん近い木立ちまでは三〇メートルほどだ。ティラノサウルスはその木立ちのなかにいるのだろう。だが、いまのところ、なにも見えない。そこでグラントは、視線が低すぎることに気がついた。恐竜の頭は地面から六メートルの高さに達し、ソテツの梢の枝で半分がた隠されていたのだ。

マルカムがささやいた。

「でかい……まるで家だ……」

グラントは巨竜のずんぐりした巨大な頭を見つめた。長さは一メートル半、赤褐色のまだらでおおわれ、巨大な顎には大きな牙がならんでいる。その顎がいったん開き、また閉じた。が、恐竜はソテツのあいだからなかなか出てこようとしない。

「どのくらい待つ気だろう？」ふたたび、マルカム。

「たぶん、三、四分だろう。あるいは――」

だしぬけに、声もあげずにティラノサウルスが跳びだし、その全身をさらけだした。飛ぶように地を蹴り、たったの四歩で三〇メートルをまたぎ越えると、身をかがめて頭をつきだし、猛然とヤギの首にかぶりついた。ヤギの鳴き声がとまった。ついで、静寂。

ティラノサウルスは殺した獲物のそばで仁王立ちになり、急に不安そうなようすを見せた。発達した首の筋肉で巨大な頭を動かして、あちこちを見まわしている。やがて、丘の高みにとまったランドクルーザーに、ぴたりとその目をすえた。

マルカムがささやいた。「見えるのかな?」

「もちろんですよ」無線機からリージスの声がいった。「わたしたちの見ている前で食べるか、どこかへ持っていって食べるか、ひとつ見物といきましょう」

ティラノサウルスは身をかがめ、倒したヤギのにおいをフンフンと嗅いだ。どこかで鳥がさえずった。たちまち、ティラノサウルスがぴくんと顔をあげた。そして、かくかくと小刻みに顔を動かして、あたりに警戒の目を配った。

「鳥みたいね」とエリー。

なおもティラノサウルスはためらっている。

「なにを警戒しているんだ?」マルカムがきいた。

「たぶん、べつのティラノサウルスだろう」グラントがささやき返した。

ライオンやトラのような肉食獣は、獲物を倒したあと、急に第三者の目を感じとったように慎重な態度をとることが多い。一九世紀の動物学者は、これは自分のした罪深い行為に罪の意識を感じるためだと考えたものだ。しかし現代の科学者は、肉食獣が獲物を倒したあと——何時間もかけて忍耐強く追いかけまわし、ようやく獲物を手にいれたあとのこの行動が、狩の失敗の度合いと関係深いことを証明した。〝爪と牙で血まみれの大自然〟という通念はまちがっている。獲物はたいてい逃げおおせるのだ。

獲物を倒したら倒したで、肉食獣はべつの捕食動物の心配をしなくてはならない。いつなんどき、第三者が獲物を横どりしようと襲いかかってくるかもしれないからだ。だからこのティラノサウルスも、ほかのティラノサウルスを恐れているのだろう。

巨大な肉食恐竜はふたたびヤギにかがみこんだ。そして、巨大な後肢のかたほうで死体を押さえつけ、顎で肉をかみちぎりはじめた。

「ここで食べる気だ」リージスの声がささやいた。「すばらしい」

血のしたたる肉片をくわえて、ティラノサウルスはまたもや頭をあげた。そして、ランドクルーザーをじっと凝視した。肉片をかみだした。ボキボキと骨のひしゃげる、不気味な音がした。

「やだぁ、こんなの」無線機から、レックスの声。「気持ち悪いぃ」

そこでとうとう、もっと用心したほうが安全だと判断したのだろう、ティラノサウルスは残ったヤギのからだをくわえ、静かに木立ちのあいだへ運びだした。

「ごらんになりましたか、みなさん、あれがティラノサウルス・レックスです」

リチャード・カイリーの声が説明した。ランドクルーザーは発進し、静かに緑道を進みはじめた。

マルカムがシートの背にもたれかかり、「たいへんなものだな」といった。

ジェナーロは額の汗をぬぐった。すっかり蒼ざめていた。

コントロール

　ヘンリー・ウーがコントロール・ルームにはいっていくと、暗いなかで全員が席につき、無線の声に聞きいっているところだった。

「――すさまじい。もしあんなしろものが逃げだしたら」金属的な響きをともなってスピーカーから聞こえているのは、ジェナーロの声だ。「とめる手だてはない」

「たしかに、とめる手だてはない……」

「あんなにでかくて、天敵もいないとあっては……」

「それを考えると、こいつは恐ろしいぞ……」

　モニターを見ながらハモンドがいった。「ろくでなしどもめ。なぜこうも否定的なのだ」

「まだ恐竜が逃げる心配をしているんですか？　わかりませんね。なにもかもきちんと運営されていることくらい、もうわかっていいはずなんですが。恐竜の遺伝子操作も万全、リゾート地の造成も万全……」そういって、ウーは肩をすくめた。

　この〈王国〉に根本的な欠陥がないことを、ウーは確信している。古生物DNAの複製に根本的な欠陥がないのと同じことだ。たしかに古生物DNAにも欠陥はあるが、それは本質的に遺伝コードのなかの部分的な瑕疵《かし》であり、表現型に瑣末な問題をもたらすものでしかない。たとえばちゃんと機能しない

酵素、高次構造形成しないタンパク質などである。どんなに困難であろうとも、それはつぎのバージョンでは比較的ささやかな調整で解消できる程度の問題だ。

同じように、〈恐竜王国〉《ジュラシック・パーク》がかかえているのも根本的な問題ではない。管理面にはなんの問題もないし、恐竜が逃げだすというような、基本的だが深刻な問題など起きるはずがない。自分のかかわっているシステムでそのようなことが起こると思われるだけでも不愉快だった。

「またしても、あのマルカムめだ」ハモンドが怒りのこもった声でいった。「ことあるごとにけちをつけおって。そもそもあいつは、最初からこの計画に反対だったのだ。複雑なシステムはコントロールできず、自然は模倣できないというのがあの男の持論だからな。いったいどこに問題があるというのだ。われわれは動物園を造っているだけではないか。世界じゅうに動物園はごまんとあるし、どこも問題なく運営されている。よほど持論を——偶然の作用を証明したくてしかたがないのだな。あいつの寝ごとに血迷って、ジェナーロのやつが当〈王国〉を閉鎖しようなどと思いつめなければいいのだが」

ウーがたずねた。「ジェナーロにそんな力があるんですか?」

「あるものか」とハモンド。「だが、やつには日本の投資家に働きかけて資本を引きあげさせることができる。サンホセの当局に密告することもできる。いずれにしても、面倒なことにはなる」

アーノルドが煙草をもみ消して、「ともかく、なりゆきを見ましょう」といった。「われわれはこの〈王国〉の管理体制を信じています。どれだけうまく機能してくれるものか、見まもろうじゃありませんか」

マルドゥーンはエレベーターをおり、一階の守衛にうなずきかけると、階段をおりて地下ガレージにはいった。電気をつけた。地下ガレージには二〇台以上のランドクルーザーがきちんと列を作ってならんでいた。いずれも電気自動車で、開園の暁には〈王国〉の足となり、島をひとめぐりしてヴィジター

・センターへともどってくる無限ループを形成するはずのものだ。

隅のほうには、赤い縞のはいったジープが一台あった。二台あるガソリン・エンジン車の一台で——もう一台は今朝がた獣医のハーディングが乗って出かけたままだ——これなら〈王国〉内のどこにでもいけるし、恐竜のエリアにだってはいっていける。ななめに赤い縞模様が描いてあるのは、どういうわけかこの模様を見ると、トリケラトプスが突進してこようとしないからだ。

マルドゥーンはジープの前を通りすぎ、奥の部屋へと向かった。武器庫の鋼鉄の扉にはなんのマークも描かれていない。錠をあけ、重い扉を大きくあけはなった。室内には銃架がずらりとならんでいた。そのなかから、虎の子のランドラー・ショルダー・ロケット・ランチャーと麻酔針ひと箱をとり、反対の腕にグレイのロケット弾二発をかいこんだ。

扉をロックして、ランチャーをジープの後部シートに放りこむ。上階にもどろうと階段を登りかけたとき、遠く雷鳴の音が轟いた。

「こりゃあ、ひと雨くるかな」空を見あげて、エド・リージスがいった。

〈竜脚類の湿原〉のそばで、ランドクルーザーはふたたび停車していた。多数のアパトサウルスの群れが、ソテツの梢の葉を食べながら湖岸を移動していく。同じ地域には、口がカモの嘴そっくりのカモノハシ竜が何頭かいた。ハドロサウルス亜科のハドロサウルスのようだ。こちらはアパトサウルスよりうんと小さい。

もちろんティムは、ハドロサウルスがそれほど小さくないことは知っている。むしろアパトサウルスが大きすぎるだけなのだ。長い長い首の先についた小さな頭は、地上一五メートルの高さにも達している。

「あそこにいる巨大な恐竜は、一般にブロントサウルスと呼ばれるものです」カイリーの声が説明した。

「しかし、正しい呼び名はアパトサウルス。体重は三〇トン以上もあります。アパトサウルス一頭で、現代のゾウ何頭ぶんもあるわけですね。彼らが好む場所をよく見てください。湖のそばではありますが、じめじめした湿原ではありません。恐竜の本に書いてあるのとちがって、ブロントサウルスは湿原をきらいます。彼らは乾いた陸地が好きなのです」

「ブロントサウルスはね、いちばん大きな恐竜なんだよ、レックス」

エド・リージスが知ったかぶりをした。ティムは訂正する気にもなれなかった。じっさいには、ブラキオサウルスのほうがアパトサウルスより三倍は大きい。そのブラキオサウルスよりも、ウルトラサウルスやサイズモサウルスのほうがさらに大きかったと考える学者もいる。サイズモサウルスになると、一〇〇トンはあったかもしれないといわれているほどだ！

アパトサウルスの近くでは、ハドロサウルスの群れがうしろ脚で立ちあがり、木の葉を食べていた。アパトサウルスより小さいとはいえ、これほど大きな動物にしてはじつに優美な動きだ。そばには数頭のハドロサウルスの幼体がおり、成体のまわりを駆けまわって、おとなの口から落ちた葉っぱを拾って食べている。

「〈恐竜王国〉の恐竜たちは子供を産みません」声がつづけた。「あそこにいる子供たちは、二、三カ月前、べつの場所で生まれた赤ん坊をここへ連れてきたものです。それでも、おとなたちは、やってきた子供たちの面倒をみています」

ゴロゴロゴロ――。遠く、雷の音がした。空がどんよりと暗く、低く、禍禍《まがまが》しげな様相を帯びてきた。

「たしかに雨だぞ、こりゃあ」ふたたび、エド・リージス。

車が前進しだしたので、ティムはハドロサウルスに視線をもどした。そのときだった。平原のはずれを、淡い黄色の動物がさっとかすめた。その背中に見えた茶色の縞――。即座に正体に気づいて、ティムは叫んだ。

「待って！　車をとめて！」

「どうしたんだい？」とエド・リージス。

「早く！　車をとめて！」

「有史前の大型動物ツアー、最後はステゴサウルスを見にいくことにしましょう」アナウンスがつづく。

「だからどうしたんだい、ティム？」

「見たんだよ！　あの平原のはずれに！」

「なにを？」

「ヴェロキラプトルだよ！　いたんだ！」

「ステゴサウルスはジュラ紀中期の恐竜で、一億七〇〇〇万年ほど前に栄えました。この驚くべき草食恐竜が、当〈恐竜王国〉にも数頭棲んでいます」

「そりゃあなにかの見まちがいだよ、ティム」とエド・リージス。「こんなところにラプトルがいるはずがない」

「見たんだってば！　車をとめて！」

騒ぎがもう一台の車のグラントとマルカムに伝わると、無線機からざわめきが聞こえてきた。

「ティムがラプトルを見たといってる」

「どこに？」

「あの平原のはずれだ」

「引き返して見にいこう」

「それはむりですよ」エド・リージスが口をはさんだ。「この車は前にしか進めません。そうプログラムされてるんです」

「引き返せない？」グラントの声が問い返した。

「そうです。申しわけありませんがね。わかってくださいよ、こういうアトラクションの乗り物は——」

「ティム、こちらはマルカム教授だ」無線機の声が押しかぶせるようにいった。「そのラプトルのことでひとつだけ教えてくれ。それは何歳くらいに見えた？」

「新生児室で見た赤ん坊より大きくて、囲いで見たのより小さかったです。あのおとなは二メートル近かったでしょう。いまのはその半分くらいだった」

「そいつはいいぞ」とマルカム。

「ほんのちらりとしか見えなかったけど……」とティム。

「ラプトルのはずはないですよ」エド・リージスがくりかえした。「そんなはずありません。きっとオスニエリアですよ。よくフェンスを跳び越えるんです。連れもどすのに、いつも往生するんだ」

「あれ、絶対にラプトルだったよ」とティムがいった。

「あたし、おなかへったー」レックスがぐずりだした。

コントロール・ルームで、アーノルドがウーに向きなおった。

「あの子が見たのはなんだと思う？」

「オスニエリアに決まってる」

アーノルドもうなずいた。「オスニエリアとなると、つかまえるのはやっかいだな。しじゅう木の上にいるから」

恐竜たちの行動は分単位で追跡しているが、その唯一の例外がオスニエリアだった。木の上に登られるたびに、コンピュータは決まってオスニエリアの姿を見失ってしまうのだ。

「気にいらん」ハモンドがいった。「こんなにもすばらしい、こんなにも夢でいっぱいのアミューズメ

ント・パークにきていながら、わが最初の客たちは会計士のような見方しかしようとせん。粗《あら》さがしをするばかりで、ここのすばらしさをいっこうに楽しもうとせん」

「まあ、人種が人種ですからね」とアーノルド。「相手は学者さんです、すなおに感嘆しちゃくれませんよ」

そのとき、インターカムが鳴り、声が報告した。

「ジョン、こちら桟橋の〈アン・B〉だ。まだ荷揚げはおわっていないが、南のほうに嵐の徴候が見える。波が荒くならないうちに、沖合へ避難したいんだが」

アーノルドは補給船を映すモニターに向きなおった。いまは島の東にある桟橋にもやわれているところだ。アーノルドは無線機の通話ボタンを押した。

「残りの積荷はどのくらいだ、ジム?」

「あと、コンテナが三つだけだ。積荷目録は確認していないが、これ、二週間後じゃだめかね。なにせここはあまりいい停泊場所じゃないし、本土からは一五〇キロも離れてるからなあ」

「出港許可をもとめてるわけか?」

「そういうことだ」

「そのコンテナはぜひほしい」ハモンドが口を出した。「その積荷は実験室に必要なものだ。なんとしてもおろさせろ」

「そうはおっしゃいますがね」とアーノルド。「桟橋に防波堤を造る金を惜しんだのはあなたですよ。だからこの島にはちゃんとした港がない。嵐がひどくなれば船は桟橋にたたきつけられます。そんなふうにして沈んだ船をたくさん見てきました。そうすると、かえって出費がかさむ結果になります。かわりの船だけでなく、桟橋から障害物をサルベージするための費用もいるし……しかもそれまで桟橋は使えなくなる……」

ハモンドは不快そうに手をひとふりした。「わかったわかった。さっさと出港させるがいい」

「出港を認める、〈アン・B〉」アーノルドが無線にいった。

「じゃ、二週間後にな」船からの返事が返ってきた。

モニターに映った甲板の船員たちが、もやい綱をほどきはじめた。アーノルドはメイン・コンソールに注意をもどした。ランドクルーザーは、蒸気に包まれた草原を進んでいくところだ。

「いま、どこだ？」ハモンドがきいた。

「南の草原のようですね」とアーノルド。島の南部は北部よりも火山活動が活発なのだ。「ということは、そろそろステゴサウルスに出会うはずです。そこで停車して、ハーディングの作業を見学することになるでしょう」

ステゴサウルス

ランドクルーザーがとまると、エリー・サトラーは、ただよう蒸気をすかしてステゴサウルスを見つめた。ステゴサウルスは静かに立ちつくしており、ぴくりとも動こうとしない。そのそばには、赤い縞模様のはいったジープがとまっていた。

「なんともこれは、珍妙な格好をした恐竜だな」とマルカムがいった。

ステゴサウルスの体長は六メートル強、巨大でずんぐりした体軀には、背中に垂直の骨板が二列に連なっていた。しっぽの先には見るからにぶっそうな、長さ一メートル近いスパイクが何本か生えている。だが、肩から傾斜してきた首の先にある頭はあきれるほど小さく、目つきも愚鈍そうで、ひどく頭の悪い馬を思わせた。

眺めていると、ステゴサウルスのうしろから、ひとりの男が歩み出てきた。

「あれはうちの獣医のドクター・ハーディングです」無線機からリージスの声がいった。「いま、麻酔をかけてるところでしてね。恐竜が動かないのはそのためです。病気なんですよ」

グラントはすでに車を降り、じっと動かないステゴサウルスのもとへ急いでいる。エリーも車を降り、うしろをふりかえったとき、ちょうど二台めのランドクルーザーも停車して、ふたりの子供がとびおりてきた。

「なんの病気？」ティムがきいた。

「わからないみたいね」とエリーは答えた。

ステゴサウルスの背中にならぶ大きな骨板が、すこしばかりしなだれている。剣竜はゆっくりと、つらそうに息をしており、ひと息ごとに湿った音をたてていた。

「伝染《うつ》らない？」レックスがきいた。

エリーたちはステゴサウルスの小さな頭のほうへ近づいていった。早くもグラントは獣医のとなりで膝をつき、ステゴサウルスの口のなかをのぞきこんでいる。

レックスが顔をしかめた。

「ほんとにでっかいんだね。だけど、くさぁい」

「ほんとうね」

エリーもこのステゴサウルスのにおいには気がついていた。まるで腐った魚のようなにおいだ。動物が下痢をするとこんなにおいがするが、それにしては——。ステゴサウルスのにおいを嗅ぐのははじめてだし、これはこの恐竜特有のにおいなのかもしれない。だが、それでも釈然としない点はある。一般に草食動物というものは、あまり体臭が強くない。そのフンも同様だ。ほんとうに悪臭を放つのは、肉食動物と相場が決まっている。

「病気だからこんなにくさいの？」レックスがきいた。

「たぶんね。それに、獣医さんの麻酔薬のにおいもあるかしら」

「エリー、ちょっとこの舌を見てくれ」グラントがいった。

ステゴサウルスの口からは、赤紫色の舌がだらりと外にたれていた。ごくこまかい銀色の水疱がよく見えるよう、獣医が懐中電燈の光をあてくれた。

「小水疱ね」とエリー。「おもしろいわ」

「ステゴサウルスには苦労していましてね」獣医のハーディングがいった。「しじゅう病気ばかりしてるんですよ」

「症状はどんなふうです？」エリーは舌を爪でひっかいてみた。破れた水疱から、透明の液体がじくじくとにじみ出てきた。

「うげー」とレックス。

「平衡失調、失見当、呼吸困難、おびただしい下痢」ハーディングが説明した。「六週間にいちどくらいの割合で、こんな状態になるんです」

「ふだんから食べづくめですか？」

「ええ、それはもう。このサイズの動物になると、一日最低二〇〇キロから二五〇キロの草を食べないと生きていけませんからね。日がな一日、草を食べてばかりですよ」

「とすると、植物毒ではないわね」毒草が原因なら、年じゅう病気でなくてはおかしい。六週間に一回ということはない。

「ええ、そうです」と獣医。

「ちょっといいかしら？」エリーは獣医の手から懐中電燈を受けとると、ステゴサウルスの目を照らした。「この瞳孔は、麻酔薬のせい？」

「ええ。縮瞳作用で瞳孔が縮小しています」

「でも、瞳孔は散大していますよ」

ハーディングは驚いて恐竜の目を見た。見まちがいようがない。ステゴサウルスの瞳孔は散大しており、懐中電燈の光を受けても収縮していなかった。

「気がつかなかった——。こいつは毒物に対する反応だ」

「そうです」エリーは立ちあがり、あたりを見まわした。「この恐竜のテリトリーは？」

「約十二平方キロですが」

「こういう地形ばかりですか？」

彼らがいるのは広大な草原で、ところどころに岩が露出しており、地面からは間欠的に蒸気の柱が噴きだしていた。そろそろ日没も間近く、低くたれこめた灰色の雲の下で、空がピンクに染まっている。

「テリトリーはおおむねここの北から東にかけてなんですが」とハーディング。「病気になるときは、決まってこのあたりにきています」

興味深いパズルね、とエリーは思った。周期的な中毒症状をどう説明したものだろう。彼女は草原のほど近いところを指さして、たずねた。

「そこの丈の低いひ弱そうな茂みが見えます？」

「西インド・ライラックですね」ハーディングはうなずいて、「あれが有毒であることはわかっています。恐竜たちもあれは食べません」

「たしかですか？」

「ええ。モニターで監視していますし、念のため、フンの内容物も確認しました。ステゴサウルスはあのライラックは食べていません」

メリア・アゼダラク——通称センダン、もしくは西インド・ライラック。この植物は多数の毒性アルカロイドをふくむ。中国人は川にこの毒を流して魚をとっていたという。

「たしかです、食べていません」獣医がくりかえした。

「おもしろいわ」とエリー。「なぜかといいますとね、この恐竜が示しているのは、センダン中毒の古典的な症状ばかりだからです。麻痺、粘膜の水疱、瞳孔の散大——」

エリーは西インド・ライラックに歩みより、草地にかがみこんだ。

「——ほんとうだわ。この植物は自然のまま。かじられたあとはすこしもないわね」

「それに、六週間という周期が謎です」と獣医。

「ステゴサウルスはよくここにくるんですか?」

「週にいちどの割合できます。ステゴサウルスは草を食《は》みながら、大きな円を描いてテリトリーを移動していくんですよ。その円を一周するのがだいたい一週間なんです」

「なのに、病気になるのは六週間にいちどだけ……」

「そうです」とハーディング。

「ねー、つまんなーい」レックスがいった。

「しっ」とティムが叱りつけた。「サトラー博士は考えてるとこなんだぞ」

「なにも思い浮かばないけれどね」エリーはそういって、さらに草原の奥へと歩みだした。背後でレックスがいうのが聞こえた。「ねー、だれかキャッチボールやんなーい?」

エリーは地面を見つめた。草原にはあちこちに小さな石の山がつきだしている。左のほうからは潮騒の音が聞こえた。石の山のあいだにある西インド・ライラックには小さな実がついていた。もしかするとステゴサウルスは、この実を食べたのだろうか。しかし、それでは筋が通らない。西インド・ライラックの実はものすごく苦いのだ。

「なにか見つかったかい?」グラントがそばにやってきた。

エリーはため息をついて、

「石がちらばっているだけよ」といった。「海が近いらしいわね。このあたりの石はみんなまるいわ。それに、不思議ね、小さな塚になっているの」

「小さな塚?」

「そこらじゅうにあるわ。ほら、すぐそこにも」エリーは指さした。

そういったとたん、彼女ははっとその正体に気がついた。ここの石はみんなまるいが、それは海とは

関係ない。そして、上からまとめて落とされたように小さく積み重なっている。

これは——胃石の山なのだ。

多くの鳥やワニは小石を呑みこみ、それを砂嚢と呼ばれる筋肉質の袋にためておく。胃に送りこむ前に、堅い植物をこの砂嚢の石ですりつぶし、消化の助けとするわけである。科学者のなかには、恐竜の一部もこのような胃石を持っていたと考える者がいる。そもそも、一部の草食恐竜の歯はとても小さく、食物を咀嚼するには適していない。だから恐竜は食物をまる呑みし、胃石で食物繊維をすりつぶしたのではないか——。じっさい、化石骨のなかには、腹部に小さな石の山をふくむものが見つかっている。まだ肯定された説ではないが、しかし——

「胃石だ」とグラントがいった。

「わたしもよ、そう思うわ。まず、ステゴサウルスが石を呑みこむ。呑んで何週間かすると、石は磨耗してまるくなるため、吐きだしてしまう。それがこの小さな塚よ。胃石を吐きだしたあとは新しい石を補充するけれど、そのさいにあやまって西インド・ライラックの実も呑みこんでしまう。そして病気になるのよ」

「それだ」とグラント。「そうとも、そうにちがいない」

グラントは丸石の塚を見つめ、片手でひとつひとつの石をなでていった。古生物学者の習性だ。

そこで、ぴたりと動きをとめた。

「エリー——これを見ろ」

「さあこい、ベイブ、この古ミットのどまんなかにバシッと投げてみろ！」レックスが叫んだ。

その声に応えて、ジェナーロはボールを投げた。

レックスはボールを受けとり、ものすごいスピードで投げ返してきた。受けとった手がひりひりした。

「もっとやんわり投げてくれよ！　こっちはグローブをしてないんだぞ！」

「こぉの臆病者め！」レックスの罵倒が飛んできた。

やれやれという顔で、ジェナーロはもういちどボールを投げた。今度はバシン！　という音をあげて、ボールが革のグローブに吸いこまれた。

「よぉし、調子が出てきたぞ！」

ジェナーロはステゴサウルスのそばに立ち、キャッチボールをつづけながら、マルカムと話をはじめた。

「この病気の恐竜だが、きみの理論にはどうあてはまる？」

「予測されたことだったよ」とマルカム。

ジェナーロは首を左右にふった。

「きみの理論で予測されないものがあるのかね」

「いっておくが、こいつはわたし個人の考えじゃない。カオス理論の必然的な帰結だ。しかし、だれもこの数学の結論には耳を貸そうとしない。なぜならそれは、人間の生活にきわめて大きな変化をもたらすからだ。みんなが大騒ぎしたハイゼンベルクの不確定性原理やゲーデルの定理よりもずっと大きな変化をね。あれはじつは学問的な考察でしかない。哲学的な考察でしかない。しかしカオス理論は、日常生活にじかに影響するものだ。そもそもきみは、なんのためにコンピュータが造られたか知っているか？」

「いいや」とジェナーロ。

「もっと気合いをいれろっ！」レックスがどなる。

「コンピュータが一九四〇年代後半に造られたのは、ジョン・フォン・ノイマンをはじめとする数学者たちが、もしコンピュータのように多数の変数を同時に処理する機械があったなら、天気を予測できる

ようになる――そんな夢を、彼らは四〇年間にもわたって持ちつづけた。ものごとを充分に極めれば、どんなことでも理解できるようになる。それがニュートン以来の科学的信念だったんだ」

だろうと考えたからなんだ。人間はついに自由自在に天気を読めるようになる――そんな夢を、彼らは四〇年間にもわたって持ちつづけた。ものごとを充分に極めれば、どんなことでも理解できるようになる。それがニュートン以来の科学的信念だったんだ」

「で？」

「カオス理論はそういう古い考えを放逐してしまう。ある種の現象はまったく予測できないとするのがカオス理論なんだ。天気の長期予報に投資された莫大な金額は――ここ二、三十年で五〇億ドルにもなるだろう――どぶに捨てられたに等しい。愚行の極みだよ。鉛を黄金に換えようとするような無意味な行為さ。われわれは錬金術師をふりかえってその愚行を嗤《わら》うが、未来の人間もきっとわれわれの愚行を嗤うことだろう。われわれが莫大な金を投じて試みたことは――そもそもできるはずもないことだった。つねに予測不可能の現象というのは、広範なカテゴリーにおよぶんだよ」

「それがカオス理論なのかね？」

「そのとおり。そしてこの理論に耳を貸そうとする人間は驚くほど少ない」とマルカム。「以上の情報は、この島で事業を興す前からハモンドに伝えておいたものだ。有史前の動物を遺伝子操作してこの島で放し飼いにする？　けっこう。気宇壮大な夢だ。すばらしいじゃないか。しかし、きっと計画どおりにはいかない。天気と同じように、予想外のできごとが連続するぞ、とね」

「そんなことをいったのか？」

「いった。いろいろと障害が起こることもいいそえた。現代の環境に恐竜たちを棲まわせようということ自体、予測不可能事のカテゴリーのひとつといえる。このステゴサウルスは一億年もむかしの生きものだ。この世界には適応していない。空気がちがう、陽ざしがちがう、土壌がちがう、昆虫がちがう、音がちがう、植生がちがう。なにもかもがちがうんだ。大気にふくまれる酸素の割合も減少している。かわいそうに、恐竜たちは高さ三〇〇〇メートルの山に連れていかれた人間もおんなじなんだよ。聞く

がいい、この恐竜もゼイゼイ息をしているじゃないか」

「ほかに、この島でそのカテゴリーに数えられるものは？」

「おおざっぱにいうなら、これほど多様な生物を収容する〈王国〉側の管理能力だな。進化の歴史とは、生物が障壁の外へ出ようとする行為のくりかえしにほかならない。生物は必ずその障壁を打ち破る。そして、新しいテリトリーへ進出していく。それはつらい過程だろう。危険すらともなう過程だろう。だが、生物は必ず道を見つけだす」マルカムはかぶりをふった。「哲学的な話をするつもりはないが、そういうことなんだ」

そこでジェナーロは、エリーとグラントを見やった。ふたりはずっと向こうのほうにいっており、手をふりまわしながら、大声で呼んでいた。


「コーク、持ってきてくれた？」

マルドゥーンがコントロール・ルームにはいっていくと、いきなりデニス・ネドリーにそうきかれた。

マルドゥーンは返事をせず、まっすぐにモニターの前にいき、〈王国〉の状況を見つめた。無線からハーディングの声がきれぎれに聞こえている。

「——ステゴ——とうとう——わかった——もう病気は——」

「どうしたんだ？」マルドゥーンはたずねた。

「いま、南のはずれにいる」アーノルドが答えた。「無線の状態が悪いのはそのせいだ。べつのチャンネルに切り替えよう。なんでも、ステゴサウルスの病気の原因がわかったそうだ。なにかの実を食べたせいらしい」

ハモンドがうなずいた。「わかっておったのだ。早晩、病気の原因が解明されることはな」

「なんの変哲もないしろものに見えるが」とジェナーロはいった。薄れゆく陽光のなかで指先に載せて眺めているのは、郵便切手ほどの大きさの白いかけらだ。「ほんとうにたしかなのかね、アラン？」

「絶対にまちがいない」とグラント。「内側の表面とこのカーブではっきりわかる。ひっくりかえしてみたまえ。かすかに盛りあがった線があって、おおむね三角形を形作っているだろう」

「ああ、わかる」

「モンタナの発掘地で、そんなパターンの卵をふたつ掘りだしたことがある」

「これが恐竜の卵のかけらだというのか？」

「断言する」とグラント。

ハーディングが左右に首をふった。「ここの恐竜は卵を産めないんですよ」

「では、これはなんだね」ふたたび、グラント。

「鳥の卵でしょう」とハーディングはいった。「この島には何十種類も鳥が棲んでいますから」

グラントはかぶりをふった。

「この曲面を見てみたまえ。ほとんど平らだろう。ということは、よほど大きな卵だということだ。そして、この卵殻の厚み。この島にダチョウでも棲んでいるのでないかぎり、これは恐竜の卵だ」

「しかし、うちの恐竜に卵を産めるわけがない」ハーディングはゆずらない。「一頭残らず、雌なんですよ」

「ぼくにいえることは、これが恐竜の卵以外のなにものでもないということだけだ」

マルカムがきいた。「種類はわかるか？」

「わかる。ヴェロキラプトルだ」

コントロール

「そんなばかなことがあるかっ」無線の報告を聞くなり、ハモンドは否定した。「鳥の卵に決まっておる。それ以外に考えられん」

無線がザーと鳴り、マルカムの声がいった。

「それなら、ちょっとテストをしてみないか？　ミスター・アーノルドにコンピュータの集計をとるようにいってくれ」

「いますぐか？」

「そう、いますぐだ。集計データはドクター・ハーディングの車のディスプレイに転送できるだろう。それもたのめるか？」

「わけはない」とアーノルド。待つ間もなく、コントロール・ルームのディスプレイに集計値が表示された。

（表1）

総頭数　　238

属名	飼育頭数	捕捉頭数	バージョン
ティラノサウルス	2	2	4.1
マイアサウラ	21	21	3.3
ステゴサウルス	4	4	3.9
トリケラトプス	8	8	3.1
プロコンプソグナトゥス	49	49	3.9
オスニエリア	16	16	3.1
ヴェロキラプトル	8	8	3.0
アパトサウルス	17	17	3.1
ハドロサウルス	11	11	3.1
ディロフォサウルス	7	7	4.3
ケアラダクティルス	6	6	4.3
ヒプシロフォドン	33	33	2.9
エウオプロケファルス	16	16	4.0
スティラコサウルス	18	18	3.9
ミクロケラトプス	22	22	4.1
総頭数	238	238	

表1

「得心がいったかね」とハモンド。「そっちのディスプレイにもこれが映っているか？」

「映っている」とマルカム。

「すべてきちんと数えられている。いつものようにな」こらえようとしても、声には小気味よさそうな響きがにじんでくる。

「ではつぎに――」とマルカム。「コンピュータに飼育頭数以外の頭数を捕捉するよう、指示できるかな？」

「たとえば？」とアーノルド。

「二三九頭でためしてみてくれ」

「わかった」眉をひそめて、アーノルド。一拍おいて、ディスプレイに表示されたのは――（表2）

ハモンドはすわったまま、前に身を乗りだした。「いったいどういうことだ、これは！」

「もう一頭、コンピーを捕捉しました……」

「どこにだっ？」

「わかりません！」

マルカムの声がつづけた。

「おつぎは、そうだな、三〇〇頭でためしてもらえるか？」

「ちょっと待ってほしい」とアーノルド。「これだと二、

総頭数　239

属名	飼育頭数	捕捉頭数	バージョン
ティラノサウルス	2	2	4.1
マイアサウラ	21	21	3.3
ステゴサウルス	4	4	3.9
トリケラトプス	8	8	3.1
プロコンプソグナトゥス	49	50	??
オスニエリア	16	16	3.1
ヴェロキラプトル	8	8	3.0
アパトサウルス	17	17	3.1
ハドロサウルス	11	11	3.1
ディロフォサウルス	7	7	4.3
ケアラダクティルス	6	6	4.3
ヒプシロフォドン	33	33	2.9
エウオプロケファルス	16	16	4.0
スティラコサウルス	18	18	3.9
ミクロケラトプス	22	22	4.1
総頭数	238	239	

表2

三分はかかる」カチャカチャとキーをたたいた。総頭数を示す一行めだけが表示された。

総頭数　　　　　　239頭

「わけがわからん、やつがなにをしようとしているのか」とハモンド。

「恐ろしいことに……わたしにはわかりますよ」アーノルドがいって、画面を見つめた。総頭数の表示がしだいに変わっていく。

総頭数　　　　　　244頭

「二四四頭——？」とハモンド。「どういうことだ？」

「コンピュータが〈王国〉じゅうの恐竜をカウントしているんです」ウーがいった。「〈王国〉にいる全部の恐竜の数をです」

「いままで、てっきりそのはずだと思っていたのだが——」ハモンドはくるりと向きなおり、「ネドリー！　またバグか！」

「ちがいますよ」ネドリーがコンソールから顔をあげた。「コンピュータはオペレーターの指定した頭数の居場所と数を確認するようになってるんです。計数処理の高速化のためにね。それは使い方の問題で、バグじゃないです」

「そのとおり」アーノルドがいった。「われわれはいつも、二三八頭の基本数について所在を確認するよう指定していました。それ以上の恐竜がいるとは思ってもいなかったからです——」

総頭数　　　　　　　　　262頭

「待て、ちょっと待て」とハモンド。「うちの恐竜は卵を産めんのだろうが。コンピュータが数えあげているのは野生のネズミかなにかではないのか?」

「わたしもそう思います」アーノルドがいった。「まず視覚追跡系統のミスでしょう。その答えはじきに出ます」

ハモンドはウーに向きなおった。「たしかに卵を産めないのだな?」

「産めません」きっぱりと、ウー。

総頭数　　　　　　　　　270頭

「それならこの数字はどこからくるんだ?」アーノルドがきいた。

「ききたいのはこっちだ」とウー。

一同は固唾《かたず》を呑んで、どんどん増えていく数字を見まもった。

総頭数　　　　　　　　　283頭

無線からジェナーロの声がいった。「いったいぜんたい、あと何頭いるんだ?」

今度は女の子の声が、「あたし、おなかへっちゃったー。いつになったら帰るの?」

「もうじきだよ、レックス」と男の子の声が答えた。

ディスプレイでエラー・メッセージが点滅した。

エラー：検索パラメータの指定がちがっています。
300頭は見つかりませんでした。

「そら見たことか、エラーではないか」うなずきながら、ハモンド。「そうだと思った。絶対にエラーにちがいないと思ったのだ」

だが、一瞬ののち、ディスプレイにはこんなデータが表示された。（表3）

無線からマルカムの声がいった。

「さあ、これできみたちのシステムの欠陥がわかったろう。きみたちはこれだけの数しかいないという思いこみのもとに、その数を確認していただけだ。きみたちは恐竜がいなくなることにばかり目がいって、恐竜の数が期待値より少なくなったらただちに報知するようセットしていた。ところが、問題の根っこはそこにはない。当初から把握している数よりも多くなった場合にこそ問題があったんだ」

「なんということだ——」とアーノルド。

「しかし、飼育頭数を超えるはずがない」ウーがいった。

「何頭を島に放したかはわかっている。その数を超える

総頭数 292

属名	飼育頭数	捕捉頭数	バージョン
ティラノサウルス	2	2	4.1
マイアサウラ	21	22	??
ステゴサウルス	4	4	3.9
トリケラトプス	8	8	3.1
プロコンプソグナトゥス	49	65	??
オスニエリア	16	23	??
ヴェロキラプトル	8	37	??
アパトサウルス	17	17	3.1
ハドロサウルス	11	11	3.1
ディロフォサウルス	7	7	4.3
ケアラダクティルス	6	6	4.3
ヒプシロフォドン	33	34	??
エウオプロケファルス	16	16	4.0
スティラコサウルス	18	18	3.9
ミクロケラトプス	22	22	4.1
総頭数	238	292	

表3

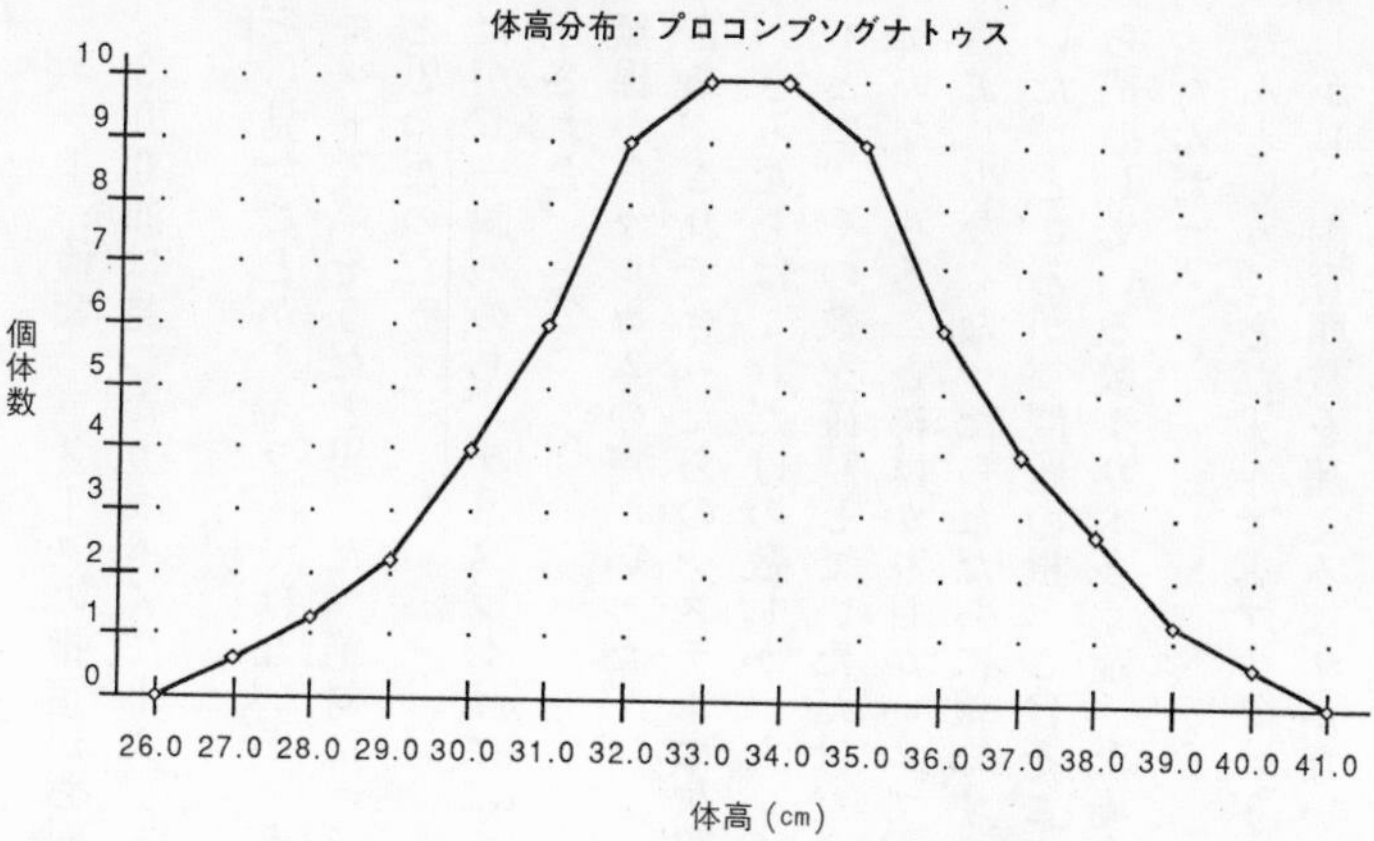

はずはない」

「残念ながら、ヘンリー」マルカムがいった。「恐竜は繁殖していたんだよ」

「ばかな」

「グラントの見つけた卵殻が信じられないというのなら、自分のデータを確認してみたまえ。コンピーの体高グラフを見てみるといい。アーノルドが画面に出してくれるだろう」

（上図）

「なにも気づかないか？」マルカムがたずねた。

「ポアソン分布だ」とウー。「ふつうの曲線じゃないですか」

「しかしきみは、コンピーが三孵《さんかえ》りのグループに別れているといわなかったか？　半年ごとの間隔で孵化させた？」

「そうですが……」

「それならグラフには、各グループごとに三つの山ができるはずだ」マルカムがいって、車のキーボードをたたく音がした。「こんなふうに」（次頁）

「ところが、きみのグラフはこうはならなかった」とマルカム。「きみのグラフが表わしていたものは、自然に繁殖した個体数のカーブだ。きみのコンピーは繁殖しているんだよ」

ウーはいやいやをするように首をふった。「わけがわから

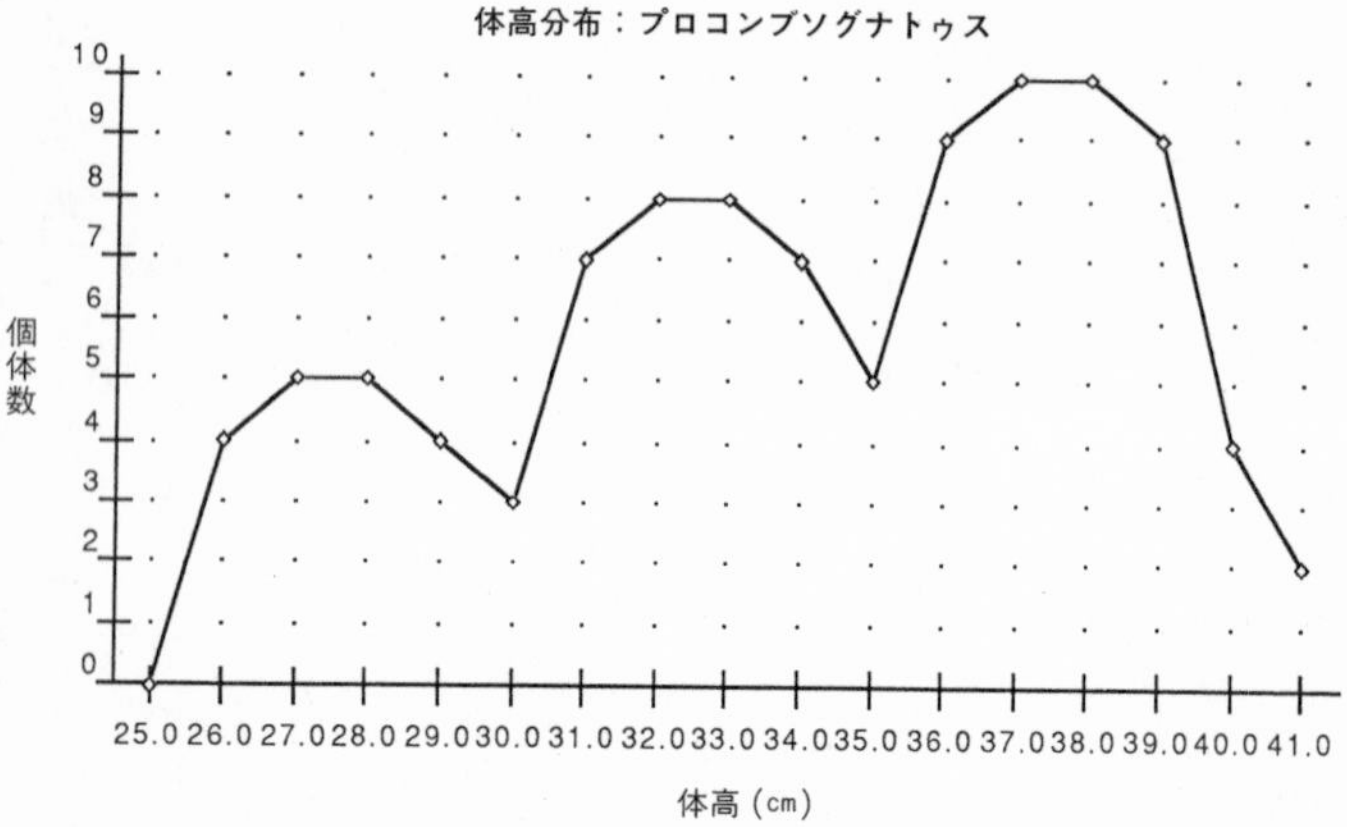

ない……」

「コンピーは繁殖している。オスニエリアも、マイアサウラも、ヒプシロフォドンも――ヴェロキラプトルもだ」

「危険だ」マルドゥーンがいった。「やつらが〈王国〉を徘徊しているというのか」

「なにをいうか、それほどおおごとではあるまいに」ディスプレイを見つめて、ハモンドがいった。「数が増えたのはたかだか三種類――いや、五種類ではないか。そのうち二種類については、一頭ずつ増えているだけで……」

「いったいなにをいってるんです！」ウーが大声を出した。

「それがどういう意味かわかってるんですか？」

「もちろん、わかっているとも、ヘンリー」とハモンド。

「きみがミスをしでかしたということだ」

「それは絶対にありえませんね」

「げんに恐竜たちは繁殖しているではないか、ヘンリー」

「いいですか、恐竜たちはみんな雌なんですよ」ウーがいった。「増えるはずがないんです。これはまちがいに決まってる。あの数もです。だいたい、マイアサウラやヒプシロフォドンのような大型恐竜の増えかたが少ないなんて、へんじゃありませんか。なのに、小型恐竜は大幅に増えている。意味が通りません。まちがいです、これは」

「まちがいではないだろう」無線からグラントの声がいった。「ぼくはこの数値が、繁殖が行なわれていることの裏づけだと思う。どうやら繁殖は、島に散在する七つの営巣地で行なわれているらしい」

営巣地

空はますます暗くなってくる。遠くからごろごろという雷の轟きも聞こえる。グラントたちはジープのドアによりかかり、ダッシュボードのディスプレイを見つめていた。

「営巣地ですって……?」無線でウーが問い返してきた。

「巣のことだよ」とグラントはいった。「いちどに孵化する卵が平均して八個から一二個とすると、この総頭数データはコンピーがふたつの巣を造っていることを示している。ラプトルもふたつ。オスニエリアはひとつだ。ヒプシロフォドンとマイアサウラもひとつずつ」

「その巣はどこに?」

「それをこれから見つけるんじゃないか」とグラントはいった。「恐竜はまわりから隔絶された場所に巣を造る」

「しかし、なぜ大型恐竜の殖えかたが少ないんです?」ウーの声がきいた。「マイアの巣に八個から一二個の卵があるとすれば、それだけのマイアが孵るはずだ。一頭だけではなく」

「たしかにそうだ」とグラント。「ただしそれは、〈王国〉に解き放たれたラプトルやコンピーが大型恐竜の卵を――そして生まれたばかりの子供を食わなかったらの話さ」

「しかし、そんな場面はいちども見たことがない」無線から、アーノルドの声。

「ラプトルは夜行性だろう。夜間に〈王国〉のようすを見たことがある者は？」

長い沈黙がおりた。

「だと思った」とグラント。

「それでもまだ意味が通らない」ふたたび、ウーの声。「たったふたつの巣にある卵だけ食べていて、五〇頭もの恐竜が生きていけるはずはないでしょう」

「それはそうだ」とグラント。「おそらく恐竜たちは、べつのものも食べているんだと思う。たぶん、小型の齧歯類だろう。この島には、マウスやラットは？」

またしても、沈黙。

「もしかして——」とグラント。「はじめてこの島にきたとき、きみたちはネズミに悩まされはしなかったか？　ところが、時がたつにつれて、ネズミにこまらされることはなくなった——どうだ？」

「ああ。たしかに、そういうことが……」

「なのに、それがなぜだか調べようとも思わなかった」

「そうだ。きっと自然に消えてしまったのだろうと……」アーノルドのことばは尻つぼみに消えた。

「しかしですよ」これはウーだ。「それでも厳然たる事実は残ります。恐竜はどれも雌なんだ。繁殖できっこない」

グラントはずっとこの問題を考えていた。最近、西ドイツで行なわれたある興味深い研究が、そのヒントを与えてくれるような気がした。

「恐竜のDNAを複製するさい——」とグラントはいった。「きみはDNAの断片をつなぎあわせた。そうだろう？」

「たしかに」とウー。

「そして、完全な鎖を造りあげるために、ほかの生物のDNAを流用しなかったか？」

「ときにはそういうこともありましたよ。そうしないと仕事ができないからです。いろいろな鳥のDNAを使うこともあったし、爬虫類のDNAを使ったこともある」

「では、両棲類のDNAは？　とくに、カエルのDNAは？」

「使ったかもしれません。調べないとわからない」

「そうしてくれ。そこに答えのカギがあると思う」

マルカムが口をはさんだ。「カエルのDNA？　なぜカエルのDNAが？」

ジェナーロがじれったそうに、

「話は興味つきないだろうが、本論をわすれてもらってはこまる。この島から逃げだした恐竜はいるのか、いないのか？」

「このデータだけではなんともいえない」とグラント。

「では、どうすればわかる？」

「ぼくに思いつける方法はひとつだけだ。恐竜の巣をひとつひとつ見つけだして、実態を調査し、残された卵の破片を数える。そうすれば、巣で孵った個体の数がわかるはずだ。それがわかれば、いなくなった個体数も調べられるだろう」

マルカムがいった。「そうはいっても、失跡した恐竜は肉食恐竜に食われたのか、自然の原因で死んだのか、それとも島の外に脱走したのか。そこまではわからないじゃないか」

「きみのいうとおりだ。だが、出発点としてはそこしかない。それに、個体数分布グラフをじっくり分析すれば、もっといろいろなことがわかると思う」

「どうやって巣をさがす？」

「それについては、コンピュータが役にたってくれそうだ」

「もう帰れるの？」レックスがいった。「あたし、おなかぺっこぺこ」

「そう、帰るんだよ」グラントはレックスにほほえみかけた。「よくがまんしたね、えらかったぞ」

「二〇分もすれば食事にありつけますよ」エド・リージスがいって、二台のランドクルーザーのほうへ歩きはじめた。

「わたしはもうすこしここに残るわ」エリーがいった。「ドクター・ハーディングのカメラで写真を撮っておきたいの。明日の朝には口の水疱がきれいになくなってしまうだろうから」

「ぼくはもどるよ」とグラント。「ひと足先に、子供たちと帰っていよう」

「わたしもだ」マルカムがいった。

「わたしは残る」とジェナーロ。「サトラー博士といっしょに、ハーディングのジープでもどる」

「わかった。じゃあ、あとで」

グラントたちは車に歩きだした。マルカムがいった。

「やっこさん、なんだって残るんだろう?」

グラントは肩をすくめて、

「エリーと関係がありそうだ」

「へへえ?　というと、あのショーツかい?」

「前にも似たようなことがあった」

ランドクルーザーにたどりついたとき、ティムがいった。

「今度はグラント博士といっしょに、先頭車に乗りたいな」

「悪いけどね。グラント博士とは話があるんだ」マルカムがいった。

「じっと聞いてるだけ。ひとこともしゃべらないから」とティム。

「プライベートな話でね」

「こうしたらどうだい、ティム」エド・リージスがいった。「おふたりにはうしろの車に乗ってもらっ

て、こっちは先頭車に乗ろうじゃないか。暗視ゴーグルはティムが使ってさ。暗視ゴーグルをはめたことはあるかい？　超高感度のCCDを使っててね、暗闇でも、ものが見えるんだ」

「やった！」ティムはすかさず先頭車に駆けていった。

「ねえ！」とレックス。「あたしも使いたいー！」

「だーめだよ」

「ずるーい！　ずるいずるい！　なんでもティミーがとっちゃうんだからぁ！」

エド・リージスは駆けていくふたりを見やり、グラントにいった。

「やれやれ。帰りの車中が思いやられますよ」

グラントとマルカムは、二台めのランドクルーザーに乗りこんだ。そのとき、フロントガラスに、ぽつりと雨粒があたった。

「さあて、出発しますか」グラントの車のそばで、エド・リージス。「わたしももう、腹ぺこですよ。食前酒にはバナナ・ダイキリなんていいですねえ。どうです、おふたかた。ダイキリ、ね、最高でしょう？」それから車のボディをこんとたたいて、「それじゃ、ロッジでまた」というと、先頭車に駆けていき、乗りこんだ。

ダッシュボードに赤ランプがまたたいた。やわらかいモーターのうなりをあげて、二台のランドクルーザーは走りだした。


薄れゆく夕陽のなかで、マルカムがいつになく蒼ざめているように見えた。グラントは声をかけた。

「いい気分じゃないのかい。理論が証明されて」

「正直いって、ちょっと怖い。とんでもない危険のただなかにいるような気がする」

「なぜ？」

「勘さ」

「数学者が勘なんて信じるのかね」

「当然だ。勘というやつはとても重要なんだ。より正確には、フラクタルのことを考えていた」とマルカムはいった。「フラクタルのことは知っているか？」

グラントはかぶりをふった。「いや、よく知らない」

「フラクタルは幾何学の一種で、マンデルブローという人物が命名したものだ。だれもが学校で習うふつうのユークリッド幾何学とちがって――四角や立方体や球とちがって、フラクタル幾何学は自然界に実在する物体を表わそうとする。山や雲はフラクタル的な形をしているといえる。だからフラクタルは、自然となんらかの関係があるはずなんだ。

マンデルブローはこの幾何学的道具に、ある驚くべきパターンを見いだした。見る尺度を変えると、ものごとはほぼ同じに見えてくるということだ」

「尺度を変える？」グラントは問い返した。

「たとえばだよ。大きな山を遠くから見ると、ぎざぎざの山型に見える。さらに近づいて、その大きな山のなかのある小さな峠を見てみると、やはりぎざぎざの山型をしている。同じようにして、段階的にスケールを小さくしていくと、小さな石のかけらを顕微鏡で見ても――やはりそこには、大きな山と同じフラクタル形が見られる」

「それときみの不安と、なんの関係があるのかな」

グラントはそういってあくびをした。噴きだす火山性の蒸気から、硫黄のにおいがただよっている。車は浜辺と海を見わたす、沿岸近くの道にさしかかっていた。

「ともかく、そういうものの見方があるんだ」とマルカムはつづけた。「マンデルブローは極小から極大まで、相似したパターンがあることを発見した。そうしてこの自己相似性は、できごとについても見

られるものだ」

「できごと?」

「綿花の価格を考えてみてくれ。綿花の価格については、一〇〇年前までさかのぼってきちんとした記録がある。この綿花の価格変動をグラフにしてみると、一日のグラフの形は基本的に一週間のグラフの形に似ているし、週間グラフには年間の、あるいは一〇年間のグラフと同じパターンが見いだせる。これをマンデルブローの法則という。ものごとというのはそうしたものなんだ。一日は人生の全体に相似する。あることをはじめても最後にはちがうことをやり、あることをなしとげようとしても、絶対におわらせることができない……そして人生をまっとうしてみると、人の全経験はそんなことのくりかえしであることに気づく。全人生のパターンはすべて、一日のなかに見いだせるんだよ」

「それもひとつのものの見方ではあると思うがね」とグラントはいった。

「いや、そうじゃない。これは唯一の正しい見方なんだ。すくなくとも、現実に一致するただひとつの見方だ。いいかい、自己相似性というフラクタル的な考えは、そのなかに反復性を内包する。みずからを何度も半分に折りたたむとでもいえばいいのかな。ということは、できごとは予測不可能だということだ。なんの前触れもなく、唐突に変化しうるわけだから」

「なるほど……」

「ところが人間というやつは、突然の変化は一般的な秩序の外で起こるものだと思いがちだ。たとえば、事故。自動車事故が典型だ。あるいは、人の力ではいかんともしがたいもの。致命的な病気などがそうだ。人間は、唐突で急激で不合理な変化が、自分たちの存在そのものに組みこまれているとは考えない。だが、事実はそうだ。それを指摘するのがカオス理論なんだよ。

人々は、物理学からフィクションにいたるまで、あらゆるもののなかに当然のように線形性があると思っているが、そんなものは存在しない。線形性は世界を見るうえでの人工的な見方だ。ほんとうの人

生とは、ネックレスの真珠のようにつぎからつぎへと連なる一連の相互に関連したできごとなんかじゃない。あるできごとがつぎに起こるできごとをまったく予測不能にする、そしてそれがさらにつぎのできごとを予測不能にする——そういうできごとの連鎖なんだ。ときにはそれが破滅的な方向に向かうこともあるだろう」マルカムはシートにもたれかかり、数メートル先をゆく、もう一台のランドクルーザーを見やった。「それはこの宇宙の構造にかかわる深遠な真理だ。なのになぜか、人はそれが真理ではないようにふるまう」

そのとき、ランドクルーザーががくんと急停止した。前の車もだ。

「なにごとだ？」グラントが問いかけた。

前の車でふたりの子供たちが海のほうを指さしている。その先を目でたどると、低くたれこめた雲のもと、沖合に補給船の黒いシルエットが見えた。プンタレナスの方向へ帰港していくところだ。

「どうしてとまったんだ？」マルカムもたずねた。

グラントが無線のスイッチをいれたとたん、女の子の興奮した声がわめきたてた。

「あそこだってば、ティミー、ほら、あそこあそこ！」

マルカムが目をすがめて補給船を見やった。「あの船のことかな？」

「そうらしい」

エド・リージスが先頭車を降り、こちらへ駆けよってきた。

「どうもすいません。子供たちが大騒ぎするもので、緊急停止をかけました。こっちの車に双眼鏡はありますか？」

「どうするんだ？」

「レックスが船の上になにかいるっていうんですよ。動物みたいなものが」

グラントは双眼鏡をひっつかみ、ランドクルーザーのドアフレームに両肘をのせて沖合をのぞいた。補給船の長い船体をじっくりと観察する。暗くてシルエットくらいしかわからない。見ているうちに、ぱっと航海灯がともった。紫色の薄暮のなかで、その輝きがまばゆく目を射た。

「なにか見えましたか？」リージスがきいた。

「下だよ、下」無線からレックスがいった。「下のほうを見て」

グラントは双眼鏡を下に向け、吃水線のすぐ上あたりを見た。補給船には太い梁があり、船体の全長に水しぶきよけの張りだしがある。だが、海上はかなり薄暗く、細部はほとんど見えない。

「やはり、見えない……」

「あたしは見えるの！」レックスがじれったそうにいった。「うしろのほうよ。うしろのほうを見てってば！」

「こんなに暗いのに、どうしてあの子は見えるんだ？」マルカムがいった。

「子供には見えるんだよ」とグラント。「子供には、おとながとうになくしてしまった視力があるんだ」

双眼鏡をゆっくりと船尾のほうへ動かしていく。だしぬけに、その動物たちが見えた。シルエットになった船尾構造物のあいだを走りまわり、影がじゃれあっている。ほんの一瞬だったが、薄れゆく光のなかでも、それらが高さ六〇センチほどの二足歩行する動物であり、ぴんと張ったしっぽでバランスをとっているのがわかった。

「どう、見えた？」レックスがきいた。

「見えた」

「あれ、なに？」

「ラプトルだ。すくなくとも、二頭。たぶん、もっといるだろう。亜成体だ」

「なんてこった……」エド・リージスがいった。「あの船は本土に向かってるんですよ」

マルカムが肩をすくめた。

「なにもそう興奮することはなかろう。コントロール・ルームに連絡して、船を引き返させればいい」

エド・リージスは車内に手を伸ばし、ダッシュボードのマイクをつかんだ。が、ヒス・ノイズしか聞こえなかった。あわててチャンネルを切り替えるたびに、ブツッ、ブツッという音がした。

「無線機の故障みたいだ」とエド・リージス。「通じない」

急いで先頭車に走っていき、車内に手をつっこんだ。それから、こちらをふりかえった。

「こっちの無線も通じない。これじゃコントロール・ルームを呼びだせません」

「それなら――急いで引き返すしかない」とグラントはいった。


コントロール・ルームでは、マルドゥーンが〈王国〉を見わたす大きな窓の前に立っていた。時刻は午後七時。ハロゲン・ランプのフラッドライトが島じゅうでいっせいにともり、南へ伸びゆくきらびやかな宝石へと全景を変貌させた。一日のうちでいちばん好きなのは、この瞬間だ。そのとき、無線からノイズが響いた。

「ランドクルーザーがまた走りだした」アーノルドがいった。「こちらへ向かっている」

「しかし、なぜ停まったんだ?」ハモンドがきいた。「それに、なぜ交信できん?」

「わかりません」とアーノルド。「きっと車の無線を切ったんでしょう」

「たぶん、嵐のせいだ」とマルドゥーンはいった。「嵐の干渉にちがいない」

「ともかく、あと二〇分でここへつく」とハモンド。「厨房に電話して食事の用意をさせておくといい。あの子たちもさぞかし腹がへっているだろう」

アーノルドが電話をとりあげた。が、電話からは単調なヒス音しか聞こえなかった。

「どういうことだ？　どうなってるんだ？」

「おい、その受話器、もどしてくれよ」ネドリーがいった。「データが乱れるじゃないか」

「電話回線を残らずぶんどっちまったのか？　内線までもか？」

「外部との通信で、回線は全部ふさがってる」とネドリー。「だけど、内線はまだ使えるはずだ」

アーノルドはコンソールのキーをつぎつぎにたたいた。やはりどの内線からもヒス音しか聞こえない。

「全部ふさがってる」

「そうか、悪いな。今度のデータ送信がおわったら二回線ほどあけとくよ。あと一五分ですむから」そういって、ネドリーはあくびをした。「あーあ、こんなに働きづくめの週末になるとは思わなかった。コークは自分でとってこよう」

ショルダー・バッグをとりあげ、ドアに向かった。

ドアが閉まった。

「そのコンソール、だれもさわらないでよ。いいね？」

「すこしはしゃきっとできんのか、あの男は」ハモンドがいった。

「同感ですね」とアーノルド。「しかしやっこさん、自分のしていることは心得ているようですよ」


道のかたわらに噴きだした蒸気の雲が、まばゆいハロゲン・ランプの光を浴びて虹色に輝いている。走るランドクルーザーのなかで、グラントは無線のマイクに問いかけた。

「あの船はどのくらいで本土に到着するんだろう？」

「一八時間です」エド・リージスの声が答えた。「だいたいそんなものですね。かなり正確に着きますよ。到着は明日の午前一一時前後でしょう」

グラントは眉根をよせた。「まだコントロール・ルームには連絡がつかないのか？」

「もう、すぐそこですよ」

「ハーディングはどうなった？　向こうとも連絡がとれないのか？」

「だめですね、やってはみたんですが。無線を切ってるのかもしれません」

マルカムがかぶりをふりふり、

「すると、補給船のことを知っているのは、われわれだけということか？」

「呼びだしはつづけてます」とエド・リージスの声。「うちとしても、恐竜に本土に上陸されるところまりますからね」

「コントロール・ルームまでどれくらいかかる？」

「ここからだと、一六、七分でしょう」

夜のショーアップだろう、道路全体が巨大なフラッドライトで照明されている。まるで枝葉が織りなす緑のトンネル内を進んでいるようだ。大粒の雨がたてつづけにフロントガラスを殴りつけてくる。

ふいに、ランドクルーザーが減速し、停止した。

「今度はなんだ？」

レックスの声がいった。「どうしてとまるの。どうしてとまるのよぉ」

だしぬけに、すべてのフラッドライトがふっと消えた。道は一寸先も見えない闇につつまれた。ふたたび、レックスの声がいった。

「明かりが消えちゃった！」

「たぶん、停電かなにかだよ」とエド・リージスの声。「あと一分もすれば、またつくさ」

「どうしたんだ、いったい」アーノルドが茫然とモニターを見つめている。

「なにごとだ？」とマルドゥーンはたずねた。「停電か？」

「らしい。だが、消えたのは周辺系の電気だけだ。建物のなかにはちゃんと電気がきてる。しかし外は――恐竜エリアは――きれいに停電しちまってる。照明、テレビカメラ、なにもかもだ」

屋外を映すモニターもすべて消えていた。

「ランドクルーザーはどうなった？」

「ティラノサウルスのエリアあたりでストップしてる」

「まずいぞ。すぐに整備班に連絡して復旧させろ」とマルドゥーン。

アーノルドは受話器をとりあげたが、ノイズしか聞こえなかった。ネドリーのコンピュータが、本土との通信をつづけているのだ。

「電話はだめだ。ネドリーのバカが。ネドリー！　くそっ、どこにいったんだ、あいつは？」


デニス・ネドリーは、〈核移植室〉と記されたドアを押しあけた。周辺系の送電網を切ってあるので、セキュリティ・カードのロックも解除されている。建物のなかのどのドアも、ひと押ししただけであく状態だ。

セキュリティ・システムにかかわる問題は、〈恐竜王国《ジュラシック・パーク》〉バグ・リストのなかでも上位にあげられていた。あれがバグではなく――じつは最初からそうプログラムされているのではないかと疑った者が、はたしてここにいるだろうか。あれは古典的なトラップ・ドアだ。大規模なコンピュータ・システムを構築するプログラマーともなると、秘密の入口を仕掛けておきたいという誘惑には抵抗できない。むしろそれは常識だ。もしバカなユーザーがシステムをハングアップさせたとしても――そして助けをもとめてきたとしても――そういう入口を用意しておけば必ず修復できる。それに、サインの意味もある。〝キルロイ参上〟というやつだ。

そしてそこには、将来のための保険の意味合いもあった。ネドリーは〈恐竜王国〉のプロジェクトで

さんざんな目にあっている。スケジュールもおわり近くなった時点で、ＩｎＧｅｎは大々的なシステムの変更を要求してきたくせに、その分は当初の契約にふくまれているといって、変更作業分の支払いをしぶったのだ。それどころか、訴訟をちらつかせ、ほかのクライアントたちのもとへはネドリーが信用できないことをしたためた手紙を送りつけるという挙に出た。完全な脅迫だ。結局ネドリーは、〈恐竜王国〉のシステム変更を無料で行ない、ハモンドの要求どおりの仕様を盛りこまざるをえなくなったのだった。

そういう下地があったものだから、バイオシン社のルイス・ドジスンが近づいてきたときは、積極的に話を聞いた。そして、〈恐竜王国〉のセキュリティなどなんなく突破できることを打ち明けた。どの部屋であれ、どのシステムであれ、〈王国〉のどこであれ、自分なら自由自在に出入りできる。なぜなら、最初からそのようにプログラムしておいたからだ。万一の用心に。

ネドリーは核移植室に忍びこんだ。室内は無人だった。思ったとおりだ。スタッフは全員、食事にでも出ているのだろう。ショルダー・バッグのジッパーをあけ、ジレット・シェービング・クリームの缶をとりだした。底をねじってふたをあける。なかはいくつかの円筒形のスロットに区分されていた。

重い絶縁手袋をひと組とりだし、〝内容物：生育可能性物体――保管庫マイナス10度C以下を維持のこと〟と記された、ウォークイン冷凍庫のドアをあけた。冷凍庫は小さめのクローゼットほどの大きさで、床から天井まで、棚がずらりとしつらえてあった。ほとんどの棚にはポリ袋にはいった試薬や液体がのせてある。片隅に、小さめの液体窒素冷却ボックスがあった。その頑丈なセラミック扉をあけると、冷気の白い雲につつまれて、小さな試験管のならんだラックがせり出してきた。

胚は種類ごとに分類されていた。ステゴサウルス、アパトサウルス、ハドロサウルス、ティラノサウルス……。ひとつひとつの胚は細いガラス容器に収められ、銀色のフォイルで包まれて、ポリレンで栓をしてあった。ネドリーはすばやく、二本ずつサンプルをとると、シェービング・クリームの缶にすべ

りこませた。

それから、缶の底を閉め、上部をひねった。内部にシュッと冷媒ガスの吹きだす音がして、手にした缶がほのかに冷たくなった。ドジスンは冷媒が三六時間は保《も》つといっていたっけな。サンホセに帰りつくには充分以上の時間だ。

冷凍庫の外に出て、缶をバッグにしまい、ジッパーを閉じる。

廊下に出た。時間は二分とかかっていない。コントロール・ルームでは、そろそろ事態に気づき、大騒ぎをはじめているころだろう。セキュリティ・コードを残らず無効化し、電話回線はすべて使用不能にしてあるからだ。ネドリーの助けがなければ、この混乱を復旧させるのに何時間かかるかわからない。そうなるまえに、できるだけ早くコントロール・ルームにもどり、事態を正常化させる。

そうすれば、彼が盗みを働いたなどとは疑われるはずもない。

にやにやしながら、ネドリーは一階へおりていき、警備員にうなずきかけ、さらに地下室へとおりた。整然とならぶ電気ランドクルーザーの横を通り、壁ぎわにとめてあるガソリン・エンジンのジープのそばにいく。運転席に乗りこんだとき、助手席に奇妙な灰色の筒が載せてあるのに気がついた。なんだかロケット・ランチャーみたいだな、と思いながら、イグニション・キーをまわし、ジープを発進させた。

腕時計を見る。ここから恐竜エリアを通りぬけ、東の桟橋まで、直線コースで約三分。そこから引き返し、コントロール・ルームにもどるまで、さらに三分。

ちょろいもんだ。

「ばかなっ！」コンソールのキーを必死にたたきながら、アーノルドがいった。「なにもかもめちゃくちゃだ！」

マルドゥーンは窓のそばに立ち、〈王国〉を見わたしていた。島じゅうの照明が消えている。ついて

いるのはヴィジター・センター周辺だけだ。何人かのスタッフが雨を避けて駆けこんでくるのが見えたが、だれも異常事態には気づいていないらしい。マルドゥーンはサファリ・ロッジを見やった。照明はそこでも煌煌と輝いている。

「まずい——」ふたたび、アーノルドがいった。「本格的に深刻な事態になった」

「どうしたというんだ？」マルドゥーンは窓に背を向け、アーノルドにたずねた。ちょうどそのとき、一台のジープが地下のガレージからとびだし、サービス道路づたいに東へ、恐竜エリアへと出ていったが、マルドゥーンはその場面を見そこなってしまった。

「あのネドリーのバカがセキュリティ・システムを切っちまったんだ。建物全体が無防備だ。どのドアもロックされていない」

「警備員に知らせよう」とマルドゥーン。

「それだけじゃない。セキュリティを切ると、各エリアの仕切りフェンスも無効化されてしまうんだ」

「フェンス？」

「高圧電流フェンスだよ。電気がとまっちまうんだ、島じゅうのフェンスの」

「まさか……」

「そのとおりだ」とアーノルド。「恐竜たちはいつでも外に出られるということだ」つぎの煙草に火をつけて、「たぶん、なにごとも起こらないだろうが、断言は……」

「ジープでランドクルーザーを迎えにいったほうがよさそうだな——万一のために」

マルドゥーンはすぐさま部屋を出ると、急いで地下ガレージに向かった。ほとんどの恐竜は、最低九カ月はエリアの外に出ていない。その間、何度かフェンスにふれて手痛い目にあっている。動物は電気ショックというやつがきらいで、それを避ける方法をすぐに覚えるものだ。鳩などはほんの二、三回の電気ショックで調教できる。だから恐竜たちも、そう簡単にはフェンスに近づかないはずだった。

むしろ心配なのは、ランドクルーザーの客たちがどうするかという点だ。車外には出ないでほしい。停電が復旧すれば、なかに人が乗っていようといまいと、車は自動的に走りだしてしまう。そうなれば、客たちは〈王国〉のまっただなかにとり残されることになる。もちろんこの雨では、車外に出るとは思えないが、しかし……万一ということがある。

ガレージにたどりつき、ジープのもとへと急いだ。虫が知らせたのか、あらかじめランチャーを載せておいたのは正解だった。すぐにでも発進できるし、外に出ても――

ない！

「どういうことだ……？」マルドゥーンは愕然として、車があったはずの駐車スペースを見つめた。

ジープがなくなっている！

いったいどうなってるんだ？

第四反復

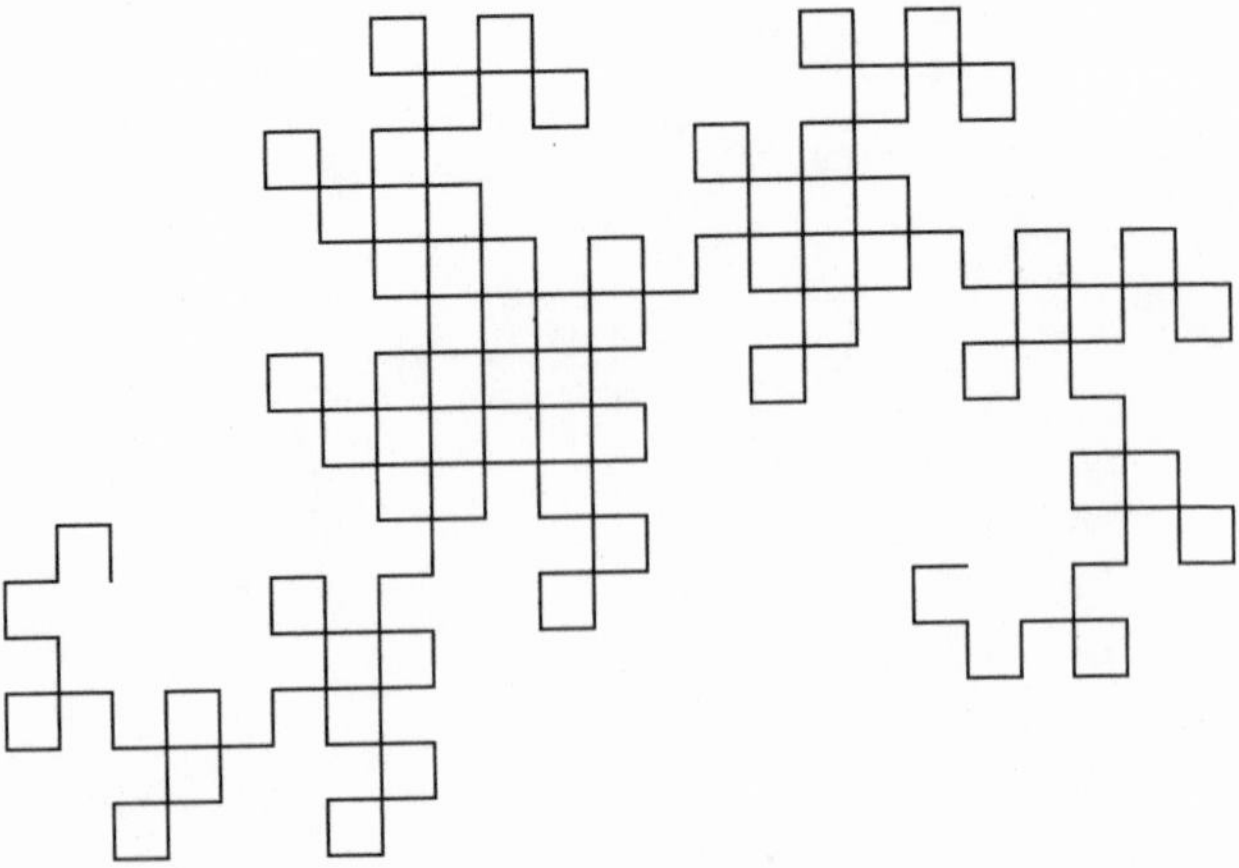

「必然的に、ひそんでいた不安定性が表に表われてくる」
イアン・マルカム

遊覧道路

雨が音高く、ランドクルーザーの屋根をたたいている。顔にはめた暗視ゴーグルが、強く額を圧迫していた。ティムは耳のそばのノブをいじり、感度を調整した。つかのま、蛍光が閃いたかと思うと、電子的なグリーンとブラックの色調で、後続のランドクルーザーが描きだされた。車内のグラント博士もマルカム博士もはっきり見える。こいつはすごいや！

グラント博士はフロントガラスを通してこちらを見ていた。と、博士がダッシュボードの無線マイクを手にとった。ザーという音がして、グラント博士の声がいった。

「こっちが見えるかい？」

ティムはエド・リージスからマイクをとりあげて、「はい、見えます」

「だいじょうぶ？」

「なんともありません、グラント博士」

「車から出ないほうがいい」

「そうします。心配しないで」そういって、ティムは通話ボタンを切った。

エド・リージスが鼻を鳴らし、つぶやいた。

「おいおい、雨が降ってるんだぜ。だれも外に出やしませんよ」

ティムは道路脇の茂みに視線を向けた。ゴーグルを通して見ると、茂みは明るい蛍光グリーンだった。その向こうにあるグリーンの格子模様、あれはフェンスだろう。ランドクルーザーは丘を下る道の途中で停止していた。ということは、ティラノサウルスのエリアのそばということだ。暗視ゴーグルで見るティラノサウルスはものすごいだろうな。ぞくぞくしてくるぞ。もしかすると、ティラノサウルスはもうフェンスのそばまできていて、こちらを見おろしているかもしれない。闇のなかでは、きっと目が光るんだろうな。光ったらかっこいいな。

だが、いくら目をこらしても、フェンスのそばにはなにも見えず、ほどなくティムはあきらめた。車内の者たちはだれも口をきこうとしない。雨は音高く車の屋根をたたきつづけている。雨水が膜となって窓の外を流れ落ち、ゴーグルをはめていても、もうろくに外が見えない。

「車が停まってどのくらいになる?」無線からマルカムの声がいった。

「わからない。四、五分だろう」

「いったいどうしたんだろうな」

「雨でショートしたんじゃないか」

「だが、ストップしたのは本格的に雨が降りだす前だぞ」

ふたたび、沈黙。緊張した声で、レックスがいった。

「ね、雷、落ちないよね……?」

レックスは雷が大きらいなのだ。いまも不安そうに、両手で革のグローブを握りしめている。

グラント博士がいった。「なにかいったかい? よく聞きとれなかったが」

「妹がしゃべっただけです」

「そうか」

ティムはふたたび、木立ちを眺めた。やはりなにも見えなかった。ティラノサウルスのように巨大な

生きものは見あたらない。待てよ、ティラノサウルスは夜にも出てくるんだろうか。夜行性だっけ？ 本に書いてあったかどうか、はっきり覚えていない。なんとなく、一日じゅう、好きなときに活動しているような気もした。ティラノサウルスには、夜も昼も関係ないんじゃないのかな。

雨ははげしく降りしきっている。

「ひどい雨だなあ」エド・リージスがいった。「本降りになってきやがった」

レックスがいった。「あたし、おなかすいたー」

「そいつはわかってるがね、レックス」リージスはなだめるような声で、「どうにも動きようがないんだよ。この車は、道路の下に埋めてあるケーブルの電気で動いてるんだ」

「いつまでこうしてるのよ？」

「停電がなおるまでだね」

雨が屋根を打つ音を聞いているうちに、ティムはだんだん眠くなってきた。あくびをしながら、道路の左側のソテツに顔を向けた。そのときだった。バシャッ——だしぬけに、なにかが濡れた地面を踏む音がして、ティムはぎょっとした。あわててうしろをふりかえる。黒々とした影が、二台の車のあいだをさっとかすめていった。

「おい！」マルカムの声。

「なんだ、いまのは？」

「でかかった。車ほども——」

「ティム！　聞いてるか？」

ティムはマイクをとりあげて、「はい、聞いてます！」

「いまのを見たか？」

「ちらっと見ただけです」

「いったいなんだったんだ、あれは？」マルカムの声だ。

「暗視ゴーグルはつけているか、ティム？」

「つけてます。まわりをよく見てみます」

「いまの……ティラノサウルスじゃなかったろうね？」エド・リージスがきいた。

「じゃないと思う。そんなに大きくなかったみたい。道路を横切っていったし」

「だけど、よく見えなかったんだろう？」

「うん」

あれがなんであったにせよ、見そこなったのは失敗だったな――そうティムが思ったとき、いきなり稲光が一閃し、暗視ゴーグルを通して見る夜景がまばゆいグリーンに燃えあがった。ティムは目をしばたたき、数を数えはじめた。

「一秒……二秒……」

耳をつんざくばかりの、すさまじい落雷の音が轟いた。すぐ近くに落ちたらしい。

「きゃあっ！」レックスが悲鳴をあげ、泣きだした。

「だいじょうぶだよ、レックス」とエド・リージス。「ただの雷じゃないか」

ティムは道路の脇に目をこらした。雨足がはげしくなっている。大粒の雨にたたきつけられ、枝葉がゆれていた。そのおかげで、あらゆるものが動きだしたように見える。なにもかもが生命を持ったようだ。ティムはその枝葉を舐《な》めるように視線を動かし……

ぴたりと動きをとめた。枝葉の向こうに――なにかがいる。

視線をあげた。

木々の背後、フェンスの向こうに、なにか巨大なものがぬうっと突っ立っている。その表面をおおう無数のこぶは、まるで大木のこぶのようだ。だがそれは、木ではない……。さらに視線をあげ、ゴーグ

ルを上に向けていく――

ティラノサウルス。

そこにあったのは、ティラノサウルスの巨大な頭だった。怪物はその場に立ちつくし、フェンスごしにじっと二台のランドクルーザーを見つめていた。ふたたび稲妻が天を駆けぬけると同時に、その巨大な頭部が天をふりあおぎ、哮《ほ》えた。一拍おいて、闇に落雷の音が轟いた。ついで静寂。しのつく雨。

「ティム?」

「はい、グラント博士」

「あれが見えるか?」

「はい、グラント博士」

グラント博士は妹を怯えさせないような話し方をしてくれている。

「いま、どうなっている?」

「なにもしてません」暗視ゴーグルでティラノサウルスを見つめながら、ティム。「フェンスの向こうにじっと立ってます」

「この位置からはあまりよく見えないんだ」

「ここからは見えます、グラント博士。じっと突っ立ってます」

「わかった」

レックスはぐずぐず泣きつづけている。

ふたたび、沈黙がつづいた。ティムはティラノサウルスを見つめた。なんてでっかい頭だろう! ふと、その頭がもう一台のランドクルーザーのほうを向いた。そしてまたこちらに視線をもどした。まっすぐティムを凝視しているようだ。

ゴーグルを通して、その双眸《そうぼう》がらんらんと明るいグリーンに輝いて見える。

思わずぞっとして、ティムはごつい頭と顎から胴体のほうへ視線をおろした。小さいが筋肉質の前肢が見えた。その腕が宙をかいたかと思うと、がきっとフェンスをつかんだ。

「や、やばい……」エド・リージスが目をむき、窓外を見つめた。

史上最大の捕食動物！　強大な肉食恐竜、いままさに人を襲う！

こんな場合だというのに、広告屋根性が骨までしみついたエド・リージスは、心の片隅でコピーを書いていた。だが、からだは正直に反応し、膝がどうしようもなくふるえだしている。ズボンのすそがひらひらとはためいた。怖い。恐ろしい。こんなところにいたくない。二台の車に分乗した人間たちのなかでただひとり、彼は恐竜に襲われるのがどんなに恐ろしいものかを知っている。被害者がどんな目にあわされたかも知っている。ラプトルに襲われた者たちがずたずたにされるところもこの目で見た。あの光景は、いまもはっきりと目に焼きついている。しかもこいつはティラノサウルスだ！　はるかに、はるかにでかい！　かつて大地を闊歩《かっぽ》した最大最強の肉食動物！

神さま。

またもや、ティラノサウルスが哮えた。異世界の怪物ならではの、血も凍るおたけびだった。ズボンのなかに温かいものが広がっていった。失禁したのだ。すっかり動転していた。ただただ恐ろしかった。だが、なにかしなくてはならない。ここでじっとしているわけにはいかない。なにかしなくては。なにかを。ダッシュボードにかけた手ががたがたふるえている。

「やばい……」もういちど、つぶやいた。

「いけないんだから、そんな悪いことば——」レックスが涙声でいった。

つづいて、ドアが開く音が聞こえたので、ティムはティラノサウルスから目を離した。暗視ゴーグル

のイメージが残像を引いて横に流れ——エド・リージスが開いたドアから雨のなかに頭をつきだし、外へ出ようとしているのが見えた。

「ねえ！」レックスが呼びかけた。「どこいくのよ！」

エド・リージスはひとこともいわず、車の前をまわりこんでティラノサウルスとは反対の方向へ駆けだし、木々のあいだに消えた。ランドクルーザーのドアはあけっぱなしで、車内にどんどん雨が降りこんでくる。

「出てっちゃった！」レックスがいった。「どうして？ 出てっちゃったよ！」

「ドアを閉めろよ」

ティムのことばには耳を貸さず、レックスは叫びだした。

「置いてかないでよぉ、置いてかないでよぉ！」

「ティム、どうした？」グラント博士の声がいった。「ティム？」

ティムは前に身を乗りだし、リージスの出ていったフロントドアを閉めようとしたが、リアシートからではドアノブに手がとどかない。ティラノサウルスのほうにふりかえったとき、またもや稲妻が光り、白一色に染まった空を背に、巨大なシルエットが黒々と浮かびあがった。

「ティム、なにごとだ！」

「置いてかないでよぉ、置いてかないでよぉ！」

視力を回復させようと、ティムはまばたきをくりかえした。もういちどティラノサウルスを見やる。恐竜はさっきと同じ場所に、微動だにせずにそそりたっている。その顎から雨がしたたり落ちていた。前肢はがっちりとフェンスをつかみ……

そこでティムは、はっと気がついた。ティラノサウルスはフェンスをつかんでいる！

フェンスには電気が通ってないんだ！

「レックス、ドアを閉めろ！」

無線のノイズが響いた。「ティム！」

「聞いてます、グラント博士」

「どうしたんだ？」

「リージスが逃げました」

「なんだって？」

「逃げたんです。フェンスに電気がきていないのに気づいたんだと思います」

「フェンスに電気がきていない？」これはマルカムの声だ。「ティムは電気がきていないといったのか？」

「レックス！　ドアを閉めろってば！」ティムはどなったが、レックスは単調に、「置いてかないでよぉ！」をくりかえし、叫びつづけるばかりだ。やむなくティムは、いったんうしろのドアから豪雨のなかにおり、外からフロントドアを閉めた。ごろごろと雷鳴が轟き、またもや稲光が閃いた。ティムはフェンスを見あげた。ティラノサウルスが巨大な後肢で、金網フェンスを押し倒しかけている。

「ティミー！」

リアシートにとび乗り、たたきつけるようにドアを閉めた。落雷の轟音で、ドアを閉める音は聞こえない。

無線がどなった。「ティム！　だいじょうぶか？」

ティムはマイクをひっつかみ、「だいじょうぶです！」と答え、レックスにどなった。「ドアをロックしろ！　車のまんなかへ寄れ！　いいかげんにだまれよ！」

ティラノサウルスがゆっくりと首を動かし、重々しく一歩を踏みだしかけ、そこでぴたりと動きをとめた。足の爪が、押し倒したフェンスの金網にひっかかったのだ。とうとうレックスも怪物の巨体を目

にとめ、身をこわばらせてだまりこんだ。目をまるくして恐竜を見つめている。

無線がいった。「ティム」

「はい、グラント博士」

「車を出ないように。じっとしているんだ。しゃべってはいけない。動いてもだめだ。音もたてるな」

「はい」

「心配はいらない。あれに車をこじあけられるとは思えない」

「はい」

「声をたてずにじっとしているんだ。必要以上に注意を引くのはまずい」

「はい」ティムは無線のスイッチを切った。「いまのを聞いたな、レックス？」

妹はこくりとうなずいた。ひとことも口をきかず、目を恐竜に釘づけにしている。そのとき——ティラノサウルスが哮えた。一瞬の稲光で、ティラノサウルスが足にひっかかったフェンスを引きちぎり、大きくジャンプして前に跳びだすのが見えた。

あっと思ったときには、恐竜は二台の車のあいだに立っていた。その巨体にはばまれて、グラント博士の車は見えない。雨が無数の小さな滝となり、ごつい脚のこぶだらけの皮膚を流れ落ちている。頭は見えない。天井のずっと上にあるからだ。

ティラノサウルスがこちらの車の横にまわりこみ、ついいましがたティムが車外にいた場所に近づいてきた。エド・リージスが出ていったドアの前だ。そこで、足をとめた。巨大な頭がぐぐっとさがってきて、地面のにおいを嗅いだ。

ティムはうしろの車のグラントとマルカムをふりかえった。ふたりとも緊張の面持ちで、フロントガラスごしにこちらを見つめている。

巨大な頭がわずかに上昇し、がっと口を開くと、サイドウインドウの前で停止した。閃いた稲妻で、

爬虫類特有の無表情なまるい目が、眼窩《がんか》のなかでぎょろりと動くのが見えた。

(車のなかを覗いてるんだ)

恐怖にすくみあがっているのだろう、妹のきれぎれの息づかいが聞こえる。泣きださないでくれることを祈って、ティムは妹の腕をそっと握りしめた。ティラノサウルスはいつまでたっても動こうとしない。凍りついたようにサイドウインドウのなかを覗きこんでいる。きっとよく見えないのだろう。やっとのことで、すーっと頭があがっていき、視界から消えた。

「ティミー……」レックスがささやいた。

「だいじょうぶ」ティムがささやきかえす。「きっと、よく見えなかったんだ」

そういって、グラント博士のほうをふりかえったとき——ランドクルーザーが強烈な衝撃をくらって大きくゆれ、フロントガラス一面にビシッとクモの巣のようなヒビがはいった。ティラノサウルスの頭部がボンネットを直撃したのだ。ティムははじかれたようにシートにころがった。暗視ゴーグルが額からすべり落ちた。

すばやく起きあがり、まばたきしながら闇に目をこらす。口のなかになまぬるい血の味がした。

「レックス?」

妹の姿がどこにもない!

ティラノサウルスはランドクルーザーの正面近くに立っており、息をするたびにその胸が起伏していた。二本の前肢は宙をかくようなしぐさをしている。

「レックス!」押し殺した声でくりかえした。妹のうめき声が聞こえた。フロントシートの床にころがっていたのだ。

またもや巨大な頭がぐぐっとおりてきて、ヒビだらけのフロントガラスの全面をおおいつくした。ドン! ふたたび、ランドクルーザーのボンネットを衝撃が襲った。サスペンションの上で車体が大きく

ゆれる。ティムは必死にシートにしがみついた。ティラノサウルスはさらに二度、ボンネットに頭突きをくらわせ、天井をゆがませた。

ついで、車の後部にまわりこんだ。うしろにぴんと張った巨大な尾が、サイドウインドウの外をすっかりおおいつくしている。後部にまわると、ティラノサウルスはフンフンとにおいを嗅いだ。深いうなり声が雷鳴と重なりあい、いっそう不気味だ。と、巨大な顎が後部のスペア・タイアを咥《くわ》え、首をひとふりしてむしりとった。車体の後部がつかのま宙に浮きあがり、ドスンと落ちて泥をはねちらした。

「ティム!」グラントの声。「ティム、だいじょうぶか?」

ティムはマイクをつかんで、「だいじょうぶです」と答えた。ふいに、金属をこするギシギシという音がした。鉤爪が天井をひっかいているのだ。右側の窓の外は、皮革のようなこぶだらけの皮膚以外になにも見えない。と、ティラノサウルスの巨体がぐっとのしかかってきて、車体をゆすりだした。ひとゆれするたびに、スプリングと金属が大きくきしみをあげる。

レックスがふたたびうめいた。ティムはマイクをもどし、身をねじってフロントシートに移りかけた。とたんに、ティラノサウルスが咆哮し、金属の天井がぼこっとへこんだ。へこんだ天井で頭を強打され、ティムはフロントシートのあいだに倒れこみ、床のトランスミッションの突起の上にころげ落ちた。そばに倒れているレックスを見てぎょっとした。顔の半分が血まみれになっている。しかも気を失っているらしい。

もういちどなにかがぶつかる衝撃が走り、おびただしいガラスの破片が降りかかってきた。そして、雨のしずくも。顔をあげた。フロントガラスがこなごなに砕けちり、フレームの周辺にぎざぎざのガラスの破片が残っているだけだ。その向こうに、ティラノサウルスの巨大な頭が見えた。

(こっちを見てる)

総毛立った瞬間、その頭がくわっと顎《あぎと》を開き、猛然とせまってきた。ガキッという音をたてて、牙が

金属のフレームにぶつかった。猛烈な腐臭とともに、開口部から太い舌が車内に侵入してきた。大きなねばねばしたかたまり。それが車内を打ちすえていく。唾液の熱い泡がからだにたれかかった。だしぬけに、ティラノサウルスが哮え——すさまじいばかりの咆哮に、車内がびりびりふるえた——その頭がすっとひっこんだ。

へこんだ屋根に頭をぶつけないようにして、ティムは起きあがった。助手席のそばに、なんとかまっすぐすわれるだけのスペースがあった。ティラノサウルスはフロントフェンダーのそばに立ちつくしている。自分の身に起こったことに驚いているようだ。その顎から、だらだらと血がしたたっていた。

そこでティラノサウルスは首をかしげ、かたほうの巨大な目をひたとティムにすえた。頭がぐうっと近づいてくる。途中で車の側面に移動し、サイドウインドウから車内を覗きこんだ。雨にまじってしたたる血が、ぽとん、ぽとん、とランドクルーザーのへこんだ天井を打つ。

(手が出せないんだ。大きすぎるから)

頭がひっこんだ。と思ったとたん、閃く稲光のなかに、蹴りつけてくる巨大なうしろ脚が浮かびあがった。世界が荒々しくひっくりかえり、ランドクルーザーは横ざまに転倒した。地面にぶちあたった窓ガラスが粉みじんに砕けちる。レックスが窓にたたきつけられた。ティムもそのそばに投げだされ、したたかに頭を打った。意識が朦朧《もうろう》とした。と、ティラノサウルスの顎ががっきと窓のフレームを咥えた。ランドクルーザーは高々と宙にかかえあげられ、乱暴にふりまわされた。

「ティミー!」レックスが意識をとりもどし、悲鳴をあげた。すぐそばなので耳が痛んだが、それをこらえて、妹のからだをぎゅっとつかむ。つぎの瞬間、車が地面にたたきつけられた。妹が上に折り重なってくる。脇腹が痛んだ。車はもとどおり、四輪を地についたが、大きくかしいでいる。

「ティミー!」レックスが叫んだ。見ると、かたむいて低くなったほうのドアがあいており、妹が車外の泥へずるずるとすべり落ちていく。だが、ティムにはどうすることもできない。なぜなら、つぎの瞬

間、世界がめちゃめちゃに回転しだしたからだ。

ソテツの幹がものすごい速さで下を流れさっていく——空中をふりまわされているのだ——地面がはるか下にちらりと見えた——ティラノサウルスの身の毛もよだつ咆哮——らんらんと輝く片目——ソテツの梢——

金属のこすれる音とともに、車がティラノサウルスの顎を離れた。宙を飛んでいく。落下していく。吐き気をもよおした瞬間、世界は暗黒と静寂につつまれた。


うしろの車で、マルカムが息を呑んだ。

「どういうことだ！　前の車はどうしたんだ！」

稲光が薄れていくなかで、グラントは目をしばたたいた。

先頭車がなくなっている！

信じられないことだった。雨が滝のように流れ落ちるフロントガラスを通して、前方に目をこらした。ティラノサウルスの体軀はとてつもなくでかい。きっとそれにさえぎられて見えないだけなんだろう——

だが、そうではなかった。ふたたび電光が一閃したとき、はっきりと見えた。やはり車の姿はない。

「どうなったんだ？」とマルカム。

「わからん」

雨音にまじって、小さな女の子の泣き声がかすかに聞こえてきた。ティラノサウルスは道路をすこし進んだ闇のなかに立ち、地面にかがみこんで、なにかのにおいを嗅いでいる。

あるいは、地面の上のなにかを喰っているのか。

いずれにせよ、その関心の対象がなんであるかは明白だ。

「見えるか？」目をすがめて、マルカム。

「だめだ」とグラント。雨が音高く、車の天井を打ちすえている。女の子の声に耳をすましたが、もうなにも聞こえてこない。ふたりはじっと車中にすわり、耳をすました。

「さっきのは、あの子の声か？」ややあって、マルカムがいった。「あの女の子の声のようだったが……」

「そんな感じだ」

「たしかか？」

「わからん」グラントは疲労がじわじわたまっていくのを覚えていた。雨の膜におおわれたフロントガラスを通して、ティラノサウルスがこちらへ近づいてくるのがぼんやりと見える。不気味な足どりで、ゆっくりと、まっすぐに近づいてくる。

マルカムがいった。

「こういう局面に出くわすと、絶滅した生きものは絶滅したままであるべきだと痛感するな。そうは思わないか？」

「ああ」とグラントは答えた。心臓が高鳴りだしている。

「さて。これからどうするべきか、なにかアドバイスは？」

「考えられる状態じゃない」

マルカムはいきなりドアノブを引っぱり、蹴りつけるようにドアをあけると、だっと外にとびだした。が、とびだす前から、グラントにはもう遅すぎることがわかっていた。ティラノサウルスが近すぎるのだ。またもや稲妻が天を駆けぬけ、ティラノサウルスが哮えた。一瞬の目もくらむ白光が、躍りあがる巨軀をくっきりと照らしだした。グラントは戦慄した。

そのあとどうなったのかは、ぼんやりとしか見えなかった。泥をはねて走るマルカム。つぎの瞬間、

ティラノサウルスがすぐそばに着地し、巨大な頭をぐっと下方へつきだす。マルカムのからだが小さな人形のように空中に放りあげられた。

そのときにはもう、グラントも車の外にとびだしていた。冷たい雨が顔とからだを打つ。ティラノサウルスは背中を向け、巨大な尾を宙にふりたてている。が、グラントが木々のあいだに逃げこもうとしたとき、ティラノサウルスが急にくるりとふりむき、こちらを見すえた。

哮えた。

グラントは凍りついた。

ずぶ濡れになりながら、まったくの無防備のまま、ランドクルーザーの助手席側ドアのそばに立ちつくした。ティラノサウルスは二メートル半と離れていない。ふたたび、巨竜が哮えた。これほど間近で聞く怒哮《どこう》は、身の毛もよだつほど大きく、すさまじい。ひとりでにからだがふるえだした。冷たい雨のせいばかりではない。恐怖のせいだ。グラントは手をドアのフレームに押しつけ、ふるえをとめようとした。

またもや、ティラノサウルスが哮えた。が、襲いかかってこようとはしない。首をかしげ、まずかたほうの目、ついでもういっぽうの目でランドクルーザーを凝視するばかりで、なにもしようとしない。

じっとそこに突っ立っている。

(どうしたんだ?)

強力無比の顎がくわっと開き、また閉じた。ティラノサウルスは怒号を発し、巨大な脚を車の屋根にふりおろした。鉤爪がギーッという音をたてて屋根の金属をかきむしり、グラントのすぐそばをかすめた。グラントは恐怖ですくみあがり、化石したようにその場に立ちつくしている。

ズシャッ。脚が泥をはねちらし、地を踏みしめた。ついで、巨大な頭がゆっくりとさがってきて、フンフンと車内のにおいを嗅ぎ、フロントガラスのなかを覗きこんだ。それから巨竜は車のうしろにまわ

り、助手席のドアを鼻先で押して閉め、まっすぐにグラントの立っているところへやってきた。からだじゅうが恐怖で痺《しび》れ、心臓がどくんどくんと鳴ってのどからとびだしそうだ。牙の列がどんどん近づいてくる。口からただよう腐肉のにおい、吐き気をもよおす血のにおい、胸の悪くなるような肉食動物特有のにおい……

身をこわばらせ、ひと咬みにされるのを待つ。

と、巨大な頭がすーっと目の前を通りすぎ、車の後部に移動していった。グラントは目をしばたたいた。

(どういうことだ?)

ティラノサウルスにはこっちが見えないんだろうか? そうとしか思えない行動ぶりだ。だが、どうしてそんなことが——? グラントは首だけ動かし、ティラノサウルスを見つめた。後部のスペア・タイアのにおいを嗅いでいる。鼻づらでタイアをつついてから、ぐいとこちらに顔を向けた。またもや近づいてきた。

今度は目の前で立ちどまった。開いた黒い鼻孔が目と鼻の先にある。ぎょっとするほど熱い息が顔にかかった。だが、ティラノサウルスはにおいを嗅いでいるのではない。ただ呼吸をしているだけだ。しかも、当惑しているらしい。

やはり、見えないんだ。じっと動かずにいさえすれば。心の片隅で超然としている学術的な部分が、その理由を見つけだし——

ばかでかい顎がぐわっと開き、巨大な頭が天を仰いだ。グラントは両手をぎゅっと握りしめ、口を固く閉じ、動くまい、声をたてまいと必死に戦った。

ティラノサウルスの怒号が、雨の夜に轟きわたった。

やはりそうだ。こいつにはこちらが見えていない、しかし、ここにいることは勘づいている。だから

咆哮をあげて威かし、むりやり動かそうとしているんだ。だが、こうしてじっと立っているかぎり、こいつには獲物の姿が見えない。

ついに業をにやして、ティラノサウルスは巨大なうしろ脚をふりあげ、ランドクルーザーを蹴倒した。強烈な痛みが走った。気がつくと、グラントは宙を飛んでいた。なんと不思議な感覚だろう。すべてがおそろしくゆっくりと動いている。長い長い時間をかけて、世界が冷たくなっていき、顔に向かって地面がぐんぐん近づいてきた。

帰路

「くそっ、まいったな」ハーディングがいった。「あれを見てくださいよ」

ハーディングのガソリン・エンジン式ジープに便乗したジェナーロとエリーは、ワイパーが首をふるフロントガラスを通し、前方を見やった。ヘッドライトの黄色い光が、道をふさぐ太い倒木を浮かびあがらせている。

「雷が落ちたな」とジェナーロがいった。「こいつはでかい」

「とても通れませんね」とハーディング。「コントロールのアーノルドに報告しておいたほうがよさそうだ」無線のマイクをとりあげて、ダイヤルをひねった。「もしもし、ジョン。聞こえるか、ジョン?」

無線からはザーというノイズが聞こえてくるだけだった。「へんだな。無線が通じない」

「嵐のせいだろう」とジェナーロ。

「でしょうね」

「ランドクルーザーに連絡してみて」エリーがいった。

ハーディングはべつのチャンネルに切り替えたが、やはり応答はない。

「こっちもだめです。きっとヴィジターー・センターに帰りついたんでしょう。でなければ、このちゃち

な無線機では電波がとどかないのか。どちらにしても、ここにじっとしているわけにはきません。整備班がきてこの大木をどけるには、何時間もかかるでしょうから」

ハーディングは無線を切り、ギアをバックにいれた。

「どこへいくつもり?」エリーがたずねた。

「分岐点までもどってサービス道路にはいります。さいわい、道路はこれ一本じゃないんですよ。こっちの道は来園者用で、もう一本は飼育係の移動や食料運搬などの専用道路にしてるんです。そのサービス道路を通ってコントロールにもどります。ちょっと遠まわりだし、景観もよくないですがね。それでもけっこうおもしろいですよ。雨さえあがれば夜行性の恐竜が見られるでしょう。帰りつくのは三、四〇分後です——道に迷いさえしなければね」

ハーディングは夜のなかでジープをUターンさせ、ふたたび南に向かった。


稲光が閃き、コントロール・ルームのモニターがひとつ残らずふっと消えた。アーノルドは顔色を変え、背筋をこわばらせて身を前に乗りだした。よりによってこんなときに!……いまはこまる、いまはこまる! 嵐のただなかで全システムにダウンされては手も足も出ない。もちろん、メインの電気系統は電流の動揺《サージ》から守られている。だが、ネドリーがデータ転送に使っていたモデムはわからない。この場にいるほとんどの者は知らないが、モデムを通じて全システムが破壊されることだってありうるのだ。落雷のパルスが電話回線を通じてコンピュータに侵入してきたら——バン! マザーボードもぱあ。RAMもぱあ。ファイル・サーバーもぱあ。コンピュータそのものが死んでしまう。

画面がちらついた。ひとつ、またひとつと画像がよみがえりはじめた。

アーノルドは安堵の吐息をつき、ぐったりと椅子の背にもたれかかった。

安心すると、またぞろネドリーの行方が気になってきた。警備員たちを棟内の捜索にいかせて、そろ

そろ五分。あのうすらバカのでぶ野郎め、おおかたトイレでマンガ本でも読みふけってやがるんだろう。だが、警備員たちはいっこうにもどってこない。連絡もない。

五分間。もしネドリーがこの建物にいるのなら、もう見つかっていていいころだ。

そのとき、マルドゥーンがコントロール・ルームにはいってきて、アーノルドのそばにくるなり、いった。

「だれかがジープに乗っていった。ランドクルーザーとは連絡がついたか？」

「無線が通じないんだ」とアーノルド。「主配電盤がダウンしてるんで、コントロールのやつを使うしかない。出力は弱くてもちゃんと通じるはずなんだがな。六つのチャンネルで呼びかけてみたがだめだった。車に無線を積んでるはずだが、いっこうに応えない」

「まずい徴候だな」

「現地にいきたいなら、業務用の車を使えばいいじゃないか」

「そうしたいところだが、業務用車輌はみんな東のガレージだ。ここからは二キロ近くある。ハーディングはどこだ？」

「こちらに向かってるところだろう」

「とすると、途中でランドクルーザーの連中を拾ってこれるな」

「たぶん」

「ハモンドには子供たちがもどってきていないことを知らせたか？」

「いうもんか。あのおいぼれにそこらじゅう駆けまわってわめきちらされてみろ。たまったもんじゃない。当面のところ、なにも異状はない。ランドクルーザーが雨のなかで立ち往生してるだけだ。しばらくじっとしていれば、ハーディングが拾ってきてくれる。でなければ、ネドリーのバカを見つけてシステムを復旧させるほうが早いかもしれん」

「まだ見つからないのか？」

アーノルドは首をふった。

「さがさせてはいるんだが。どうもネドリーのやつ、システムになにかをしていったらしい。なにをしたかはわからんが、自分でプログラムを覗いて調べるとなると、何時間もかかる。やはりネドリーにやらせるしかない。急いであのまぬけを見つけないと」

ネドリー

標識には〈高圧電流フェンス　一〇〇〇〇ボルト　危険〉とあったが、ネドリーは素手でロックをはずし、ゲートを押しあけた。ジープにもどって、ゲートを通りぬけてからいったん停車し、車を降りてゲートを閉める。

ここから先は、もう恐竜エリアだ。東の桟橋までせいぜい一キロしかない。ネドリーはジープにもどってアクセルを踏み、顔をつきだすようにしてハンドルを握ると、雨のたたきつけるフロントガラスの向こうに目をこらし、車を発進させた。ぐっとアクセルを踏みつける。この雨のなかでは危険なほどのスピードだ。だが、タイムテーブルはまもらなくてはならない。まわりはすっかり黒々としたジャングルにおおいつくされている。まもなくこのジャングルがとぎれ、左手に浜辺と海が見えてくるはずだ。

このくそいまいましい嵐め。こいつのせいで、なにもかもだいなしになるかもしれない。ドジスンのさしむけたボートが東の桟橋で待っていなかったら、この計画そのものがおじゃんになる。コントロール・ルームでいなくなったと大騒ぎされたらおおごとだから、あまり長くは待っていられない。この計画の骨子は、東の桟橋まで車を駆り、胚をさっと手わたして、ぬけだしたことを気づかれないうちになにくわぬ顔でもどるという点にある。賢い計画だ。ネドリーは丹念にこの計画を練り、綿密に細部を詰めた。

この計画さえ成功すれば、一・五メガドル——一五〇万ドルという大金が手にはいる。一〇年分

の年収が、税ぬきでころがりこむのだ。それは今後の人生を大きく変えてくれるはずだった。だからネドリーは、慎重に計画を練りあげた。出発まぎわ、サンフランシスコ空港に金を持ってこさせたのも、その計画の一環だ。用意周到にも、ネドリーはドジスンとの会話をひとどおりテープに録音し、そのなかでわざと相手の名前をくりかえしておいた。ドジスンが後金をしぶったときの用心である。胚といっしょにテープのコピーをわたしてやれば、よもや金を払わないとはいわないだろう。ネドリーはそこまで緻密に考えつくしたうえで、ことに臨んだのだ。

ただし、この嵐だけは予想外だった。

ふいに、なにかがさっと道路を横切り、ヘッドライトに白い姿が浮かびあがった。大きなネズミのようだった。太い尾を引いて、その動物は下生えのなかにとびこんだ。オポッサムだった。オポッサムがこんなところで生きていられるとは驚きだな。恐竜の格好のエサだろうに。

くそっ、栈橋はどこだ？

このスピードで飛ばして、もう五分はたっている。とっくに東の栈橋に着いていてもいいころだ。曲がる場所をまちがえたのか？　いや、そんなはずはない。途中、別れ道はひとつもなかった。

なら、栈橋はどこだ？

曲がり角をまがったとたん、うわっと叫んだ。道路が灰色のコンクリート塀で断ちきられている！　塀の高さは約二メートル、その表面を、雨が黒い筋となって流れ落ちていた。思いきりブレーキを踏みつける。ジープは尻をふり、タイアが路面のグリップを失って派手にスピンをはじめた。このままではぶつかる！　無我夢中でハンドルを切った。危ういところでジープは横すべりし、停車した。ヘッドライトからコンクリート塀まで、わずか三〇センチの余裕しかなかった。

しばらく身をこわばらせたまま、ワイパーの規則的な音に耳をかたむけた。それから、大きく息を吸いこみ、ゆっくりと吐きだした。いまきた道をふりかえる。やはり道をまちがえたらしい。このままき

た道をたどっていってもいいが、それでは時間がかかりすぎる。

とりあえず、現在地を確認したほうがいい。

ジープを降りた。重い雨粒が殴りかかってきた。本格的な熱帯雨で、打たれたところが痛いほどだ。腕時計を見て、デジタル・ダイヤルの発光ボタンを押した。六分たっている。いったいここはどこだ？コンクリートの障壁をまわりこんでいった。雨の音にまじって、ザーザーという音が聞こえてきた。海か？先へ急いだ。歩くにつれて、目が闇に慣れてくる。どちらを見てもジャングルが鬱蒼《うっそう》と茂るばかりだ。雨粒が枝葉を打ちすえている。

ザーザーという音が大きくなってきた。だしぬけに枝葉がとぎれ、足が柔らかい地面にめりこんだ。目の前にあるこの黒い流れは——川だ。川だと！ここはジャングル・リバーだというのか！くそったれ！川のどこだ？川は何キロにもわたって島をくねりながら縦断している。もういちど腕時計を見た。七分だ。

「やばいぞ、デニス」と声に出してつぶやいた。

その声に応えるように、フクロウを思わせる、ホウホウというおだやかな啼き声が森に響いた。

ネドリーは気にもとめなかった。計画のことで頭がいっぱいで、啼き声どころではなかったのだ。もはやタイムリミットを過ぎたことは否定しようがない。ほかに選択の余地はなかった。当初の計画はあきらめよう。ここはコントロール・ルームにとってかえし、コンピュータを復旧してから、なんとかしてドジスンに連絡をとり、明日の夜に東の桟橋でわたす算段をするしかない。大車輪で復旧させねばならないが、それはなんとかなる。コンピュータは自動的にあらゆる電話の記録をとっているから、ドジスンに連絡をつけたらまたコンピュータに潜り、電話記録を消去しなくてはならないだろう。ともかく、ひとつだけ確実なのは——いつまでも恐竜エリアにぐずぐずしてはいられないということだ。さもないと、ぬけだしたことを勘づかれてしまう。

ネドリーはジープのヘッドライトめざして引き返しはじめた。

そのときだった。ふたたび、ホウホウという、あのおだやかな啼き声が響いた。今度はネドリーも立ちどまった。フクロウの声にしてはどうも妙だ。啼き声の主は、ジャングルの右手、そう遠くないところにいるらしい。

耳をすました。ガサガサガサ。下生えが踏みしだかれる音がする。そして、静寂。ややあって、またもやその音が聞こえてきた。明らかに、なにか大きなものだ。それがゆっくりと、ジャングルのなかを近づいてくる。

なにか大きなもの。それがすぐ近くに——。恐竜！

ジャングルから出ないと！

ネドリーは駆けだした。ガサガサと大きな音をたてて走っているのに、背後のなにものかが枝葉をかきわけて追ってくる音がはっきり聞こえる。そして、あの啼き声。

それがどんどん追いすがってくる。

闇のなかで何度も木の根につまずき、たびたびころびそうになりながら、雨水のしたたる枝をかきわけかきわけ、ひたすら走った。前方にジープが見えた。垂直のコンクリート塀をヘッドライトが煌煌と照らしだしている。その明かりのなんとたのもしいことか。もうすぐジープだ。こんなところからおさらばできる。一気に塀をまわりこんだとたん——ネドリーは凍りついた。

恐竜が先まわりしていたのだ。

だが、ジープのそばにいるわけではない。恐竜はヘッドライトの光がとどくぎりぎりの位置——一二メートルほど向こうに立っている。ネドリーはツアーに参加しなかったので、そんなにたくさんの恐竜を見てはいないが、こいつはひときわ異様な姿をしていた。体長は三メートル強、黄色い体表が黒い斑紋でおおわれ、頭の上にはV字型の赤いとさかがついている。

恐竜は動かない。が、ふたたび、あのおだやかな啼き声をあげた。

襲ってこないかどうか、ネドリーはしばらくようすを見た。そんな気配はなさそうだ。たぶん、ジープのヘッドライトに怯えて遠巻きにしているのだろう。炎を怖がるのとおんなじだ。

恐竜はじっとこちらを凝視していたが、やがて流れるような一動作で、シャッと口を開いた。ぽつり。冷たいものが胸にあたった。胸を見おろすと、雨で濡れそぼったシャツに泡のようなかたまりがへばりついている。なんだかわからないままに、指先でふれてみた。

唾だった。

あの恐竜が唾を吐きかけてきたのだ。

手ざわりがなんとも気持ちが悪い。恐竜に目をもどしたとたん、そいつはまたも口を開いた。冷たいかたまりが、今度は襟のすぐ上の首すじにへばりついた。片手でそれをぬぐいとる。くそっ、なんて気持ち悪い唾だ！　ほどなく、首の皮膚に燃えるような痛みが広がりだした。唾にふれた手にもだ。酸をかけられたような感じに近い。

ネドリーは車のドアをあけ、恐竜が襲ってこないかどうかたしかめようと、もういちどだけふりかえった。

だしぬけに、強烈な痛みが両目に走った。目の奥まで針をつきたてられたような激痛だ。ぎゅっと目を閉じ、あまりの痛さにあえぎあえぎ、両手を目にあてがった。鼻の両脇にへばりつく、ぬるりとした液体が手にふれた。

唾か。

唾を目に吐きかけられたのだ。

気づいたところで、圧倒的な痛みはどうしようもなかった。力がぬけて、がくりと膝をついた。なにも考えられず、ぜいぜいあえぎながら横ざまに倒れた。頬が濡れた泥にへばりつく。かろうじて息をす

るたびに、のどがヒュウヒュウと鳴った。激痛の刺激で、ぎゅっと閉じたまぶたの裏に星がちらついている。

地面を震動が伝わってきた。恐竜が動きだしたのだ。おだやかな、ホウ、ホウ、という啼き声。強烈な痛みに苛まれながらも、必死に目をあけた。暗黒に星がちらつくばかりでなにも見えない。ゆっくりと、恐ろしい事実に思いいたった。

目をつぶされたんだ……！

啼き声が大きくなってくる。ネドリーは死にものぐるいで立ちあがり、よろよろとジープのサイドパネルにもたれかかった。だしぬけに、吐き気と悪寒の波が襲いかかってきた。恐竜はもうすぐそこだ。近づいてくるのが気配でわかる。フンフンとにおいを嗅ぐ音も聞こえる。

なのに、なにも見えない。

なにも見えないことで、恐怖は極限に達した。

襲ってくるにちがいない鉤爪を払いのけようと、両手をめちゃくちゃにふりまわした。

ふいに、唾の痛みとはまったく異質の痛みが腹部に走った。鋭いナイフで腹を切り裂かれたような痛みだ。ネドリーはよろめき、ずたずたに裂かれたシャツの上から腹をさぐった。ぎょっとするほど熱くて太い、ぬるぬるしたものが手にふれた。その正体に気づいて、ネドリーは戦慄した。両手に握りしめているこれは——自分の腸だ。おれは腹をかっさばかれたんだ。ずるずると臓物がすべり落ちていく。

膝の力がぬけ、ネドリーは地面にころがった。頭がウロコでおおわれた冷たいものにあたった。恐竜の脚だった。と、それまでとはまたべつの痛みが、顔の両脇に走った。痛みはどんどんひどくなっていく。立ちあがろうとしたとき、やっと痛みの原因がわかった。自分の頭を、恐竜の顎ががっぷりと咥えこんでいるのだ。究極の恐怖は、一刻も早くこの苦しみがおわってほしいという、切なる願いにとってかわられた。

検印
廃止

ジュラシック・パーク〔上〕
1991年6月30日 初版発行
1991年7月31日 4版発行

著者 マイクル・クライトン
訳者 酒井《さかい》 昭伸《あきのぶ》
発行者 早川 浩

発行所 株式会社 早川書房
東京都千代田区神田多町2—2
電話 東京(3252)3111(大代表)
振替 東京・6-47799

印刷所 三松堂印刷株式会社
製本所 大口製本印刷株式会社

定価はカバーに表示してあります
ISBN4-15-207714-X C0097
Printed and bound in Japan

ハヤカワ・ノヴェルズ

ビッグ・ゲーム(上・下)
L・ワイズ
真崎義博訳
ポーカーの名手ドックがベトナムから帰還した。愛する人々と農場を守るため、カードを手にビッグ・ゲームに挑むドックの運命は？　定価各一五四五円

フェアリー・テール(上・下)
R・E・フィースト
猪俣美江子訳
家の裏の森には何かがいる！　田舎町へ引越してきた一家を次々と襲う怪事件。ケルト神話伝説に材をとったファンタジック・ホラー。定価各一五〇〇円

スフィアー球体ー
M・クライトン
中野圭二訳
南太平洋の海底で発見された宇宙船は、沈んでから三百年が経過していた。深海に派遣された調査チームが遭遇する驚くべき謎と恐怖！　定価一九〇〇円

殺意の海へ
B・コーンウェル
泉川紘雄訳
ヨットレース中の事故は殺人だった？　フォークランド紛争の傷ついた英雄が、海の男の不屈の闘志で立ち向かう嵐の北大西洋上の陰謀　定価一八〇〇円

訴訟(上・下)
J・マーテル
岩原明子訳
かつてない財政危機に陥った大手法律事務所が打って出た再建策とは？　現役の法廷弁護士が陰謀渦巻く法曹界を描くサスペンス巨篇。定価各一五〇〇円

卒業十三年目の殺人
J・ゲスト&
R・ヒル
秋津知子訳
故郷の田舎町に帰ってきたかつての不良高校生が、同窓生の間に巻起こす波紋。やがて過去に端を発する殺人が……味わい深いミステリ　定価一六〇〇円